D0609890

La Fureur du fleuve

Robin Hobb

La Fureur du fleuve

Les Cités des Anciens

***

Traduit de l'anglais par A. Mousnier-Lompré

ÉDITIONS FRANCE LOISIRS

Titre original : DRAGON HAVEN, volume 2 *(première partie)*

Édition du Club France Loisirs,
avec l'autorisation des Éditions Pygmalion

Éditions France Loisirs,
23, boulevard de Grenelle, Paris
www.franceloisirs.com

Le Code de la propriété intellectuelle n'autorisant, aux termes des paragraphes 2 et 3 de l'article L. 122-5, d'une part, que les « copies ou reproductions strictement réservées à usage privé du copiste et non destinées à une utilisation collective » et, d'autre part, sous réserve du nom de l'auteur et de la source, que les « analyses et les courtes citations justifiées par le caractère critique, polémique, pédagogique, scientifique ou d'information », toute représentation ou reproduction intégrale ou partielle, faite sans consentement de l'auteur ou de ses ayants droit ou ayants cause, est illicite (article L. 122-4). Cette représentation ou reproduction, par quelque procédé que ce soit, constituerait donc une contrefaçon sanctionnée par les articles L. 335-2 et suivants du le de la propriété intellectuelle.

© 2010, Robin Hobb
© 2011, Pygmalion, département de Flammarion, pour l'édition en langue française
ISBN : 978-2-298-05225-1

Personnages

GARDIENS ET DRAGONS

ALUM : Teint clair, yeux gris argent ; très petites oreilles ; nez presque plat. Son dragon est ARBUC, mâle vert argenté.

ARGENT : À une blessure à la queue et pas de gardien.

BOXTEUR : Cousin de KASE ; yeux cuivrés, petit et râblé ; son dragon est le mâle orange SKRIM.

CUIVRE : Dragon brun chétif, sans gardien attitré.

GRAFFE : Aîné des gardiens, et le plus marqué par le désert des Pluies. Son dragon est KALO, le plus grand mâle, bleu-noir.

GRESOK : Grand dragon rouge, le premier à quitter le terrain d'encoconnage.

HARRIKINE : Long et mince comme un lézard, il est à vingt ans plus âgé que la plupart des gardiens. LECTER est son frère adoptif ; son dragon est RANCULOS, mâle rouge aux yeux argentés.

HOUARKENN : Grand gardien dégingandé. Dévoué à son dragon BALIPER, mâle rouge vif.

JERD : Gardienne blonde, fortement marquée par le désert des Pluies. Sa dragonne est VERAS, reine vert foncé à grenure dorée.

KANAI : Gardien affecté de stigmates prononcés. Sa dragonne est la petite reine rouge GRINGALETTE.

KASE : Cousin de BOXTEUR ; les yeux cuivrés, il est trapu et musclé. Son dragon est le mâle orange DORTEAN.

LECTER : Orphelin à l'âge de sept ans, élevé par les parents d'HARRIKINE. Son dragon est SESTICAN, grand mâle bleu ponctué d'orange, doté de petites piques sur le cou.

NORTEL : Gardien compétent et ambitieux. Son dragon est le mâle lavande TINDER.

SYLVE : Douze ans, cadette des gardiens. Son dragon est MERCOR, doré.

TATOU : Le seul gardien né esclave. Il porte sur le visage un petit cheval et une toile d'araignée tatoués. Son dragon est la plus petite reine, DENTE.

THYMARA : Seize ans ; a des griffes noires à la place des ongles et se déplace aisément dans les arbres. Sa dragonne est une reine bleue, SINTARA, aussi connue sous le nom de GUEULE-DE-CIEL.

TINTAGLIA : Reine dragon adulte, elle a aidé les serpents à remonter le fleuve pour s'encoconner. On ne l'a plus vue depuis plusieurs années dans le désert des Pluies.

LES TERRILVILLIENS

ALISE KINCARRON FINBOK : Issue d'une famille désargentée mais respectable de Marchands de Terrilville.

Spécialiste des dragons. Mariée à HEST FINBOK. Yeux gris, nombreuses taches de rousseur.

HEST FINBOK : Marchand de Terrilville de belle prestance, bien établi et fortuné.

SÉDRIC MELDAR : Secrétaire de HEST FINBOK, et ami d'enfance d'ALISE.

L'ÉQUIPAGE DU *MATAF*

BELLINE : Matelot. Mariée à SOUARGE.

CARSON LUPSKIP : Chasseur de l'expédition, vieil ami de LEFTRIN.

DAVVIE : Chasseur, apprenti de Carson LUPSKIP ; environ quinze ans.

GRAND EIDER : Matelot.

GRIG : Chat du bord ; roux.

HENNESIE : Second.

JESS : Chasseur engagé pour l'expédition.

LEFTRIN : Capitaine. Robuste, yeux gris, cheveux châtains.

SKELLI : Matelot. Nièce de LEFTRIN.

SOUARGE : Homme de barre. Navigue sur le *Mataf* depuis plus de quinze ans.

MATAF : Gabare longue et basse. Plus ancienne vivenef existante. Port d'attache : Trehaug.

Autres personnages

Althéa Trell : Second du *Parangon* de Terrilville Tante de Malta Khuprus.

Begasti Cored : Marchand chalcédien ; chauve, riche ; partenaire commercial de Hest Finbok

Brashen Trell : Capitaine du *Parangon* de Terrilville.

Clef : Mousse du *Parangon*, ancien esclave.

Detozi : Gardienne des oiseaux messagers de Trehaug.

Duc de Chalcède : Dictateur de Chalcède, âgé et mal portant.

Erek : Gardien des oiseaux messagers de Terrilville.

Malta Khuprus : « Reine » des Anciens, réside à Trehaug. Mariée à Reyn Khuprus.

Parangon : Vivenef. A aidé les serpents à remonter le fleuve jusqu'à leur terrain d'encoconnage.

Selden Vestrit : jeune Ancien ; frère de Malta et neveu d'Althéa.

Sinad Arich : Marchand chalcédien qui passe un marché avec Leftrin.

Cinquième jour de la Lune de la Prière

Sixième année de l'Alliance Indépendante des Marchands

D'Erek, Gardien des Oiseaux, Terrilville, à Detozi, Gardienne des Oiseaux, Trehaug

Un message du Marchand Jurden à délivrer au Conseil du désert des Pluies de Trehaug concernant une commande de couverts de table séviriens et la malencontreuse pénurie d'argenterie qui a provoqué une augmentation inattendue et considérable de leur prix.

Detozi,

Salutations ! Les pigeons royaux se révèlent décevants dans les domaines de la vitesse et de la capacité à regagner leurs nichoirs, mais, au vu de leur reproduction et de leur croissance rapides, je me demande s'ils n'offrent pas la possibilité de créer une réserve d'oiseaux à viande particulièrement adaptés à l'élevage dans le désert des Pluies. Qu'en pensez-vous ?

Erek

Prologue

Les humains étaient agités ; Sintara percevait leurs pensées qui allaient et venaient, piquantes, aussi agaçantes qu'un essaim d'insectes. La dragonne s'étonnait qu'ils eussent réussi à survivre alors qu'ils étaient incapables de garder leurs émotions pour eux ; l'ironie de la situation voulait que, projetant à tous les vents les fantaisies qui leur passaient par l'esprit, ils n'avaient pas l'intellect assez fort pour sentir ce que pensaient leurs semblables. Ils traversaient leur brève existence à pas chancelants, sans comprendre leurs voisins ni aucune des créatures qui les entouraient. Elle était restée abasourdie le jour où elle avait découvert que, pour communiquer, ils devaient émettre des bruits avec la bouche puis deviner ce que l'interlocuteur voulait dire par les bruits qu'il faisait en réponse. Ils appelaient cela « parler ».

L'espace d'un instant, elle cessa de bloquer leur feu roulant de couinements et s'efforça de comprendre ce qui mettait les gardiens en effervescence. Comme d'habitude, leurs inquiétudes ne présentaient nulle cohérence ; plusieurs soigneurs s'alarmaient pour la dragonne cuivrée qui était tombée malade, alors qu'ils n'y pouvaient pas grand-chose ; pourquoi s'empressaient-ils autour d'elle au lieu de vaquer à leurs services auprès des autres dragons ? Elle avait faim, et personne ne lui avait rien apporté à manger aujourd'hui, pas même un poisson.

Elle parcourait la berge d'un pas nonchalant. Il n'y avait pas grand-chose à voir à part une bande de boue et de gravier, des roseaux et quelques arbustes rabougris ; le soleil lui éclairait le dos mais ne la réchauffait guère. Il n'y avait pas de gibier – peut-être du poisson dans le fleuve, mais le peu de plaisir qu'elle prenait à le manger ne valait pas l'effort de l'attraper ; en revanche, si quelqu'un lui en apportait…

Elle envisagea d'appeler Thymara et d'exiger qu'elle allât chasser pour elle. D'après les échanges qu'elle avait surpris entre les gardiens, ils resteraient sur cette rive désolée jusqu'à ce que la dragonne cuivrée se remît ou mourût. Elle réfléchit un moment : si la cuivrée succombait, elle fournirait un copieux repas à celui de ses congénères qui arriverait le premier – sans doute Mercor, se dit-elle avec amertume ; le dragon d'or montait la garde près d'elle. Elle sentait qu'il craignait un danger, mais il avait fermé son esprit et ne laissait ni les gardiens ni les autres dragons percevoir ses pensées ; rien que cela éveillait la méfiance de Sintara.

Elle lui eût demandé sans détours ce qu'il redoutait si elle ne lui en avait pas tant voulu : sans qu'elle eût rien fait pour mériter un tel affront, il avait donné le vrai nom de la dragonne aux gardiens, et pas seulement à Thymara et Alise, ses propres soigneuses, ce qui eût été déjà grave ; non, il avait trompeté son nom bien haut comme s'il avait le droit de le partager. Que lui et la plupart des autres eussent choisi d'annoncer les leurs ne signifiait rien pour elle ; s'ils voulaient mal placer leur confiance, c'était eux que cela regardait. Elle ne se mêlait pas de la relation de Mercor avec sa gardienne ; alors d'où tenait-il qu'il avait le droit de déstabiliser celle qu'elle entretenait avec Thymara ? À présent que la jeune fille connaissait son vrai nom, Sintara espérait seulement qu'elle ignorait comment s'en servir ; nul dragon ne pouvait mentir à quelqu'un qui exigeait la vérité ou l'utilisait convenablement en posant une question ; il pouvait refuser de répondre, certes, mais non mentir. Il ne pouvait pas non plus rompre un accord s'il s'y engageait sous son vrai nom. Mercor avait donné un pouvoir démesuré à une humaine dotée de l'espérance de vie d'un poisson.

Sintara trouva un espace dégagé sur la plage ; elle se coucha sur les pierres chaudes de soleil, ferma les yeux et soupira. Allait-elle dormir ? Non, se reposer sur le sol froid ne l'attirait pas.

À contrecœur, elle rouvrit son esprit pour tâcher de découvrir ce que les humains projetaient. Quelqu'un se plaignait d'avoir du sang sur les mains ; la plus âgée des gardiens abritait une tempête sous son crâne : devait-elle retourner chez elle vivre dans l'ennui ou s'accoupler avec le capitaine du bateau ? Sintara poussa un grondement d'écœurement. La décision était évidente ; Alise se mettait au supplice pour des détails futiles. Ce qu'elle faisait n'avait pas plus d'intérêt que l'endroit où se pose une mouche ; les humains vivaient et mouraient en un temps extrêmement bref – ce qui expliquait peut-être qu'ils fissent autant de bruit pendant leur existence. Peut-être n'avaient-ils pas d'autre moyen de se convaincre mutuellement de leur importance.

Les dragons aussi émettaient des bruits, certes, mais ils n'en dépendaient pas pour communiquer leur pensée. La voix servait quand on voulait écraser le tohu-bohu des pensées humaines et attirer l'attention d'un autre dragon, ou pour obliger les hommes à se concentrer sur ce qu'on s'efforçait de leur faire comprendre. Les clameurs des humains ne l'eussent pas trop dérangée s'ils n'avaient persisté à cacher leurs pensées en même temps qu'ils s'évertuaient à les transmettre par leurs couinements ; cette double irritation lui faisait parfois regretter de ne pouvoir les dévorer et en finir une bonne fois.

Elle évacua son agacement sous la forme d'un grondement sourd. Les humains étaient une source de désagréments, des créatures inutiles, mais le sort contraignait les dragons à dépendre d'eux. Quand ces derniers avaient éclos après leur transformation à partir de serpents de mer, ils avaient ouvert les yeux sur un monde qui ne correspondait en aucun point à leurs souvenirs ; il s'était écoulé, non des dizaines, mais des centaines d'années depuis l'époque où les dragons sillonnaient le ciel, et, au lieu de naître capables de voler, ils avaient quitté leurs gangues en se traînant, caricatures difformes prises au piège d'une berge marécageuse bordée par une jungle humide et impénétrable. Les humains les avaient aidés à contrecœur, leur avaient apporté du bétail abattu et avaient supporté leur voisinage en attendant qu'ils meurent ou trouvent la force de s'en aller ; pendant des années, les dragons avaient souffert de la faim, recevant à peine de quoi manger pour ne pas mourir, coincés entre la forêt et le fleuve.

Et puis Mercor avait imaginé un plan. Il avait inventé la fable de la cité à demi oubliée d'une race ancienne où gisaient certainement d'immenses richesses qui ne demandaient qu'à être découvertes ; les dragons n'éprouvaient nulle gêne du fait que seul le souvenir de Kelsingra, cité des Anciens construite à une échelle qui lui permettait d'accueillir les grandes créatures, fût un vrai souvenir ; s'il fallait inventer des monceaux d'or et d'argent pour inciter les humains à les aider, qu'il en soit ainsi.

Le piège avait donc été mis en place, la rumeur s'était répandue, et, après un certain temps, les hommes avaient proposé aux dragons de participer à leur recherche de Kelsingra. Une expédition avait été montée, avec une gabare, des canoës, des chasseurs pour rapporter du gibier, et des gardiens afin de pourvoir aux besoins des dragons et les escorter le long du fleuve jusqu'à la cité qu'ils ne revoyaient clairement qu'en rêve. Les petits boutiquiers mesquins qui tenaient les rênes du pouvoir ne leur avaient pas fourni les meilleurs accompagnateurs : seuls deux véritables chasseurs avaient été engagés pour nourrir plus d'une dizaine de dragons ; les « gardiens » choisis par les

Marchands étaient pour la plupart des adolescents, les inadaptés de la population, ceux dont on préférait se débarrasser à la naissance pour éviter qu'ils ne se reproduisent ; tous arboraient des écailles et des excroissances, stigmates que les autres habitants du désert des Pluies ne souhaitaient pas voir. L'aspect positif de ces soigneurs, c'était qu'ils se montraient en général dociles et s'occupaient diligemment des dragons, mais ils n'avaient aucun souvenir de leurs aïeux, et chacun parcourait sa vie avec l'infime connaissance du monde qu'il pouvait accumuler au cours de sa brève existence. Sintara avait du mal à parler avec eux, même quand elle n'espérait pas une conversation intelligente ; un ordre simple, comme « va me chercher de la viande », déclenchait en général des pleurnicheries sur la difficulté de trouver du gibier et des questions du genre : « N'as-tu pas déjà mangé il y a quelques heures ? », comme si ces mots pouvaient la faire changer d'avis sur ses besoins.

Seule de tous les dragons, Sintara avait eu la prévoyance de prendre deux gardiens au lieu d'un seul comme serviteurs ; le plus âgé était Alise ; elle ne valait rien comme chasseur, mais elle se montrait soigneuse, voire compétente pour nettoyer les parasites, et elle avait une attitude correcte et respectueuse. Thymara était la meilleure des chasseuses parmi les gardiens, mais elle souffrait d'un tempérament impertinent et indiscipliné. Néanmoins, avec deux gardiens, Sintara avait l'assurance d'en avoir toujours au moins un de disponible pour répondre à ses besoins, du moins tant que durait leur éphémère existence. Elle espérait qu'elle serait assez longue.

Pendant un cycle lunaire presque entier, les dragons avaient remonté le fleuve dans les hauts-fonds, près de la berge couverte d'une végétation trop dense, trop emmêlée de lianes, de plantes grimpantes et de racines pour permettre aux grandes créatures d'y pénétrer. Les chasseurs partaient en avant, les gardiens les suivaient avec leurs canoës, et la vivenef *Mataf*, longue et basse gabare qui sentait fort le dragon et la magie, fermait la marche. Le bateau intriguait Mercor, tandis qu'il inquiétait, voire offensait, les autres dragons, y compris Sintara ; il avait une coque en « bois-sorcier », qui n'est pas du tout du bois mais le matériau qui constitue le cocon d'un serpent de mer, dur et résistant à la pluie et aux intempéries, très prisé par les humains ; pour Sintara et ses congénères, il dégageait une odeur de chair et de mémoire de dragon. Quand un serpent de mer tissait sa gangue pour se transformer en dragon, il mêlait à l'argile particulière qu'il régurgitait sa salive et ses souvenirs, et la matière ainsi obtenue était consciente, d'une certaine façon. Les yeux peints sur l'étrave du bateau avaient une expression beaucoup trop intelligente au goût de Sintara, et Mataf remontait le courant beaucoup plus facilement qu'un bateau normal. La dragonne évitait la gabare et n'adressait que rarement la parole à son capitaine ; d'ailleurs, il ne paraissait guère vouloir entretenir de relations avec les dragons. L'espace d'un instant, cette pensée s'incrusta dans l'esprit de Sintara ; pour quelle raison se tenait-il à distance ?

Pourtant, les dragons ne semblaient pas l'apeurer comme certains humains.

Ni lui répugner. Sintara songea à Sédric et eut un petit grondement dédaigneux. Ce Terrilvillien affété suivait Alise partout avec ses plumes et son papier, occupé à dessiner les dragons et à noter les bribes d'informations que la jeune femme lui transmettait. Il avait le cerveau si éteint qu'il ne comprenait même pas les dragons quand ils lui parlaient ; il entendait dans les paroles de Sintara des « bruits d'animal » et les avait grossièrement comparés aux meuglements d'une vache ! Non, le capitaine Leftrin n'avait rien de commun avec Sédric : il n'était pas sourd aux dragons, et il ne les regardait manifestement pas comme indignes de son attention ; alors pourquoi les éviter ? Avait-il quelque chose à cacher ?

Eh bien, s'il croyait pouvoir dissimuler quoi que ce fût à un dragon, il se trompait. Sintara écarta sa brève inquiétude ; les dragons peuvent fouiller l'esprit d'un humain aussi facilement qu'un corbeau un tas de fumier ; et, de toute manière, si Leftrin ou un autre avait un secret, il pouvait le garder : les hommes vivaient si peu de temps qu'apprendre à les connaître n'en valait guère la peine. Jadis, les Anciens faisaient de dignes compagnons pour les dragons ; ils vivaient beaucoup plus longtemps que les humains et ils avaient assez d'esprit pour composer des chansons et des poèmes qui rendaient hommage à leurs maîtres ; dans leur sagesse, ils avaient conçu leurs bâtiments publics et même certains de leurs palais de façon à pouvoir y accueillir leurs immenses invités. Les souvenirs ataviques de Sintara lui parlaient de bétail gras, d'abris tièdes où ses ancêtres cherchaient refuge pendant la saison froide, de bains parfumés qui apaisaient les démangeaisons, et d'autres aménagements que les Anciens avaient prévus dans leur sollicitude. Quel dommage qu'ils eussent disparu ! Quel dommage !

Elle s'efforça d'imaginer Thymara en Ancienne, mais c'était impossible. Sa jeune gardienne n'avait pas l'attitude appropriée envers les dragons ; elle était irrespectueuse, maussade, et beaucoup trop intéressée par son existence d'éphémère ; elle avait du courage, mais elle s'en servait mal. Sa gardienne plus âgée, Alise, convenait encore moins ; en cet instant même, Sintara percevait l'incertitude et l'abattement sous-jacents à son esprit. Une Ancienne devait partager peu ou prou l'esprit de décision et le feu d'une reine dragon ; l'une ou l'autre de ses soigneuses en présentait-elle le potentiel ? Que faudrait-il pour les pousser, pour les éperonner ? Valait-il la peine de les défier pour voir jusqu'où elles étaient prêtes à aller ?

Quelque chose lui rentrait dans les côtes. À contrecœur, elle ouvrit les yeux et leva la tête, puis elle se mit debout, s'ébroua, et enfin se recoucha. Comme elle allait reposer la tête sur ses pattes, un mouvement dans les hauts roseaux attira son attention. Du gibier ? Elle regarda mieux. Non, rien que deux gardiens qui quittaient la plage pour s'enfoncer dans la forêt ; elle les reconnut : l'un d'eux était Jerd, gardienne de Veras, le dragon vert ; grande pour une femelle de son espèce, elle arborait une crête de cheveux blonds sur le crâne. Thymara ne l'aimait pas,

Sintara le savait sans en connaître vraiment la raison. Graffe l'accompagnait. La dragonne poussa un petit soupir d'agacement ; elle n'appréciait guère le soigneur de Kalo ; d'ailleurs, Graffe avait beau s'occuper de l'énorme dragon bleu-noir et lui garder une robe parfaitement luisante, même Kalo ne lui faisait pas confiance, et tous les dragons avaient des soupçons sur lui. Thymara, elle, le regardait avec un mélange d'intérêt et de crainte ; il la fascinait, et elle s'en voulait de ce sentiment.

Sintara huma la brise, perçut l'odeur des deux gardiens qui s'éloignaient, et ferma les yeux à demi. Elle savait où ils allaient.

Une pensée insolite lui traversa l'esprit ; elle entrevoyait soudain un moyen de jauger sa gardienne, mais le jeu en valait-il la chandelle ? Peut-être ; peut-être pas. Elle s'allongea de nouveau sur les pierres chauffées par le soleil en regrettant vainement qu'il ne s'agît pas de sable brûlant, et elle prit patience.

CINQUIÈME JOUR DE LA LUNE DE LA PRIÈRE

Sixième année de l'Alliance Indépendante des Marchands

D'Erek, Gardien des Oiseaux, Terrilville, à Detozi, Gardienne des Oiseaux, Trehaug

Ci-joint une lettre du Marchand Polon Meldar à l'intention de Sédric Meldar, pour s'assurer que tout va bien et lui demander sa date de retour.

Detozi,

On s'inquiète de la situation de certains résidents de Terrilville qui devaient visiter Cassaric mais qui seraient apparemment allés plus loin. Deux familles angoissées se sont présentées chez moi aujourd'hui, l'une après l'autre, et m'ont promis une prime si elles obtiennent rapidement des nouvelles. Je sais que vous n'êtes pas dans les meilleurs termes avec le Gardien des Oiseaux de Cassaric, mais, puisque vous le connaissez, peut-être pourriez-vous en profiter pour cette fois et vérifier s'il a des renseignements sur la situation de Sédric Meldar ou d'Alise

Kincarron Finbok. Cette dernière appartient à une famille fortunée, et des nouvelles rassurantes se verraient amplement récompensées.

Erek

1

Empoisonné

La boue grise et collante retenait les bottes d'Alise et la ralentissait ; Leftrin, la distançant, se dirigeait vers les gardiens attroupés tandis qu'elle s'efforçait de se libérer de l'emprise de la terre et de le suivre. « À l'image de toute ma vie ! » maugréa-t-elle en accélérant résolument le pas. Peu après, elle songea que, quelques semaines plus tôt, elle eût regardé la traversée de la berge à pied comme non seulement aventureuse mais épuisante ; aujourd'hui, elle n'y voyait qu'une marche sur une zone boueuse, sans difficulté particulière. « Je change », se dit-elle, et, à sa grande surprise, elle perçut l'acquiescement de Sintara.

Tu écoutes toutes mes pensées ? demanda-t-elle à la dragonne, mais elle ne reçut nulle réponse. Elle s'interrogea, mal à l'aise : Sintara était-elle au courant de son attirance pour Leftrin et de tous les détails de son mariage malheureux ? Elle décida de protéger sa vie privée en ne pensant pas à ces aspects de sa vie

– et comprit aussitôt la futilité de cette décision. *Pas étonnant que les dragons aient si mauvaise opinion de nous s'ils captent chacune de nos pensées !*

Crois-moi, la plupart nous intéressent si peu que nous ne nous fatiguons même pas à leur accorder une opinion. La réponse de Gueule-de-ciel flotta dans son esprit. D'un ton amer, la dragonne ajouta : *Mon vrai nom est Sintara. Autant que je te le donne ; les autres le connaissent maintenant que Mercor l'a crié sur tous les toits.*

Quelle merveille de communiquer d'esprit à esprit avec une créature aussi fabuleuse ! Alise tenta un compliment. *Je suis ravie d'apprendre enfin ton véritable nom, Sintara ; sa beauté sied à ta magnificence.*

Un silence de mort accueillit cette pensée. Sintara ne faisait même pas preuve de dédain : elle ne lui offrait que le néant. Alise s'efforça d'arranger les choses. *Qu'est-il arrivé au dragon brun ? Est-il malade ?*

La dragonne brune a éclos de sa gangue dans l'état où elle se trouve, et elle a survécu trop longtemps, répondit sèchement Sintara.

Dragonne ?

Cesse de m'envoyer tes pensées !

Alise se tut avant d'avoir eu le temps de présenter ses excuses : elle n'eût sans doute réussi qu'à l'agacer davantage. Et puis elle avait presque rattrapé Leftrin. Le groupe des gardiens qui s'était assemblé autour de la dragonne brune se dispersait, et il ne restait plus que le grand dragon d'or et sa petite soigneuse au crâne couvert d'écailles roses quand elle arriva près du capitaine. À son approche, l'énorme créature dorée leva la tête et fixa sur elle ses yeux noirs et brillants ; elle sentit la « poussée » de son regard. Leftrin se tourna brusquement vers Alise.

« Mercor veut que nous laissions la dragonne brune tranquille, dit-il.

— Mais… Mais elle pourrait avoir besoin de nous, la pauvre ! A-t-on trouvé ce qui ne va pas chez elle ? Ou chez lui ? » Sintara avait-elle pu se tromper, ou bien se moquer d'elle ?

Pour la première fois, le dragon d'or s'adressa directement à elle. Sa voix grave au timbre de cloche résonna dans sa poitrine tandis que ses pensées emplissaient sa tête. « Relpda a des parasites qui la dévorent de l'intérieur, et un prédateur l'a attaquée. Je monte la garde près d'elle afin de rappeler à tous que les affaires des dragons ne regardent que les dragons.

— Un prédateur ? répéta Alise horrifiée.

— Va-t'en, lui dit Mercor sans douceur. Ce ne sont pas tes affaires.

— Venez avec moi », fit Leftrin, et il s'apprêta à lui prendre le bras ; soudain, il retira sa main. Alise sentit son cœur se serrer : les paroles de Sédric avaient opéré leur triste travail ; à coup sûr, il avait jugé de son devoir de rappeler au capitaine qu'Alise était mariée. Eh bien, ses remontrances avaient porté leurs fruits ; jamais plus leur relation ne serait aussi détendue et facile qu'elle l'avait été ; l'idée de propriété demeurerait désormais toujours à l'arrière-plan de leurs pensées. Si son époux, Hest, était apparu soudain entre eux, elle n'eût pas senti plus fortement sa présence.

Et elle ne l'eût pas détesté davantage.

Elle resta abasourdie. Elle détestait son mari ?

Elle savait qu'il la blessait, qu'il la négligeait, qu'il l'humiliait, qu'elle n'aimait pas sa façon de la traiter, mais le détester ? Elle ne s'était jamais laissée aller à penser à lui en ces termes.

Hest était beau, instruit, charmant, avec d'excellentes manières – pour les autres. Elle-même avait le droit de puiser dans sa fortune comme elle l'entendait du moment qu'elle ne le dérangeait pas ; ses parents la croyaient bien mariée, et la plupart des femmes de sa connaissance l'enviaient.

Et elle le détestait, voilà. Elle avait marché un moment en silence aux côtés de Leftrin avant qu'il ne s'éclaircît la gorge, interrompant les réflexions d'Alise. « Pardon, s'excusa-t-elle par réflexe. J'étais préoccupée.

— Je crois qu'il n'y a pas grand-chose à faire », dit-il d'un ton accablé, et elle hocha la tête, reliant son propos à son propre trouble avant qu'il en modifiât le sens : « À mon avis, personne ne peut plus rien pour la dragonne brune ; elle survivra ou elle mourra, et nous resterons coincés ici tant qu'elle n'aura pas décidé.

— J'ai du mal à la considérer comme une femelle, et ça me rend encore plus triste de la savoir malade : il subsiste si peu de dragonnes dans le monde ! Mais ça ne me dérange pas de demeurer bloquée ici. » Elle eût aimé que Leftrin lui offrît son bras ; elle l'eût pris.

Il n'existait pas de ligne de démarcation définie entre la berge et le fleuve : la boue devenait de plus en plus molle et liquide, et puis on se retrouvait dans l'eau. Ils s'arrêtèrent à bonne distance du courant ; Alise sentait ses bottes commencer à s'enfoncer. « Nous sommes dans une impasse, on dirait », fit Leftrin.

Elle jeta un regard derrière elle. Au-delà de la rive basse aux herbes piétinées se dressait une haie de bois flotté et de broussailles avant la forêt proprement dite ; de là où Alise se trouvait, elle paraissait impénétrable. « Nous pourrions essayer de passer par la jungle », dit-elle.

Leftrin eut un petit rire sans humour. « Ce n'est pas de ça que je parlais, mais de nous deux. »

Elle le regarda, surprise de sa franchise ; et puis elle songea que l'intervention de Sédric avait peut-être pour seul aspect positif de les contraindre à s'exprimer sans détours. Ils n'avaient aucune raison de nier leur attirance mutuelle. Alise eût voulu avoir le courage de prendre la main de Leftrin, mais elle se contenta de le dévisager en espérant qu'il sût déchiffrer son expression. Il y parvint, et il poussa un grand soupir.

« Qu'allons-nous faire, Alise ? » Question toute rhétorique, mais elle voulut y répondre tout de même.

Ils firent une vingtaine de pas avant qu'elle trouvât les mots. Il baissait la tête, et elle parla à son profil en renonçant à toute maîtrise de son univers. « Je veux faire ce que vous voulez faire. »

Elle vit sa réponse faire peu à peu son effet ; elle s'attendait à ce qu'il la prît comme une bénédiction, mais il la reçut comme un fardeau. Ses traits se figèrent, et il releva les yeux. Sa gabare reposait sur la berge devant eux, et on eût dit qu'il cherchait son regard compatissant ; quand il parla, ce fut peut-être autant à son bateau qu'à la jeune femme. « Je dois agir selon ma conscience, fit-il avec regret. Pour nous deux, ajouta-t-il d'un ton définitif.

— Je refuse qu'on me renvoie à Terrilville comme un vulgaire paquet ! »

Il eut un demi-sourire. « Ah, je le sais bien, Alise, et personne ne vous enverra nulle part. Si vous partez, vous partirez de votre plein gré ou pas du tout.

— Je suis heureuse que vous le compreniez », dit-elle en s'efforçant de s'exprimer d'un ton assuré. Elle prit la main calleuse de Leftrin et la serra, sentant sa force et sa rugosité ; il répondit délicatement à sa pression puis la relâcha.

Le jour paraissait sombre. Sédric ferma les yeux puis les rouvrit, mais rien ne changea. La tête lui tournait, et, par réflexe, il cherchait à tâtons la cloison de sa cabine ; il avait l'impression que la gabare roulait sous ses pieds, alors qu'il la savait tirée sur la rive. Où était la poignée de cette fichue porte ? Il n'y voyait rien. Il s'appuya à la paroi, respirant à petits coups pour se retenir de vomir.

« Vous allez bien ? » Une voix grave près de lui, une voix qu'il connaissait. Il s'efforça de remettre de l'ordre dans ses pensées. Carson, le chasseur ; celui qui avait une barbe rousse ; c'était lui qui lui parlait.

Sédric reprit prudemment son souffle. « Je ne sais pas. La lumière est bizarre ; elle me paraît très sombre.

— Il fait grand jour, tellement que je ne peux pas regarder l'eau trop longtemps. » Il y avait de l'inquiétude dans le ton de l'homme. Pourquoi ? Il le connaissait à peine.

« Pour moi, il fait sombre. » Sédric tâchait de s'exprimer d'une voix normale, mais il l'entendait comme de très loin.

« Vous avez les pupilles comme des têtes d'épingle. Tenez, prenez mon bras, je vais vous aider à vous asseoir sur le pont.

— Je ne veux pas m'asseoir sur le pont », dit-il d'une voix défaillante, mais, si Carson l'entendit, il n'y prêta pas attention. Le grand gaillard le saisit par les épaules et, avec douceur mais d'une main ferme, l'obligea à s'asseoir sur le plancher crasseux. Sédric préféra ne pas imaginer dans quel état le bois grossier allait mettre son pantalon. Néanmoins, le monde parut danser un peu moins ; il appuya sa tête contre la cloison et ferma les yeux.

« Vous avez l'air d'avoir été empoisonné, ou drogué ; vous êtes pâle comme l'eau blanche du fleuve. Je reviens ; je vais vous chercher à boire.

— Très bien », fit Sédric d'une voix faible. Carson n'était qu'une ombre noire dans un monde obscur. Il sentit les pas de l'homme sur le pont, et même ces infimes vibrations lui retournèrent l'estomac ; puis d'autres apparurent, plus réduites et moins rythmées que la marche du chasseur. Le cœur au bord des lèvres, il songea que ce n'étaient même pas des vibrations, mais la perception d'un esprit méchant dirigé contre lui ; quelqu'un savait ce qu'il avait fait au dragon brun et lui en tenait mortellement rigueur ; une créature ancienne, puissante et noire le jugeait. Il ferma les yeux, mais la malveillance se rapprocha encore.

Les pas revinrent, plus sonores. Il sentit le chasseur s'accroupir près de lui. « Tenez, buvez ça ; ça va vous remettre d'aplomb. »

Sédric saisit la chope chaude d'où montait l'épouvantable odeur du café du bord. Il la porta à ses lèvres, aspira un peu de liquide et y découvrit, dissimulée, la morsure du rhum. Il s'efforça d'éviter de recracher, s'étrangla, avala puis toussa. Il prit une inspiration sifflante puis ouvrit des yeux pleins de larmes.

« Ça va mieux ? demanda son bourreau, sadique.

— Mieux ? » répéta Sédric, furieux, et il s'aperçut qu'il s'exprimait d'une voix plus forte. Il battit des paupières et distingua Carson accroupi sur le pont devant lui ; le roux de sa barbe était plus clair que celui de sa tignasse, et il avait les yeux, non pas bruns, mais d'un noir beaucoup plus rare ; il souriait, la tête légèrement inclinée. *On dirait un épagneul*, songea Sédric méchamment. Il déplaça ses pieds sur le pont pour tenter de se relever.

« Je vais vous conduire à la coquerie, d'accord ? » Carson lui prit la chope des mains puis, sans effort apparent, le saisit par le bras et le remit sur pieds.

Sédric n'arrivait pas à tenir sa tête droite. « Que m'arrive-t-il ?

— Qu'est-ce que j'en sais, moi ? répondit l'autre, affable. Vous avez trop bu hier soir ? Vous avez peut-être acheté de l'alcool frelaté à Trehaug ; et, si vous

vous l'êtes procuré à Cassaric, c'est à coup sûr du tord-boyaux. Ils distillent n'importe quoi, là-bas, racines, pelures de fruits, tout ! Allez, appuyez-vous sur moi, ne vous débattez pas. J'ai connu un type qui essayait de faire de l'alcool avec de la peau de poisson – pas le poisson entier, rien que la peau ; il était sûr que ça marcherait. Attention à votre tête ; là, asseyez-vous à la table. Peut-être que, si vous mangiez quelque chose, ça absorberait ce que vous avez bu, et vous pourriez vous retaper. »

Sédric se rendit compte que Carson le dominait d'une tête, et qu'il était beaucoup plus fort que lui. Le chasseur lui avait fait traverser le pont et l'avait assis à la table de la coquerie comme une mère ramenant de force son enfant récalcitrant à sa place ; il avait une voix basse et grondante, presque apaisante si on ne tenait pas compte de sa façon grossière de s'exprimer. Sédric posa les coudes sur la table collante et enfouit son visage dans ses mains ; les odeurs de graisse, de fumée et de graillon aggravaient son état.

Carson s'affairait dans un coin de la pièce, remplissant un bol puis versant par-dessus de l'eau bouillante ; il y enfonça une cuiller à plusieurs reprises pendant un moment puis l'apporta à Sédric. Celui-ci leva la tête, regarda l'immonde potée et eut un haut-le-cœur. Le goût rouge sombre du sang du dragon lui remonta dans la gorge et envahit de nouveau son nez ; il crut qu'il allait défaillir.

« Vous devriez vous sentir mieux après ça, dit Carson. Là, mangez un peu ; ça va vous remettre l'estomac d'aplomb.

— Qu'est-ce que c'est ?

— Du biscuit de mer amolli à l'eau chaude ; ça marche comme une éponge quand on a la tripe qui se tord ou qu'on doit se dessoûler en vitesse pour aller bosser.

— Ça a l'air répugnant.

— Oui. Mangez. »

Sédric n'avait rien dans le ventre, et le goût du sang de dragon ne quittait pas sa bouche ; songeant que rien ne pouvait être pire, il prit la cuiller et remua la bolée fangeuse.

Davvie, le jeune chasseur, pénétra dans le rouf. « Qu'est-ce qui se passe ? » demanda-t-il d'un ton inquiet qui intrigua Sédric ; ce dernier mit une cuillerée de biscuit détrempé dans sa bouche. Il sentit uniquement une texture et aucun goût.

« Ça ne te regarde pas, Davvie, répondit Carson avec fermeté ; et tu as du travail. Contente-toi de réparer le filet. À mon avis, on ne bougera pas d'ici de la journée ; si on mouille le filet dans le courant, on fera peut-être une prise ou deux – mais seulement si le filet est en état. Alors, au boulot !

— Et lui ? Qu'est-ce qu'il a ? » Le jeune homme s'exprimait d'un ton presque accusateur.

« Il est malade, et ça n'est pas tes oignons. Mêle-toi de tes affaires et laisse les grandes personnes s'occuper des leurs. Ouste ! »

Davvie ne claqua pas la porte, mais il la referma plus brutalement que nécessaire. « Ces jeunes ! s'exclama Carson avec agacement. Ils croient savoir ce qu'ils veulent, mais si on le leur donnait… Enfin, il se rendrait compte qu'il n'est pas prêt. Mais je suis sûr que vous savez ce que je veux dire. »

Sédric avala la masse visqueuse qu'il avait dans la bouche ; elle avait effectivement absorbé le goût du sang. Il prit une autre cuillerée puis s'aperçut que Carson le regardait en attendant une réponse. « Je n'ai pas d'enfants ; je ne suis pas marié », dit-il, et il avala encore une cuiller. Carson avait raison : son estomac se calmait et sa vision se dégageait.

« Je m'en doutais. » Carson sourit comme à une plaisanterie. « Moi non plus ; mais vous m'avez l'air de quelqu'un qui pourrait avoir l'expérience des gamins comme Davvie.

— Eh bien, non. » Il était reconnaissant à l'homme de son remède rustique, mais il eût aimé qu'il cessât de lui parler et s'en fût ; il était déjà en proie au tourbillon de ses propres pensées, et il avait besoin de temps pour y mettre de l'ordre au lieu d'emplir son cerveau de babillages. L'idée de Carson qu'il pût être victime d'un empoisonnement le perturbait ; mais que lui avait-il donc pris de goûter ce sang de dragon ? Il ne se rappelait pas en avoir eu envie, uniquement l'avoir fait. Il avait seulement l'intention de dérober des écailles et du sang à la bête ; les échantillons de dragons valaient une fortune, et c'était précisément une fortune dont il avait besoin. Il n'était pas fier de lui, mais il n'avait pas le choix : s'il voulait quitter Terrilville avec Hest, il devait se procurer l'argent pour financer leur fuite. Le sang et les écailles de dragons devaient lui offrir l'existence dont il avait toujours rêvé.

Le plan lui avait paru parfaitement simple quand il avait débarqué discrètement pour s'emparer de ce dont il avait besoin sur le dragon malade ; la créature était manifestement à l'agonie : quelle importance s'il en prélevait quelques écailles ? Les fioles de verre pesaient dans ses mains à mesure qu'il les remplissait de sang ; il avait prévu de les vendre au duc de Chalcède comme remède contre les douleurs et le vieillissement, et il n'avait jamais songé à en boire lui-même. Il n'avait aucun souvenir d'en avoir eu envie ni surtout d'en avoir pris la décision.

Le sang de dragon avait la réputation de posséder d'extraordinaires pouvoirs de guérison, mais, comme d'autres médicaments, peut-être pouvait-il se révéler toxique. Sédric s'était-il empoisonné ? Allait-il s'en remettre ? Il eût aimé pouvoir s'informer ; il se dit soudain qu'Alise saurait peut-être lui répondre ; avec toutes les recherches qu'elle avait faites sur les dragons, elle aurait sûrement des renseignements sur les effets de leur sang sur l'organisme humain. Mais comment lui poser la question ? Y avait-il un moyen de la tourner de telle façon qu'il demeurât hors de cause ?

« Ça vous fait du bien, cette purée que vous avez avalée ? »

Sédric leva brusquement les yeux et s'en mordit aussitôt les doigts : le vertige le saisit un instant puis s'effaça. « Oui ; oui, merci. » Assis en face de lui, le chasseur ne le quittait pas du regard, ses yeux noirs plantés dans les siens comme s'il voulait voir à l'intérieur de la tête de Sédric. Celui-ci baissa le visage vers le bol et se força à prendre une nouvelle cuillerée de son gruau ; son estomac s'en portait mieux mais avaler la substance épaisse n'avait rien d'agréable. Il regarda le chasseur vigilant. « Merci de votre aide. Je ne voudrais pas vous détourner de votre travail ; ça va aller maintenant ; comme vous l'avez dit, c'est sans doute quelque chose que j'ai bu ou mangé. Ne vous tracassez pas pour moi.

— Ce n'est pas du tracas. »

Et l'homme demeura là, comme s'il attendait que Sédric dît quelque chose. Ce dernier n'y comprenait rien. Il baissa le nez vers son bol. « Je vais bien, merci. »

L'autre ne bougea pas, mais cette fois Sédric refusa de le regarder. Il mangeait régulièrement, par petites bouchées, en s'efforçant de donner l'impression que cela demandait toute son attention. L'attente intense du chasseur le mettait mal à l'aise, et, quand l'homme se leva enfin, Sédric réprima un soupir de soulagement. Comme Carson passait derrière lui, il posa une lourde main sur son épaule et se pencha pour lui parler à l'oreille. « Il faudra qu'on discute un jour, murmura-t-il. Je crois que nous avons plus de points communs que vous ne l'imaginez ; nous devrions peut-être nous faire confiance. »

Il sait ! Cette pensée trancha dans l'assurance de Sédric et il faillit s'étrangler sur sa dernière bouchée de biscuit. « Peut-être », parvint-il à dire, et il sentit la poigne se desserrer légèrement sur son épaule. Le chasseur eut un petit sourire en ôtant sa main puis il quitta le rouf. Comme la porte se refermait sur lui,

Sédric repoussa le bol et posa sa tête sur ses bras croisés. *Et maintenant ?* demanda-t-il à l'obscurité. *Et maintenant ?*

La dragonne brune avait l'air morte. Thymara eût voulu se rapprocher pour mieux voir, mais le dragon d'or qui veillait sur elle l'impressionnait. Mercor n'avait quasiment pas bougé depuis que la jeune fille s'était écartée ; ses yeux noirs et brillants étaient à présent fixés sur elle. Il ne dit rien, mais elle sentit la poussée mentale qu'il lui donna. « Je m'inquiète pour elle, c'est tout », fit-elle à haute voix. Sylve, qui somnolait, adossée à la patte avant de son dragon, ouvrit les yeux ; elle adressa un regard d'excuse à Mercor puis se dirigea vers Thymara.

« Il se méfie, dit-elle ; il pense que quelqu'un a fait du mal à la dragonne brune volontairement, alors il monte la garde pour la protéger.

— Pour la protéger ou pour être le premier à la dévorer quand elle mourra ? » Thymara parvint à effacer de sa voix toute trace d'accusation.

Sylve ne s'offusqua pas. « Pour la protéger. Il a vu trop de dragons mourir depuis leur éclosion, et il y a si peu de femelles qu'il préserve même les plus invalides et les moins intelligentes. » Elle partit d'un rire étrange et ajouta : « Un peu comme nous.

— Pardon ?

— Comme nous, les gardiens. Nous ne sommes que quatre filles, les autres sont des garçons ; d'après Mercor, même si le désert des Pluies nous a lourdement marquées, les hommes doivent nous protéger. »

L'affirmation laissa Thymara sans voix. Par réflexe, elle porta la main à son visage pour toucher les écailles qui soulignaient sa mâchoire et ses pommettes ; elle suivit les ramifications du raisonnement puis répondit sans ambages : « Nous ne pouvons pas nous marier ni prendre un compagnon, Sylve ; nous connaissons tous les règles, même si Mercor les ignore. Nous présentons les stigmates du désert des Pluies depuis la naissance, pour la plupart, et nous savons tous ce que ça signifie : une existence raccourcie, et des enfants en général non viables si nous concevons. Selon la coutume, on aurait dû laisser mourir la majorité d'entre nous lorsque nous sommes nés. Nous savons parfaitement pourquoi on nous a choisis pour cette expédition ; ce n'était pas seulement pour que nous nous occupions des dragons, mais pour se débarrasser de nous aussi. »

Sylve la regarda un long moment sans rien dire ; enfin elle murmura : « C'est vrai, ou du moins ça l'était ; mais Graffe affirme qu'on peut changer les règles, qu'une fois à Kelsingra nous en ferons notre ville où nous vivrons avec nos dragons – et où nous édicterons nos propres lois absolument sur tout. »

Thymara resta épouvantée de tant de naïveté. « Sylve, on ne sait même pas si Kelsingra existe ! Elle est sans doute enfouie dans la boue comme les autres cités des Anciens. Je n'ai jamais vraiment cru que nous la découvririons ; le mieux que nous puissions espérer, à mon avis, c'est trouver un emplacement au milieu de la jungle où les dragons puissent vivre.

— Et ensuite ? riposta Sylve. Nous les laissons là et nous rentrons à Trehaug ? Pour y faire quoi ? Retourner vivre dans l'ombre et la honte en nous excusant d'exister ? Je refuse, Thymara, et pas mal d'autres gardiens aussi. Nous nous établirons là où les dragons décideront de s'installer ; ainsi, nous aurons un nouveau foyer, et de nouvelles règles. »

Un claquement sonore détourna l'attention de Thymara, et elle et Sylve virent Mercor s'étirer ; il avait levé ses ailes d'or et les avait déployées brusquement. La jeune fille s'étonna non seulement de les voir si vastes mais aussi ocellées de dessins semblables aux yeux qui ornent la queue des paons. Il les agita brutalement et projeta sur elle une bourrasque qui sentait l'odeur du dragon, puis il les replia maladroitement, comme s'il n'avait pas l'habitude de s'en servir. Il les rabattit soigneusement sur son dos et reprit sa veille sur la dragonne brune.

Thymara se rendit soudain compte qu'une communication était passée entre Mercor et Sylve. Le dragon n'avait pas émis un son, mais la jeune fille avait senti l'échange, même si elle en restait exclue. Sylve lui adressa un regard d'excuse et demanda : « Tu vas chasser aujourd'hui ?

— Possible ; apparemment, nous n'allons pas reprendre le fleuve de la journée. » Elle s'efforça d'éviter de songer à l'évidence : qu'ils étaient bloqués jusqu'à la mort de la dragonne brune.

« Si tu rapportes de la viande fraîche…

— Je partagerai ce que je pourrai », répondit aussitôt Thymara, puis elle tâcha de ne pas regretter cette promesse. Une part pour Sintara, une autre pour la cuivrée malade et une troisième pour l'argenté simplet… Pourquoi s'était-elle portée volontaire pour aider à s'occuper d'eux ? Elle n'arrivait déjà pas à rassasier Sintara ! Et elle déclarait à présent qu'elle tenterait de fournir de la viande au dragon d'or de Sylve, Mercor ! Elle espérait que les chasseurs partiraient aussi en expédition.

Depuis que les dragons avaient tué pour la première fois, ils avaient appris à chasser et à pêcher un peu pour eux-mêmes, mais aucun n'y faisait preuve d'un talent exceptionnel ; ils étaient faits pour chasser depuis les airs, non pour courir lourdement après leurs proies. Néanmoins, tous avaient connu un certain succès, et ce nouveau régime de venaison et de poisson frais paraissait les avoir tous affectés : ils avaient maigri, mais pris du muscle. En passant devant certains d'entre eux, Thymara les observa d'un œil critique, et elle se rendit compte avec étonnement qu'ils ressemblaient désormais davantage aux représentations de dragons qu'elle avait vues sur divers objets des Anciens. Elle s'arrêta pour les examiner un moment.

Arbuc, mâle vert argenté, se déplaçait à vigoureuses éclaboussures dans les hauts-fonds ; de temps en temps, il plongeait la tête dans l'eau, au grand amusement de son soigneur, Alum. Celui-ci marchait à côté de lui dans le fleuve, sa foëne brandie, alors même que son dragon faisait fuir le poisson par ses cabrioles. Soudain, Arbuc déploya ses ailes ; elles avaient une longueur démesurée par rapport à sa taille, mais il les agita tout de même, fouettant l'eau et aspergeant Alum. Le gardien poussa un cri réprobateur, et le dragon se figea, l'air perplexe, les ailes dégoulinantes. Thymara le regarda, perdue dans ses réflexions.

Brusquement, elle fit demi-tour et se mit en quête de Sintara. *Sintara, non Gueule-de-ciel*, se dit-elle, maussade. Pourquoi s'était-elle donc sentie si blessée dans son amour-propre d'apprendre que certains dragons n'avaient jamais caché leur vrai nom à leurs gardiens ? Jerd le connaissait sans doute depuis le premier jour, tout comme Sylve. Elle serra les dents. Sintara était plus belle que les autres ; pourquoi fallait-il qu'elle eût un caractère aussi difficile ?

Elle trouva la dragonne bleue couchée, l'air désolé, sur une étendue de roseaux et d'herbe boueux ; la tête posée sur ses pattes de devant, elle contemplait le fleuve. Elle ne manifesta en rien qu'elle fût consciente de la présence de Thymara avant de déclarer : « Nous devrions reprendre notre marche au lieu de demeurer ici à ne rien faire. Il reste peu de jours avant les pluies d'hiver, et, quand elles arriveront, le fleuve deviendra plus profond et le courant plus fort. Nous devrions employer ce temps à chercher Kelsingra.

— Tu penses donc qu'il faudrait abandonner la dragonne brune ?

— Relpda, répliqua Sintara, ses pensées se teintant d'une tonalité vindicative. Pourquoi son vrai nom devrait-il rester dissimulé alors que le mien est connu de tous ? » Elle leva la tête puis étira brusquement une patte antérieure en sortant ses griffes. « Et elle serait cuivrée, non brune, si on s'occupait d'elle convenablement. Tiens, regarde : j'ai une griffe fourchue ; c'est à force de marcher dans l'eau sur des rochers. Je veux que tu ailles chercher de la ficelle et que tu me la panses bien serré, puis que tu la recouvres avec le goudron dont tu t'es servie sur la queue de l'argenté.

— Fais-moi voir. » La griffe s'effilochait du bout, amollie par de trop longs séjours dans l'eau ; elle avait commencé à se fendre, mais, par bonheur, l'entaille n'avait pas encore atteint la pulpe. « Je vais aller demander au capitaine Leftrin s'il lui reste du fil et du goudron. Pendant que j'y suis, je vais t'examiner ; tes autres griffes vont bien ?

— Elles deviennent un peu molles », répondit Sintara. Elle tendit l'autre patte et ouvrit les doigts, griffes sorties. Thymara se mordit la lèvre : elles se défaisaient toutes légèrement de l'extrémité, comme du bois dur qui finit par céder à l'humidité. À cette réflexion, elle entrevit une solution. « Nous pourrions peut-être les enduire d'huile, ou les vernir pour les étanchéifier. »

La dragonne retira sa patte brusquement, au risque de culbuter Thymara. Elle examina sa griffe puis répondit d'un ton réservé : « Peut-être.

— Lève-toi et tends les pattes, s'il te plaît ; je dois vérifier si tu n'as pas de boue ou de parasites. »

La dragonne poussa un grondement de protestation mais obéit, et Thymara tourna lentement autour d'elle. Les changements qu'elle avait subis n'étaient pas le fruit de son imagination : Sintara avait perdu du poids mais gagné du muscle ; l'immersion constante dans le fleuve ne faisait pas de bien à ses écailles, mais marcher à contre-courant la renforçait. « Ouvre tes ailes, je te prie, dit Thymara.

— J'aimerais autant pas, répondit Sintara d'un air collet monté.

— Tu veux donner asile à des parasites dans leurs plis ? »

Avec un nouveau grondement, la dragonne secoua ses ailes puis les déploya. Leur peau se collait sur elle-même comme le tissu d'un parasol entreposé trop longtemps à l'humidité, et elle sentait mauvais ; les écailles paraissaient malsaines, leurs extrémités plumeuses devenues blanchâtres, comme des feuilles d'arbres commençant à moisir.

« Ça ne va pas du tout ! s'exclama Thymara, effrayée. Tu ne les laves donc jamais ? Tu ne les déplies jamais pour les fortifier ? Ta peau a besoin de soleil – et d'un bon nettoyage.

— Elles ne sont pas en si mauvais état que ça, siffla Sintara.

— Si : les plis sont humides et ils sentent fort. Laisse-les au moins ouverts, qu'ils prennent l'air le temps que j'aille chercher de quoi soigner tes griffes. » Et, sans se soucier de la dignité de la dragonne, Thymara saisit l'extrémité d'une des nervures et déplia entièrement l'aile. Elle avait trop de facilité à la tenir ainsi ouverte : les muscles eussent dû être plus puissants, opposer plus de résistance. Elle chercha le mot exact : atrophie. Les muscles des ailes s'atrophiaient par manque d'exercice. « Sintara, si tu ne m'écoutes pas, si tu ne prends pas soin de tes ailes, tu ne pourras bientôt plus les ouvrir du tout.

— Ne dis pas ça ! » feula la dragonne ; elle agita violemment son aile, et Thymara, lâchant prise, tomba à genoux dans la boue. Elle leva les yeux vers la dragonne qui, indignée, commençait à replier ses ailes.

« Attends ! Attends, qu'est-ce que c'est ? Sintara, rouvre-la, laisse-moi regarder en dessous. On aurait dit un serpent-pointeau ! »

La grande créature se figea. « Un serpent-pointeau ? Qu'est-ce que c'est ?

— Ça vit dans les feuillages ; c'est mince comme une brindille mais très long, et ça frappe très vite. Ça possède une dent sur le museau, comme une dent d'éclosion, ça mord, ça s'accroche et ça enfonce sa tête dans la chair. À partir de là, le serpent se laisse pendre et se nourrit. J'ai vu des singes qui en avaient tellement qu'on aurait dit qu'ils avaient une centaine de queues ; en général la victime attrape une infection là où la tête du serpent se situe, et elle meurt. Une vraie saleté. Ouvre tes ailes, que je t'examine. »

Le parasite était fixé en haut d'une aile, d'où il pendait, long et serpentin. Quand Thymara réussit à trouver le courage de le toucher, il se mit soudain à fouetter l'air violemment, et Sintara poussa un petit cri de douleur. « Qu'est-ce que c'est ? Enlève-le-moi ! » s'exclama-t-elle, et, passant la tête sous l'aile, elle saisit l'animal.

« Arrête ! Ne l'arrache pas, sinon la tête va se détacher, rester à l'intérieur et causer une terrible infection.

Lâche-le, Sintara ; lâche-le et laisse-moi m'en occuper ! »

Les yeux de la dragonne scintillèrent comme des disques de cuivre tournoyants, mais elle obéit. « Enlève-le-moi », dit-elle d'une voix tendue, furieuse, et Thymara perçut avec surprise sa peur sous-jacente. Sintara ajouta dans un feulement : « Vite ! Je le sens qui bouge ; il essaye de s'enfoncer davantage, de se cacher dans ma chair !

— Sâ nous protège ! » s'écria Thymara, le cœur au bord des lèvres, et elle tâcha de se rappeler ce que lui avait expliqué son père sur la façon de se débarrasser d'un serpent-pointeau. « Pas le feu, non ; il s'enfonce davantage si on le brûle. Il y avait autre chose. » Elle fouilla désespérément ses souvenirs et mit soudain le doigt sur ce qu'elle cherchait. « De l'alcool ! Il faut que j'aille voir si le capitaine Leftrin en a. Ne bouge pas.

— Dépêche-toi ! » fit Sintara d'une voix suppliante.

La jeune fille se précipita vers la gabare, puis aperçut le capitaine et Alise qui se promenaient sur la berge ; elle changea de direction et courut vers eux en criant : « Capitaine Leftrin ! Capitaine Leftrin, j'ai besoin de votre aide ! »

L'intéressé et sa compagne firent demi-tour et se dirigèrent en hâte vers elle. Quand ils se rejoignirent, Thymara était hors d'haleine, et au capitaine qui l'interrogeait avec inquiétude, elle ne put répondre que : « Un serpent-pointeau. Sur Sintara. Le plus gros que j'aie jamais vu. Il pénètre dans sa poitrine, sous une aile.

— Ces satanées bestioles ! » s'exclama-t-il, et Thymara se réjouit de n'avoir pas à lui expliquer ce qu'étaient ces parasites.

Elle reprit son souffle tant bien que mal. « Mon père se sert d'alcool pour les extraire.

— Oui, mais l'essence de térébenthine marche mieux, fais-moi confiance ; j'ai dû sortir un de ces serpents de ma jambe un jour. Viens, j'en ai à bord. Alise ! Si un dragon a un serpent-pointeau, il y a des chances pour que les autres en aient aussi ; dites aux gardiens d'examiner leurs animaux. Et la brune, celle qui est malade, examinez-la aussi. Vérifiez sous le ventre ; ces saletés cherchent les zones tendres pour mordre et s'incruster. »

Alors que Leftrin se détournait pour regagner la gabare, Alise, saisie d'une soudaine résolution, s'en alla sur la berge prévenir chaque gardien. Graffe trouva presque aussitôt un parasite pendant du ventre de Kalo, caché par une de ses pattes arrière ; il y en avait trois sur Sestican, et la jeune femme crut que Lecter, son gardien, allait s'évanouir quand il découvrit trois queues de serpents pointant du bas de son abdomen. Durement, afin de le sortir de son affolement, elle lui ordonna de conduire son dragon auprès de Sintara et d'attendre Leftrin ; le garçon, apparemment stupéfait qu'elle pût parler aussi sévèrement, avala sa salive, se reprit et lui obéit.

Surprise elle-même de sa propre autorité, elle poursuivit son chemin en toute hâte. Arrivée à Sylve et à Mercor qui montait la garde sur la dragonne brune, elle dut prendre un instant pour rassembler son courage. Elle n'avait aucune envie d'affronter le dragon d'or ; au contraire, elle eût tout donné pour tourner les talons et s'éloigner de lui au plus vite. Il lui fallut un moment pour se convaincre qu'elle était le jouet, non de sa propre poltronnerie, mais de l'influence de la grande créature qui cherchait à la repousser. Elle redressa les épaules et s'avança d'un pas décidé vers lui et sa gardienne.

« Je viens voir la dragonne brune pour vérifier si elle a des parasites. Certains des autres sont affectés par des serpents-pointeaux ; ta soigneuse devrait t'examiner pendant que je m'occupe de la cuivrée. »

Le dragon d'or la regarda fixement. Comment des yeux aussi noirs pouvaient-ils briller d'un éclat aussi terne ?

« Des serpents-pointeaux ?

— Un parasite qui s'enfouit dans la chair. Thymara connaît l'espèce qui vit dans les arbres, mais elle pense que ceux-ci viennent du fleuve ; ils sont beaucoup plus grands. Ce sont des serpents qui s'accrochent à leurs victimes et s'enfoncent pour les dévorer de l'intérieur.

— C'est répugnant ! » s'exclama Mercor. Il se dressa et déploya ses ailes. « J'en ai des frissons. Sylve, examine-moi tout de suite.

— Je t'ai nettoyé de la tête aux pieds aujourd'hui, Mercor ; je crois que ça ne m'aurait pas échappé. Mais je vais revérifier.

— Et je dois en faire autant sur la dragonne brune », dit Alise d'un ton catégorique.

Elle s'attendait à ce que le grand dragon s'y opposât, mais l'idée qu'il pût porter un parasite paraissait détourner son attention.

Alise s'approcha de la dragonne cuivrée immobile, avachie par terre dans une position qui rendait difficile, voire impossible, l'inspection de son ventre. Et Sylve avait raison : la couche de boue qui la recouvrait était si unie qu'on l'eût dite étalée exprès ; il allait falloir la nettoyer avant qu'elle pût examiner efficacement la créature.

Désemparée, elle se tourna vers Sylve, mais celle-ci avait déjà fort à faire avec Mercor. Aussitôt, la honte la submergea ; elle voulait obliger la gamine du désert des Pluies à récurer la dragonne afin qu'elle-même pût examiner la créature sans se salir les mains ? Quelle prétention ! Depuis des années, elle se prétendait spécialiste des dragons, mais, quand l'occasion se présentait enfin d'en toucher un, elle reculait devant un peu de boue ? Non, pas Alise Kincarron !

Non loin de la dragonne cuivrée, toute une zone de roseaux était restée debout malgré le piétinement, et leurs massettes se dressaient à hauteur de la taille d'Alise. Elle tira son petit poignard de ceinture, en récolta une demi-douzaine, les replia pour former un coussin grossier puis, revenue auprès de la dragonne, entreprit de la nettoyer vigoureusement en commençant par l'épaule.

La boue séchée se composait en réalité de limon et s'en allait très facilement ; la brosse improvisée dégageait les écailles cuivrées qui prenaient un lustre ravissant à mesure qu'Alise travaillait. Relpda ne disait rien, mais la jeune femme avait l'impression de percevoir un vague sentiment de gratitude de la part de la créature prostrée. Redoublant d'efforts, elle passa ses roseaux le long de l'échine. Peu à peu, elle prenait conscience des dimensions d'un dragon, non seulement intellectuellement mais aussi physiquement, par le travail de ses muscles. Cette immense surface de peau qu'elle nettoyait lui évoqua soudain le pont de la gabare que l'équipage frottait régulièrement – et ce n'était qu'un petit dragon. Par-dessus son épaule, elle jeta un regard aux écailles d'or luisant de Mercor, et elle compara mentalement sa taille avec celle de la jeune fille au crâne rose qui s'occupait de lui ; combien de temps lui consacrait-elle chaque soir ?

Comme si elle avait senti son regard sur elle, Sylve se tourna vers elle. « Il est parfaitement propre ; pas un seul serpent. Je vais vous aider à nettoyer Relpda. »

Par orgueil, Alise faillit répondre qu'elle se débrouillait très bien toute seule, mais elle s'entendit dire « Merci » avec une profonde reconnaissance. La jeune fille lui sourit, et le soleil scintilla un instant sur ses lèvres. Avait-elle aussi des écailles sur la bouche ? Alise détourna le regard et se remit à son nettoyage, précipitant une cascade de fin limon sur la terre humide. Il lui semblait que Sylve n'était pas aussi écailleuse lorsqu'elle l'avait rencontrée la première fois. Subissait-elle des changements de la même ampleur que les dragons ?

Sylve vint la rejoindre avec une « brosse » en roseaux de sa confection. « C'est une excellente idée.

D'habitude, je me sers de rameaux de conifères quand j'en trouve, et sinon de poignées de feuilles, mais ça, ça marche beaucoup mieux.

— Si j'avais eu le temps d'entre-tisser les tiges et les feuilles, ce serait encore plus efficace, mais ça suffira, je pense. » Alise avait du mal à parler et à frotter la dragonne en même temps. Les années passées chez Hest l'avaient amollie ; auparavant, elle participait toujours aux tâches ménagères, car ses parents n'avaient pas les moyens d'entretenir une grande domesticité. À présent, elle sentait la sueur tremper son dos et des ampoules se former sur ses mains ; elle avait déjà mal aux épaules. Eh bien, tant pis ! Travailler dur n'avait jamais tué personne. Et, quand elle contempla la surface de la dragonne qu'elle avait déjà nettoyée, une bouffée de fierté l'envahit.

« Qu'est-ce que c'est ? Qu'est-ce que c'est ? Un trou laissé par un serpent ? » L'angoisse qui perçait dans la voix de Sylve parut infecter Mercor, car il s'avança soudain et baissa son immense tête pour renifler une tache sur le cou de la dragonne cuivrée.

« À quoi cela ressemble-t-il ? demanda Alise, peu désireuse de s'approcher du grand dragon surexcité.

— À une éraflure. La poussière autour était humide, peut-être de sang ; elle ne saigne pas, mais…

— Quelque chose lui a percé la peau, intervint Mercor. Il ne s'agit pas d'un trou laissé par un serpent, Sylve, mais l'odeur de sang est forte ; elle a dû en perdre pas mal. »

Alise reprit ses esprits. « Je ne crois pas que les serpents pratiquent un trou pour pénétrer dans l'organisme ; ils n'enfoncent que la tête pour se nourrir du sang. »

Mercor était absolument immobile, la tête au-dessus de la dragonne cuivrée. Ses yeux étaient noirs sur fond noir et brillant, et pourtant Alise avait l'impression d'y percevoir un lent tourbillon. Il parut se retirer un moment, puis un frisson parcourut sa peau, et ses écailles ondoyèrent d'une façon qui évoqua un chat plus qu'un reptile à la jeune femme. Soudain elle perçut à nouveau la présence de son esprit et s'émerveilla ; s'il ne les avait pas abandonnées brièvement, elle n'eût jamais mesuré la force de son influence lorsqu'il se concentrait sur elles.

« Je ne connais pas ces serpents-pointeaux ; ces créatures que tu décris, j'en ai entendu parler il y a très longtemps, et on les appelait alors des fouisseurs. Ils s'enfoncent profondément dans leurs victimes, et ils sont peut-être plus dangereux que l'espèce dont l'autre gardienne parlait.

— Sâ ait pitié ! » fit Sylve à mi-voix. Elle se tut un instant, sa brosse en roseaux à la main, puis elle fit soudain le tour de la dragonne et la poussa. « Relpda ! cria-t-elle comme pour pénétrer la stupeur de la créature malade. Roule sur le côté ; je veux voir ton ventre. Allons, roule ! »

Au vif étonnement d'Alise, la dragonne obéit. Elle prit difficilement appui des pattes arrière sur la boue, puis elle leva une tête branlante, entrouvrit les paupières, et laissa retomber sa tête sur la terre. « Écartez-vous », dit Mercor avec rudesse, et les deux femmes obtempérèrent promptement. Le grand dragon fourra son mufle sous Relpda et essaya de la retourner ; elle émit un faible grondement de protestation et agita les pattes comme s'il lui faisait mal.

« Il la dévore ? Mais elle n'est pas morte, je crois ! » Ainsi s'exclama un autre gardien qui les avait rejoints. *Kanaï*, songea Alise ; était-ce bien son nom ? Il était très beau, malgré l'aspect étrange que lui avait conféré le désert des Pluies ; son épaisse tignasse brune et ses griffes noires contrastaient bizarrement avec ses yeux bleu clair et son sourire angélique. Sa dragonne l'accompagnait, créature rouge et trapue aux pattes courtaudes et aux écailles brillantes ; quand Kanaï s'arrêta pour contempler le spectacle, elle se frotta affectueusement contre son jeune soigneur, manquant de peu de le renverser. « Cesse, Gringalette ; tu ne te rends pas compte de ton poids ! Tiens-toi debout toute seule. » On sentait plus d'affection que de reproche dans sa voix ; par jeu, il la repoussa, et elle en fit autant.

« Mercor n'est pas en train de la dévorer, expliqua Sylve, indignée. Il essaye de la retourner pour que nous puissions vérifier si elle a des parasites sur le ventre ; il y a une espèce de serpent qui…

— Je sais. Je regardais les autres les extraire de Sestican ; j'ai failli vomir à les voir faire, et Lecter pleurait à moitié en s'accusant de négligence. Je ne l'ai jamais vu dans cet état.

— Mais ils ont réussi à retirer les serpents ?

— Oui. Mais ça devait faire mal, parce que le grand dragon bleu couinait comme une souris chaque fois qu'on en sortait un. Je ne sais pas ce que le capitaine

Leftrin avait préparé comme mélange, mais ils le versaient tout autour du trou par où le serpent avait pénétré, et très vite il se mettait à battre de la queue puis à reculer ; il y avait plein de sang et de pus qui sortaient avec, et une puanteur, mais une puanteur ! Et, quand il tombait enfin par terre, Tatou lui sautait dessus et le coupait en deux d'un coup de hache. Je suis content de toujours examiner ma Gringalette de la tête aux pieds, tiens ! Pas vrai, Gringalette ? »

La dragonne rouge eut un reniflement et donna de nouveau un coup de tête au garçon, qui recula en chancelant. Son compte rendu avait retourné l'estomac d'Alise, mais Sylve avait d'autres sujets de préoccupation. « Kanaï, tu crois que Gringalette pourrait aider Mercor ? Nous essayons de retourner la dragonne cuivrée sur le dos.

— Bien sûr ; il suffit que je le lui demande. Hé, Gringalette ! Par ici, Gringalette, regarde-moi. Écoute-moi, Gringalette, écoute-moi, ma jolie. Aide Mercor à retourner la dragonne cuivrée sur le dos, tu comprends ? L'aider à la retourner ? Tu peux le faire ? Elle peut faire ça pour moi, ma grande dragonne à moi ? Mais évidemment ! Allons, Gringalette, mets ton museau là-dessous, là, comme Mercor ; c'est bien ! Et maintenant, pousse, Gringalette, pousse ! »

La petite dragonne rouge prit appui sur ses pattes, et les muscles de son cou se gonflèrent. Elle exhala un grondement d'effort, et soudain Relpda bougea. Elle émit un glapissement de douleur, mais les deux dragons n'en eurent cure. Grognant et soufflant, ils la retournèrent sur le dos, où elle battit faiblement l'air des pattes. « Maintiens-la comme ça, Gringalette ; c'est bien. Maintiens-la comme ça ! » Aux cris de Kanaï, la petite dragonne rouge se raidit en position et demeura la tête soutenant Relpda, les muscles saillants, mais les yeux brillants de plaisir aux compliments de son gardien.

« Regardez ! » s'exclama Mercor, et Alise resta figée d'horreur : le ventre couvert de boue de la dragonne cuivrée était piqueté de queues de serpents, au moins une dizaine qui se tordaient en tous sens parce que leur victime avait bougé. Sylve se couvrit la bouche des deux mains et recula ; secouant la tête, elle dit d'une voix étouffée, le souffle court : « Elle ne me laissait jamais lui nettoyer le ventre. J'essayais, je vous jure ! Mais elle s'écartait à chaque fois et se frottait dans la boue. Elle tentait de s'en débarrasser, c'est ça, Mercor ? Elle refusait de me laisser lui toucher le ventre parce que ça lui faisait mal.

— Elle n'avait pas l'esprit assez clair pour comprendre que tu pouvais l'aider, répondit le dragon d'un ton catégorique. Nul ne te reproche rien, Sylve ; tu as fait ce que tu pouvais pour elle.

— Elle est morte ? » Tous se retournèrent à cette question criée de loin : Thymara et Tatou se dirigeaient vers eux en courant, le capitaine Leftrin sur leurs talons ; Sintara les suivait d'un pas plus digne, et cinq ou six autres gardiens convergeaient vers eux.

« Non, mais elle est infestée de serpents. Je ne sais pas si nous pourrons la sauver. » La voix de Sylve se brisa sur ces mots.

« Essaie », ordonna Mercor d'un ton sévère, mais il se pencha sur la jeune fille et souffla doucement sur elle ; ce n'était manifestement qu'une brise légère, mais Sylve chancela. Soudain, son attitude changea d'une façon qui laissa Alise pantoise et effrayée : l'enfant éperdue se transforma brusquement en femme calme ; elle se redressa, leva les yeux vers son dragon et sourit.

« Nous essaierons. » Elle se tourna vers Alise et ajouta : « Nous nous servirons d'abord de nos brosses en roseau pour la débarrasser de la boue qui la couvre. Gringalette, il faudra que tu la maintiennes sur le dos. Elle n'aimera pas ce que nous lui ferons, mais je crois qu'il faut ôter la boue de ses blessures avant de pouvoir les traiter.

— Je suis d'accord », répondit la jeune femme en se demandant d'où Sylve tirait cette nouvelle assurance ; était-elle ainsi quand le doute ne la taraudait pas, ou bien s'agissait-il d'une sorte d'ajout dû à Mercor ? Alise prit sa brosse et s'approcha de la dragonne cuivrée avec circonspection ; la créature avait beau être chétive et faible pour son espèce, un coup d'une de ses pattes l'enverrait survoler la berge ; et, si elle se débattait et roulait sur un gardien, il en résulterait de graves blessures.

Thymara regardait Alise. La Terrilvillienne lui donnait l'impression d'avoir une autre personne devant elle ; elle frottait énergiquement le ventre de la dragonne rouge sans se préoccuper de la poussière ni de la boue qui tombaient en cascade sur son pantalon et ses bottes ; elle avait le visage maculé de terre et le corsage sale jusqu'aux coudes ; même ses cils clairs étaient alourdis de poussière ; et pourtant elle arborait une expression résolue, où se mêlait comme du plaisir à la tâche qu'elle accomplissait. Depuis quand n'était-elle plus l'élégante Terrilvillienne impeccablement vêtue et dotée de manières irréprochables ? Thymara sentit malgré elle un sentiment d'admiration naître en elle.

Gringalette se tenait campée sur ses pattes, poussant la dragonne cuivrée de la tête pour la maintenir sur le dos ; Kanaï, près d'elle, la flattait fièrement de la main et lui murmurait des compliments. Mercor restait à l'extérieur du groupe, tandis que Sylve dirigeait les opérations ; Thymara se fit la réflexion qu'elle avait aussi changé d'aspect, bien qu'elle fût incapable de voir où était la différence.

Elle s'avança et se sentit mal : des queues de serpents piquetaient le ventre de la dragonne, dépassant à peine. Elle avala péniblement sa salive. Il avait été déjà pénible de regarder le parasite s'extraire en se tordant de Sintara ; il ne s'était pas installé depuis longtemps, et la plus grande partie de sa longueur pendait encore à l'extérieur. Une fois que Leftrin avait répandu l'essence de térébenthine autour de la blessure, le serpent s'était immobilisé, flasque, puis il s'était soudain mis à s'agiter violemment. La dragonne avait poussé un coup de trompe angoissé, et Thymara s'était approchée d'elle en hâte pour saisir la queue du parasite. « Attends, je vais rajouter de l'essence ! » avait lancé Leftrin.

À la seconde application, les mouvements du serpent étaient devenus frénétiques ; il avait commencé à sortir à reculons de sa victime, et, alors que le long corps sanglant apparaissait, Thymara avait pris sur elle pour l'empoigner avant qu'il ne tentât de rentrer dans la dragonne. L'animal se tordait et glissait entre ses doigts ; Sintara avait crié sa souffrance, et les autres dragons accompagnés de leurs gardiens s'étaient peu à peu attroupés autour d'elle. Alors que le parasite s'extirpait enfin de la dragonne, il s'était retourné et avait aspergé Thymara de sang en s'efforçant de l'attaquer. Avec une exclamation stridente, elle l'avait jeté à terre ; Tatou l'attendait avec une hachette, et le serpent n'avait pas pu aller loin. Thymara était restée hébétée, tremblant convulsivement sous l'effet de la douleur de Sintara ; elle s'était essuyé le visage avec sa manche, mais n'avait réussi qu'à étaler davantage le sang épais, qui sentait le dragon au goût et à l'odeur ; encore maintenant, alors qu'elle s'était lavée, le puissant fumet lui emplissait les narines, et elle ne parvenait pas à s'en débarrasser la bouche. Leftrin avait nettoyé la blessure avec du rhum puis l'avait recouverte de goudron afin d'éviter toute ulcération par l'eau acide du fleuve ; tout en travaillant, il avait dit : « Après ça, il faudra examiner vos dragons tous les soirs. Ces serpents ont un truc dans la gueule qui engourdit les victimes, et elles ne les sentent même pas s'enfoncer. J'en ai eu un petit dans la jambe, et je ne m'en suis rendu compte qu'en sortant de l'eau. »

Tandis qu'Alise et Sylve s'activaient, la dragonne cuivrée poussait de faibles gémissements de douleur.

Thymara s'accroupit devant elle pour l'observer, mais la créature avait les yeux fermés ; était-elle seulement consciente ? La jeune fille se redressa lentement. « Eh bien, au moins, nous savons ce qui ne va pas chez elle. Si nous parvenons à lui retirer ces parasites, à nettoyer ses plaies et à les protéger de l'eau du fleuve, elle aura peut-être une chance de survivre.

— Nous l'avons assez débarrassée de sa boue ; sortons ces saletés de son ventre », dit Sylve.

Thymara demeura avec le cercle des spectateurs, en proie à une fascination mêlée d'écœurement, et, quand Leftrin s'avança avec son pot d'essence de térébenthine et son pinceau, elle dut détourner les yeux ; depuis que le sang de Sintara avait giclé sur son visage, elle ne sentait plus rien d'autre, et elle n'avait nulle envie d'en voir davantage. Avisant la dragonne bleue à l'extérieur du groupe, elle se fraya un chemin parmi les gardiens pour la rejoindre. « Je ne veux pas regarder, fit-elle à mi-voix. C'était déjà horrible d'assister à l'extraction d'un seul serpent de ton corps, et tu ne le portais pas depuis longtemps. Je ne peux pas regarder. »

Sintara tourna la tête vers elle ; ses yeux cuivrés apparurent soudain comme du métal fondu à Thymara, mares de cuivre liquide qui tournoyait sur le fond luisant de ses écailles de lapis-lazuli. La jeune fille comprit qu'elle voyait le charme des dragons en action, mais elle s'en moquait ; elle laissa ce regard l'attirer, lui donner de l'importance, tandis qu'une petite voix cynique lui demandait sournoisement si la considération d'une dragonne lui donnait vraiment de l'importance. Elle refusa de l'écouter.

« Tu devrais aller chasser », lui suggéra Sintara.

Elle n'avait pas plus envie de s'éloigner des magnifiques yeux de cuivre de la dragonne que de quitter la chaleur d'un feu joyeux par une froide nuit de tempête. Elle s'accrocha au regard de Sintara, incapable de croire qu'elle pût vouloir son départ.

« J'ai faim, dit la grande créature d'une voix douce ; tu ne veux pas aller me chercher à manger ?

— Si, naturellement ! » répondit aussitôt Thymara, submergée par la volonté de la dragonne.

La voix de Sintara baissa encore, souffle à l'oreille de la jeune fille. « Graffe et Jerd se sont rendus dans la forêt il n'y a pas longtemps. Ils savent peut-être où trouver du gibier ; tu devrais les suivre. »

Piquée au vif, Thymara répliqua : « Je suis meilleure chasseuse que Graffe ne le sera jamais ! Je n'ai pas besoin de les suivre.

— Je pense néanmoins que tu devrais », insista Sintara, et tout à coup l'idée ne parut plus si mauvaise à la jeune fille. Une pensée lui agaça l'esprit : si Graffe avait déjà abattu une proie, peut-être pourrait-elle en prélever une part, comme il l'avait fait avec l'élan. Elle ne lui avait pas encore rendu la monnaie de sa pièce.

« Va ! » dit la dragonne, et Thymara obéit.

Chacun des gardiens avait pris l'habitude de ranger son matériel dans son canoë, et Thymara souffrait de devoir affronter chaque jour le désordre de Kanaï ;

quand elle y songeait, elle ressentait comme une injustice qu'une association uniquement due au hasard le premier jour la condamnât à toujours faire équipe avec lui. Les autres changeaient régulièrement d'équipier, mais ces rotations n'intéressaient pas Kanaï, et Thymara doutait de trouver quelqu'un qui voulût de lui, même si elle arrivait à le persuader d'essayer : il était trop étrange. Pourtant, il était beau, il savait naviguer, et il faisait preuve d'un optimisme inébranlable ; elle avait beau chercher, elle ne se rappelait pas une seule occasion où il se fût montré de mauvaise humeur. Elle sourit ; il était bizarre, et alors ? Elle pouvait s'y faire. Elle écarta le sac du jeune homme et fouilla dans le sien pour y prendre son matériel de chasse.

Loin du regard de Sintara, elle avait plus de facilité à réfléchir à ses actes et à leurs raisons. Elle avait conscience que la dragonne avait exercé son charme sur elle, mais, même en le sachant, elle ne parvenait pas à s'en départir complètement. Elle n'avait rien de plus urgent à faire, et, de fait, de la venaison serait la bienvenue, comme toujours ; un bon repas ne ferait pas de mal à la dragonne cuivrée une fois qu'on lui aurait retiré les parasites du ventre, et Mercor ne regimberait sûrement pas à manger non plus. Mais, en prenant son sac en bandoulière, elle se demanda si elle ne cherchait pas seulement à se fournir un motif valable de suivre la suggestion de la dragonne ; puis elle haussa les épaules devant la futilité de cette interrogation et se dirigea vers l'orée de la forêt.

Les berges du fleuve du désert des Pluies n'étaient jamais semblables ni jamais différentes. Un jour, les chasseurs naviguaient entre des rangées de conifères aux frondaisons de dentelle, le lendemain, ces armées vert sombre pouvaient laisser peu à peu la place aux colonnes infinies d'arbres à tronc blanc et à longues feuilles vert clair, avec les branches festonnées de plantes grimpantes et de lianes alourdies de fleurs tardives et de fruits mûrs. Aujourd'hui, c'était une large rive couverte de roseaux, avec des zones où poussaient en rangs serrés des joncs couronnés de touffes de semences duveteuses ; le sol se composait de limon et de sable, plage provisoire qui pouvait disparaître à la crue suivante. Au-delà, à peine plus haut, se dressait une forêt de géants à l'écorce grise dont les longues branches plongeaient la terre dans une ombre éternelle et froide ; des lianes aussi épaisses que la taille de Thymara tombaient de ces branches et créaient un sous-bois aussi impénétrable que les barreaux d'une cage.

Elle n'eut aucun mal à repérer les traces de Graffe sur le sol marécageux, où l'eau commençait déjà à sourdre pour remplir les empreintes de ses bottes ; celles de Jerd, pieds nus, étaient moins visibles. Thymara ne les suivait que d'un œil distrait, songeant à sa dragonne ; plus elle s'éloignait d'elle, plus ses pensées redevenaient claires. Pourquoi Sintara l'avait-elle envoyée chasser ? La réponse était facile : elle avait toujours faim ; de toute façon, Thymara avait décidé d'aller chercher du gibier ce jour-là, et la mission que lui confiait la dragonne ne la dérangeait donc pas. Elle s'interrogeait davantage sur la raison qui avait poussé Sintara à exercer son charme sur elle.

Cela n'était jamais arrivé ; cela voulait-il dire qu'elle accordait à Thymara plus d'importance qu'auparavant ?

Une pensée légère comme du duvet de massette entra dans son esprit. « Peut-être ne pouvait-elle pas se servir de son charme jusque-là ; peut-être devient-elle plus forte, et pas seulement physiquement, à force de se lancer des défis. »

Elle avait prononcé ces mots à voix basse. Cette idée lui appartenait-elle ou bien avait-elle perçu brièvement celle d'un autre dragon ? Cette question la troubla autant que la pensée elle-même. Sintara acquérait-elle peu à peu les pouvoirs que la légende prêtait aux dragons ? Ses congénères aussi ? Et, dans ce cas, quel usage en feraient-ils ? Leurs gardiens finiraient-ils aveuglés par leur charme, esclaves rampant à leurs pieds ?

« Ça ne fonctionne pas ainsi ; c'est plus proche de l'amour d'une mère pour un enfant indiscipliné. » Encore une fois, elle avait parlé tout haut. Elle s'arrêta sous les premières frondaisons et secoua violemment la tête, faisant claquer ses nattes noires sur son cou ; les petites amulettes et les perles qui les ornaient lui fouettèrent la nuque. « Ça suffit ! lança-t-elle à qui envahissait ses pensées. Fiche-moi la paix ! »

Tu manques de sagesse, mais c'est ton choix, humaine.

Et, comme un voile diaphane qui se fût levé de sa tête et de ses épaules, la présence disparut. « Qui est-ce ? » demanda Thymara, mais il n'y avait plus personne. Mercor ? « J'aurais dû commencer par poser cette question », marmonna-t-elle en pénétrant dans l'ombre épaisse de la forêt. Dans l'éternel crépuscule, les traces de Graffe étaient moins faciles à suivre, mais il avait laissé quantité d'autres signes de son passage ; elle n'eut d'ailleurs pas à marcher longtemps avant de n'avoir plus besoin de ces indices : elle entendit sa voix, puis une autre qui lui répondait, sans parvenir à distinguer ce qu'elles disaient. *Jerd*, songea-t-elle. Ils devaient chasser ensemble. Elle ralentit le pas et se déplaça plus discrètement, puis elle s'arrêta.

Sintara l'avait quasiment obligée à les suivre ; pourquoi ? Elle se sentait soudain très mal à l'aise. Que penseraient-ils si elle surgissait tout à coup devant eux ? Que dirait Jerd ? Graffe croirait-il qu'elle le reconnaissait comme meilleur chasseur qu'elle ? Elle grimpa dans un arbre et poursuivit sa route de branche en branche ; elle était curieuse de voir s'il avait déjà pris quelque chose, et, si oui, quoi, mais elle ne voulait pas révéler sa présence. Les voix des deux jeunes gens lui parvenaient plus distinctement, par bouffées. Jerd dit « … n'avais pas compris… » avec de la colère ; Graffe avait un timbre plus grave et plus difficile à percevoir ; elle l'entendit expliquer : « Jess n'est pas un mauvais gars, même s'il… » puis ses mots se perdirent dans un murmure. Thymara s'approcha discrètement en remerciant Sâ pour ses griffes qui s'accrochaient efficacement dans l'écorce glissante. Elle changea d'arbre en se déplaçant d'une grosse branche à une autre et se retrouva soudain à la verticale de Jerd et Graffe.

Ils n'étaient pas en train de chasser ; ils n'avaient même pas dû chasser du tout. Il lui fallut un long moment pour comprendre ce que ses yeux lui montraient. Ils étaient nus et allongés l'un à côté de l'autre sur une couverture, leurs vêtements sur des buissons voisins. Les écailles bleues de Graffe couvraient une bien plus grande partie de son corps que ne s'en doutait Thymara ; couché sur le côté, il lui tournait le dos, et, dans la pénombre de la forêt, on eût dit un lézard qui cherchait un coin de soleil pour se chauffer. Un maigre rayon de lumière courait sur la ligne de sa hanche et de sa cuisse jusqu'à son genou.

Jerd lui faisait face, allongée sur le ventre, les coudes au sol, le menton sur les poings ; sa tignasse blonde était encore plus emmêlée que d'habitude. Graffe avait posé la main sur son épaule nue. Elle avait un corps long et mince, et la ligne d'écailles vertes sur son épine dorsale parut soudain magnifique à Thymara ; elle brillait dans la pénombre comme un ruisselet d'émeraudes. Elle avait les jambes pliées, et ses mollets et ses pieds couverts d'écailles s'agitaient légèrement tandis qu'elle répondait à Graffe : « Comment as-tu pu seulement proposer ça ? C'est exactement le contraire de ce que nous avions promis de faire. »

Il haussa les épaules, et la lumière ondula comme une ligne de saphir sur son dos. « Je ne vois pas ça comme ça. Cette dragonne n'appartient à aucun gardien ; personne n'est lié à elle, et elle est presque morte. Les autres dragons pourront la dévorer quand elle mourra pour en récupérer de quoi manger et quelques souvenirs ; d'ailleurs, vu sa lourdeur d'esprit, il y a des chances pour qu'elle n'ait aucun souvenir.

Mais, si nous parvenons à convaincre les dragons de nous laisser sa dépouille, ou même une partie, Jess pourrait la transformer en une solide fortune dont nous profiterions tous.

— Mais ce n'est pas…

— Attends ; laisse-moi parler. » Il posa un doigt sur les lèvres de la jeune fille pour interrompre sa protestation ; elle redressa la tête et se détourna, mais il se contenta de rire tout bas. Thymara n'arrivait pas à savoir ce qui la choquait le plus, leur nudité ou le sujet de leur conversation. Ils ne pouvaient s'être livrés qu'à une seule activité, une activité interdite ; mais Jerd avait l'air irrité, presque en colère contre Graffe, et pourtant elle demeurait près de lui comme si de rien n'était. Il lui prit le menton et ramena son visage vers lui ; elle lui montra les dents, et il éclata de rire.

« Tu réagis comme une gamine parfois !

— Tu ne me traitais pas comme une gamine, tout à l'heure !

— Je sais. » La main de Graffe descendit le long du cou de Jerd, puis passa sous son corps ; il lui touchait les seins. Le rictus de la jeune fille se transforma en un sourire très étrange, et elle s'étira pour se caresser contre la main du jeune homme. Effarée, Thymara sentit un singulier frisson la parcourir, et le souffle lui manqua. Était-ce donc l'effet que cela produisait ? Elle croyait que la sexualité faisait exclusivement partie du monde des adultes, et seulement de ceux qui avaient la chance d'être normaux. En regardant Jerd se frotter contre Graffe, elle sentait naître en elle une envie inconnue. Jerd avait manifestement initié cette rencontre – à moins que ce ne fût Graffe, en usant de subterfuge ou de force ? Non, le regard qu'elle lui adressait était trop complice. Une chaleur troublante envahissait Thymara ; elle ne pouvait détacher ses yeux du couple.

Graffe paraissait avoir oublié qu'il parlait. Jerd s'écarta soudain de lui et demanda : « Tu disais ? Tu essayais de justifier la vente d'échantillons de dragons à ces sales Chalcédiens, je crois. »

Il fit un petit bruit du fond de la gorge puis ramena sa main contre son flanc ; d'une voix rauque, il répondit : « Je tâchais de t'expliquer qu'il nous faudra de l'argent si nous voulons réaliser mon rêve, et que je me fiche d'où il viendra. Par contre, je sais d'où il ne viendra pas : ni les Marchands de Terrilville ni ceux du désert des Pluies n'accepteront que nous créions notre propre ville ; les uns comme les autres nous regardent comme des abominations : ils étaient ravis que nous quittions Trehaug, et encore plus que nous emmenions les dragons. Ils ne pensent pas que nous reviendrons ; ils sont persuadés que nous ne survivrons pas. Et, si nous trouvons Kelsingra, t'imagines-tu qu'ils nous la laisseront ? Non, Jerd ; si nous trouvons Kelsingra et qu'elle abrite des objets fabriqués par les Anciens, je te parie que les Marchands s'approprieront la cité. J'ai vu le capitaine Leftrin noter le chemin que nous avons suivi, et il n'y a qu'une seule raison pour laquelle il peut faire ce travail : pour que, si jamais nous découvrons quelque chose de valeur, il puisse retourner à Trehaug et en indiquer l'emplacement aux Marchands. Alors ils sauront comment s'y rendre, ils viendront nous le prendre, et nous nous retrouverons à l'écart, les laissés-pour-compte, les parias. Même si nous ne trouvons qu'un bout de terre assez grand pour que les dragons puissent y survivre, ils ne nous laisseront pas tranquilles ; depuis combien de temps cherchent-ils des zones arables ? Même ça, ils nous le voleraient. Il faut donc réfléchir et prévoir. Nous savons que Cassaric et Trehaug dépendent entièrement du commerce avec l'extérieur ; elles exhument les trésors des Anciens et les vendent par l'entremise des Marchands de Terrilville. Elles sont incapables de subvenir seules à leurs besoins, et, sans les objets des Anciens, elles se seraient effondrées depuis des années. Mais nous, qu'aurons-nous ? Rien. Si nous trouvons de la terre ferme, nous pourrons peut-être bâtir quelque chose pour nous et nos enfants, mais, même si nous n'avons l'intention que d'y faire pousser des légumes, il nous faudra encore des semences et des outils, nous devrons nous construire des maisons, et il nous faudra de l'argent, du bon argent pour acheter ce dont nous aurons besoin. »

Thymara se sentait prise de vertige. Graffe parlait-il d'une ville pour les gardiens et leurs dragons ? D'un avenir à part de Trehaug ou Cassaric ? D'un avenir avec des enfants, des maris, des épouses ? C'était impensable, inimaginable ! Sans y penser, elle s'étendit à plat sur sa branche et s'approcha doucement du couple.

« Ça ne marchera pas, répondit Jerd avec mépris. Si on découvre un emplacement où construire une ville, il sera trop loin en amont du fleuve ; qui voudrait commercer avec nous ?

— Jerd, tu as parfois les réactions d'une enfant ! Non, attends, ne me fais pas les gros yeux : ce n'est pas ta faute ; tu n'as jamais rien connu d'autre que le désert des Pluies. Moi-même, je ne me suis aventuré ailleurs qu'une ou deux fois, mais au moins j'ai appris par mes lectures à quoi ressemble le monde extérieur. Et puis, le chasseur a de l'instruction ; il a des idées, Jerd, et il a une vision claire des choses ; quand il parle, tout devient parfaitement logique. J'avais toujours su qu'il existait un moyen de vivre différemment, mais je ne le comprenais pas ; d'après Jess, c'est parce que, toute ma vie, on m'avait tellement bourré le crâne avec les règles que je ne voyais plus qu'il s'agissait seulement de règles inventées par les hommes. Et, si des hommes peuvent créer des règles, d'autres peuvent les changer ; nous pouvons les changer. Ce n'est pas parce que "ça a toujours été ainsi" que nous devons nous soumettre à la tradition ; nous pouvons nous en libérer si nous en avons le courage. Regarde notre attitude face aux dragons : ils se rappellent le monde de jadis, à l'époque où ils le dominaient, et ils partent du principe qu'ils retrouveront leur souveraineté, mais rien ne nous force à leur donner ce pouvoir. Il n'est pas obligatoire qu'ils dévorent le cadavre de leur congénère quand elle mourra ; pour eux, c'est seulement de la viande, or nous leur en fournissons déjà en quantité ; donc, en un sens, ils nous doivent cette carcasse, surtout quand on pense à ce qu'elle pourrait nous rapporter. Avec la fortune que nous en tirerions, nous pourrions établir les fondations d'une nouvelle existence pour nous tous, y compris les dragons ! Il suffit que nous ayons le cran de changer les règles et de viser notre propre intérêt pour une fois. » Thymara avait l'impression de voir l'imagination de Graffe s'emballer ; le sourire sinistre qu'il affichait promettait une victoire éclatante sur les humiliations et les exactions passées. « Jess dit que, si tu as assez d'argent, n'importe qui accepte de commercer avec toi ; et si tu as de temps en temps des articles rares, uniques, que personne d'autre ne peut se procurer, il y aura toujours des gens pour venir jusqu'à toi malgré toutes les difficultés. Ils viendront et ils accepteront les prix que tu imposeras. »

Jerd avait légèrement roulé sur le côté pour lui faire face. Dans la pénombre, les éclats d'argent dans ses yeux brillaient plus fort ; elle paraissait mal à l'aise. « Attends ; tu parles encore de vendre des morceaux de dragons ? Pas maintenant, peut-être, si la cuivrée meurt, mais dans l'avenir ? C'est mal, Graffe ; imagine que j'envisage de vendre ton sang ou tes os ? Imagine que les dragons songent à élever tes enfants pour leur viande !

— Mais ça ne se passera pas comme ça ! Ça n'a rien d'obligatoire. Tu vois cette affaire sous le pire jour possible. » La main de Graffe revint, douce et apaisante ; elle suivit le bras de la jeune fille de l'épaule au coude, remonta, puis elle glissa vers le cou et descendit lentement vers la poitrine. Thymara vit un soupir soulever les seins de Jerd. « Les dragons finiront par comprendre. Quelques écailles, un peu de sang, un bout de griffe, rien qui leur fasse du mal ; et quelquefois, mais pas souvent, quelque chose de plus, une dent ou un œil, prélevé sur un dragon à l'agonie… Jamais souvent, sinon ce qui est rare devient courant, et nous n'y gagnerions rien.

— Ça ne me plaît pas, dit-elle d'une voix ferme en s'écartant de la main exploratrice ; et ça m'étonnerait que ça plaise aux dragons. As-tu déjà fait part de ton plan à Kalo ? Comment a-t-il réagi ? »

Il haussa les épaules puis reconnut : « Il n'a pas aimé cette idée ; il m'a affirmé qu'il me dévorerait si j'essayais de la réaliser. Mais il menace de me tuer plusieurs fois par jour ; c'est sa façon de faire quand tout ne va pas comme il veut. Il sait qu'il a le meilleur des gardiens, donc, malgré ses menaces, il me supporte ; et, avec le temps, je pense qu'il finira par comprendre la valeur de mon plan.

— Ça m'étonnerait. À mon avis, il te tuera. » Elle s'exprimait d'un ton catégorique ; elle ne plaisantait pas. Elle s'étira en parlant puis, baissant les yeux sur ses seins, effleura son mamelon gauche comme pour en ôter une poussière. Graffe suivit son geste des yeux, et il répondit d'une voix grave : « On n'en arrivera peut-être même pas là ; nous trouverons peut-être Kelsingra, et elle regorgera peut-être de trésors des Anciens. Si nous avons fortune faite, il faudra tâcher que tous reconnaissent qu'elle nous appartient. Trehaug tentera de se l'approprier, à coup sûr, et Terrilville voudra en obtenir l'exclusivité. Nous aurons droit à la formule habituelle : "On a toujours fait ainsi." Mais nous savons, toi et moi, qu'on n'est pas obligé d'en rester à la tradition. Nous devons nous tenir prêts à défendre notre avenir contre les rapaces. »

Jerd écarta une mèche blonde. « Graffe, tu sais raconter de merveilleuses histoires. Tu parles de nous comme si nous étions des centaines en quête d'un refuge et non une petite quinzaine. "Défendre notre avenir" ? Mais quel avenir ? Nous sommes trop peu nombreux. Le mieux que nous puissions espérer, c'est une vie meilleure. J'aime bien ta façon de penser, en général, tes discours sur de nouvelles règles pour une nouvelle existence, mais parfois j'ai l'impression d'entendre un petit garçon qui joue avec ses jouets en bois et s'invente un royaume.

— Et alors ? C'est mal de vouloir être roi ? » Il pencha la tête et adressa son mince sourire à la jeune fille. « Un roi peut avoir besoin d'une reine. »

Elle répondit d'un ton dur, teinté de mépris : « Tu ne seras jamais roi. » Mais ses mains démentaient son dédain. Effarée, Thymara la regarda prendre Graffe par les épaules, l'obliger à se mettre sur le dos puis se hisser sur lui. « Assez parlé », déclara-t-elle. Elle saisit l'homme par la nuque et approcha son visage du sien.

Thymara ne pouvait détourner les yeux.

Elle n'y pouvait rien ; à aucun moment elle ne décida de rester : ses griffes s'enfoncèrent simplement dans l'écorce et la maintinrent là. Le front plissé, elle observa, insensible aux insectes piqueurs qui bourdonnaient autour d'elle.

Elle avait vu des animaux s'accoupler, un oiseau mâle monter une femelle ; une brusque agitation, un frisson, et c'était fini ; parfois la femelle paraissait à peine remarquer ce qui se passait. Ses parents ne lui avaient jamais parlé de ce sujet, car elle et ceux de sa condition n'avaient pas accès à ce domaine de la vie, et l'on décourageait fermement toute curiosité dans ce sens. Même son père adoré l'avait avertie : « Tu risques de croiser des hommes qui voudront profiter de toi, sachant que ce qu'ils recherchent est interdit ; ne fais confiance à aucun d'entre eux qui tentera d'aller plus loin que te serrer la main pour te saluer. Éloigne-toi de lui tout de suite et préviens-moi. »

Elle l'avait cru ; c'était son père, et il ne voulait que son bien. Nul ne ferait d'offre de mariage pour elle ; tout le monde savait que, si ceux qui portaient les stigmates du désert des Pluies avaient des enfants, ceux-ci naissaient complètement monstrueux ou non viables. S'accoupler, pour les gens comme elle, n'avait aucun sens. Quand on songeait à tout ce qu'elle mangerait pendant une grossesse alors qu'elle serait incapable de chasser ou de cueillir des fruits, aux difficultés qu'elle aurait à mettre au monde un enfant qui aurait toutes les chances de mourir… Non ; les ressources dans le désert des Pluies n'étaient jamais abondantes, la vie jamais facile ; nul n'avait le droit de consommer sans produire. Ce n'était pas la coutume des Marchands.

Oui, mais son père lui-même avait enfreint la règle : il avait pris le risque de garder sa fille, en pariant qu'elle serait capable de subvenir à ses propres besoins – et il ne s'était pas trompé. Ainsi, les règles n'étaient pas toujours bien fondées… Graffe avait-il raison ? Se pouvait-il qu'on pût changer les lois édictées par d'autres ? N'étaient-elles pas les absolus qu'elle avait toujours cru ?

Le couple, en dessous d'elle, ne paraissait pas du tout plongé dans ce genre de réflexions ; il prenait aussi beaucoup plus de temps que les oiseaux pour s'accoupler. Les deux jeunes gens faisaient des bruits, de petits bruits appréciateurs qui donnaient des frissons à Thymara. Quand Jerd se redressa, le dos arqué, et que Graffe déposa de longs baisers sur ses seins, le corps de Thymara réagit d'une façon qui la sidéra et l'embarrassa. La lumière s'écoulait en vagues scintillantes sur les écailles des amants qui bougeaient à l'unisson. Graffe martelait de son corps celui de Jerd d'une manière apparemment douloureuse, mais la jeune fille sous lui se tordait de plaisir, et soudain elle lui prit les fesses à pleines mains, l'attira et le maintint contre elle ; elle poussa un gémissement étouffé.

Aussitôt, Graffe s'écroula sur elle, et ils restèrent un long moment haletants, l'un sur l'autre. La respiration lourde de Graffe se calma peu à peu ; il redressa la tête et se décolla légèrement de Jerd ; celle-ci, d'une main paresseuse, écarta les mèches trempées de sueur de son visage, et un sourire naquit lentement sur ses lèvres quand elle regarda le jeune homme. Soudain, ses yeux s'agrandirent, et son regard se fixa sur Thymara derrière Graffe. Elle poussa un cri perçant et saisit d'un geste futile ses vêtements jetés à terre.

« Qu'y a-t-il ? » demanda Graffe, éberlué, en se retournant. Mais Thymara se trouvait déjà à deux arbres de là et sautait rapidement de branche en branche comme un lézard. Derrière elle, elle entendit la voix de Jerd qui s'élevait, furieuse, et puis le rire de Graffe la couvrit de honte. « Elle n'osera sans doute jamais faire plus que regarder ! » lança-t-il d'une voix qui portait, et elle comprit que ces mots s'adressaient à elle. Les larmes lui piquèrent les yeux, et elle s'enfuit, le cœur cognant dans la poitrine.

Seul sur le pont du *Mataf* Sédric observait la berge. Rien n'indiquait que quiconque voulût se remettre en route ; Leftrin allait et venait avec un seau fumant et administrait un traitement aux dragons. À la grande angoisse de Sédric, l'attroupement principal d'humains et de dragons se tenait autour de la dragonne cuivrée. Ce n'était pas sa faute ; l'animal était déjà malade quand il était allé le voir la première fois. Inquiet, il se demanda s'il avait laissé des traces de son passage. Il n'avait nulle intention de lui faire du mal ; il voulait seulement s'emparer de ce dont il avait absolument besoin. « Je regrette », dit-il à mi-voix sans savoir à qui il s'adressait. Leftrin se mêla au groupe qui entourait la dragonne couchée. Sédric ne voyait pas ce qu'ils faisaient ; était-elle morte ? Gardiens et dragons formaient une muraille autour d'elle. Que faisaient-ils ?

Avec un cri étouffé, il se plia soudain en deux, les bras sur le ventre. De terribles crampes lui déchiraient les entrailles. Il tomba à genoux puis s'effondra sur le flanc ; il éprouvait une souffrance si grande qu'il n'arrivait même pas à appeler à l'aide. Tout le monde à part lui se trouvait à terre pour aider à soigner les dragons. Il avait la sensation qu'on lui arrachait les viscères ; il plaquait les mains sur son ventre mais rien n'arrêtait le supplice. Il ferma les yeux devant le monde qui se mettait à tourner autour de lui, et il renonça brusquement à la conscience.

Septième jour de la Lune de la Prière

Sixième année de l'Alliance Indépendante des Marchands

De Detozi, Gardienne des Oiseaux, Trehaug, à Erek, Gardien des Oiseaux, Terrilville

Envoyés ce jour, trois oiseaux porteurs d'invitations de la famille du Marchand Delfin ; ci-joint une liste des destinataires de Terrilville. Si l'un des pigeons n'arrive pas, veuillez faire en sorte qu'un double de l'invitation soit tout de même délivré.

Étant donné que le mariage doit être célébré bientôt, une prompte remise des invitations est essentielle.

Erek,

Veillez bien à ce que ces invitations parviennent à leurs destinataires le plus vite possible, sans quoi je crains que les familles ne soient invitées à la naissance de l'enfant avant d'avoir eu le temps de se rendre au mariage ! On n'observe plus les coutumes à Trehaug comme naguère ; certains en accusent les Tatoués, mais ce jeune couple est de pure souche du désert des Pluies !

Detozi

2

Courants contraires

Hest regardait sédric de tout son haut, son beau visage déformé par un rictus moqueur. Il secoua la tête d'un air déçu. « Tu échoues parce que tu ne te donnes pas assez de mal ; placé au pied du mur, tu renonces toujours. » Dans la pénombre qui baignait la petite cabine, Hest paraissait plus grand que nature ; il était torse nu, et ses larges épaules et la musculature de son physique bien entretenu encadraient le triangle noir de l'épaisse toison bouclée qui couvrait sa poitrine. Son ventre plat paraissait dur au-dessus de la taille de son pantalon serré. Sédric le contemplait avec envie, Hest le savait, et il eut un petit rire bref et sec avant de secouer à nouveau la tête. « Tu es paresseux et mou, et tu n'as jamais réussi à te mettre à ma hauteur ; je ne sais vraiment pas pourquoi je t'ai pris avec moi – sans doute par compassion, quand je t'ai vu, écorché vif et tout timide, tremblant du menton à la pensée de ce que tu ne connaîtrais jamais, de ce que tu n'osais même pas demander ! J'ai été tenté de t'en donner un avant-goût. » Il éclata d'un rire dur. « Quelle perte de temps ! Tu n'as plus rien d'intéressant, Sédric ; il ne me reste rien à t'enseigner et tu n'as jamais rien eu à m'apprendre. Tu savais depuis le début que ce jour viendrait, n'est-ce pas ? Et le voici venu. J'en ai assez de toi et de tes pleurnicheries ; j'en ai assez de te verser un salaire que tu mérites à peine, assez que tu vives à mes crochets comme une sangsue. Tu méprises Reddine, n'est-ce pas ? Mais, dis-moi, en quoi vaux-tu mieux que lui ? Au moins, lui, il dispose de sa propre fortune ; au moins, lui, il peut se payer ce dont il a envie. »

Sédric s'efforça de répondre, de dire à Hest qu'il avait accompli un geste important, que le sang et les écailles de dragons assureraient sa richesse, richesse qu'il se ferait un plaisir de partager avec lui. *Ne m'abandonne pas*, voulut-il dire. *Ne mets pas fin à notre histoire, ne prends pas quelqu'un d'autre alors que je ne suis même pas en position de te faire changer d'avis*. Ses lèvres bougèrent, sa gorge se crispa, mais nul son ne sortit de sa bouche ; seules des gouttes de sang de dragon tombèrent de ses lèvres.

Et il fut trop tard. Reddine était là ; Reddine avec sa petite moue de putain dodue, ses doigts potelés et ses boucles dorées et grasses ; Reddine était là, caressant d'un doigt léger le bras nu de Hest. Celui-ci se tourna vers lui, souriant ; ses paupières s'abaissèrent soudain d'une manière que Sédric connaissait bien, puis, comme un faucon qui attaque, il fondit sur Reddine pour l'embrasser. Sédric ne voyait plus son visage, mais les mains de Reddine s'accrochaient à ses épaules musclées pour l'attirer plus près de lui.

Sédric voulut hurler, se tendit à s'en arracher la gorge, mais il ne parvint à émettre nul son.

Ils te font mal ? Je dois les tuer ?

« Non ! » Le cri lui échappa soudain, et il se réveilla brusquement pour se retrouver couché dans les draps trempés de sueur de sa petite cabine qui sentait le renfermé. Tout n'était que pénombre autour de lui ; nul Hest, nul Reddine, rien que lui, tout seul – et une petite dragonne cuivrée qui se pressait avec insistance contre les murs de ses pensées. L'esprit brumeux, il sentit son interrogation, l'inquiétude incompréhensive qu'elle éprouvait pour lui. Il la repoussa, ferma les yeux et enfouit son visage dans le tas de vêtements qui lui servait d'oreiller. *Ce n'était qu'un cauchemar*, se dit-il ; *rien qu'un cauchemar*.

Mais un cauchemar qui pouvait bien refléter la réalité.

Quand il était d'humeur sombre, il se disait que Hest avait peut-être cherché à se débarrasser de lui pour quelque temps ; en prenant la défense d'Alise, Sédric avait peut-être fourni à Hest le prétexte qu'il espérait pour envoyer son amant au loin.

Par un effort de volonté, il se remémorait ce qu'il avait éprouvé quand tout avait commencé. Le calme et l'impression de force que dégageait Hest l'avaient attiré, et, en l'espace de quelques instants, entre les bras puissants de Hest, il avait eu le sentiment d'avoir enfin trouvé un havre de sécurité ; assuré de l'existence de ce refuge, il avait gagné en confiance et en audace, et même son père s'en était rendu compte, lui disant qu'il s'enorgueillissait de l'homme qu'il devenait.

S'il avait su !

À partir de quand la force de Hest avait-elle cessé d'être une protection pour se transformer en prison ? À partir de quand n'avait-elle plus été un réconfort mais une menace ? Comment eût-il pu se voiler la face sur les changements que subissait leur relation, sur les changements que Hest lui imposait ? Il les avait constatés, il se l'avouait aujourd'hui ; il avait su, mais il avait continué obstinément en trouvant des excuses à la cruauté et aux méchancetés de Hest, en prenant sur lui la faute de leur mésentente, en se répétant que tout redeviendrait comme avant.

Mais tout allait-il si bien au début ? Ou bien s'était-il fabriqué un beau rêve ?

Il se retourna sur le ventre, enfonça son visage dans son oreiller et ferma les yeux. Il ne voulait pas penser à Hest ni à ce qui s'était passé entre eux jadis ; il ne voulait pas songer à ce qu'était devenue leur relation. Il n'avait même pas envie d'imaginer une vie meilleure pour eux deux. Il devait exister un plus beau rêve quelque part ; il eût aimé pouvoir se représenter ce qu'il renfermait.

« Tu dors ? »

Plus maintenant. Un carré de lumière pénétrait dans la cabine de Sédric par la porte ouverte ; la silhouette qui s'y encadrait devait être celle d'Alise. Naturellement. Il soupira.

Comme si elle prenait cette réaction pour une invitation, elle entra, mais ne referma pas l'huis derrière elle. Le rectangle de jour tombait sur le plancher et illuminait des vêtements jetés par terre. « Il fait si sombre chez toi, se plaignit-elle d'un ton d'excuse ; et ça manque d'air. »

Elle voulait dire que la cabine sentait mauvais. Il ne la quittait quasiment pas depuis trois jours, et, quand il lui arrivait de sortir, il ne parlait à personne et retournait se coucher aussitôt que possible. Davvie lui cassait les pieds avec ses questions agaçantes et indiscrètes, et sa façon de lui raconter les détails sans aucun intérêt de sa vie ; à quinze ans, comment pouvait-il croire avoir accompli quoi que ce fût qui pût passionner quelqu'un d'autre que lui-même ? Les interminables anecdotes qu'il racontait semblaient toutes mener vers une conclusion qui échappait à Sédric et que le gamin n'arrivait pas à préciser ; il soupçonnait Carson de s'en servir pour l'espionner : à deux reprises, il s'était réveillé et avait découvert le chasseur assis à côté de son lit, et, une fois, sortant tant bien que mal d'un cauchemar, il avait vu l'autre chasseur, Jess, accroupi dans sa cabine. Pourquoi ces trois-là s'intéressaient-ils tant à lui, il n'en savait rien – sauf s'ils avaient deviné son secret.

Au moins, il pouvait ordonner au gamin de sortir, et ce dernier obéissait. Cette tactique ne marcherait sûrement pas avec Alise, mais il décida brusquement de la tenter. « Va-t'en, Alise ; quand je me sentirai assez remis pour voir du monde, je sortirai. »

Mais la jeune femme, loin de s'en aller, s'assit sur son coffre à chaussures. « Ce n'est pas bon pour toi de rester aussi seul, d'autant plus que nous ignorons ce qui t'a rendu malade. » Ses doigts s'entremêlaient sur ses genoux comme des serpents qui se tordent. Sédric en détourna le regard.

« Carson dit que ça vient de quelque chose que j'aurais mangé ou bu.

— Ce serait logique, en dehors du fait que nous avons tous mangé et bu la même chose, et que personne d'autre ne présente le moindre symptôme. »

Si, il y avait un liquide que lui seul avait ingéré. Il repoussa cette idée. *Ne pense à rien qui puisse t'incriminer ou faire ressurgir ces réflexions étrangères dans ton esprit.*

Il n'avait pas répondu à Alise. Les yeux baissés, elle dit avec difficulté : « Je regrette de t'avoir entraîné dans cette aventure, Sédric ; je regrette de m'être précipitée pour aider les dragons sans vouloir écouter ce que tu avais à dire. Tu es un ami ; tu es mon ami depuis longtemps, et aujourd'hui tu es malade et loin de tout guérisseur digne de ce nom. » Elle se tut un instant, et il se rendit compte qu'elle s'efforçait de retenir ses larmes. Curieux comme il y restait indifférent ; si elle connaissait le véritable danger qu'il affrontait, si sa situation l'émouvait, peut-être compatirait-il davantage au sentiment de culpabilité qui l'étouffait.

« J'ai parlé à Leftrin, et il dit qu'il n'est pas trop tard ; même si nous avons bien avancé, il pense que Carson pourrait prendre un des canoës et nous ramener à Cassaric avant l'automne. Ce ne serait pas facile, et il faudrait dormir à la belle étoile en chemin, mais j'ai réussi à le persuader. » Elle s'interrompit à nouveau, submergée par l'émotion, puis reprit, la gorge si serrée que sa voix sortait comme un chevrotement : « Si tu veux que nous repartions à Cassaric, nous irons ; nous partirons aujourd'hui même si tu le désires. »

S'il le désirait.

Il était trop tard ; il était déjà trop tard le jour où il avait exigé de faire demi-tour, bien qu'il l'ignorât alors. « Trop tard. » Il se rendit compte qu'il avait prononcé ces mots à mi-voix en voyant la réaction d'Alise.

« Sâ ait pitié de nous, Sédric ! Tu es malade à ce point ?

— Non », répondit-il aussitôt pour endiguer le flot de paroles. Il n'avait franchement aucune idée de la gravité de son état et ne savait même pas si l'on pouvait parler de « maladie ». « Non, ce n'est pas ça, Alise ; je veux seulement dire qu'il est trop tard pour tenter de regagner Cassaric à bord d'un canoë. Davvie m'a prévenu plusieurs fois que les pluies d'automne vont bientôt commencer et qu'alors il deviendra beaucoup plus difficile de remonter le fleuve ; le capitaine Leftrin reconnaîtra que ce voyage est une folie et fera demi-tour avec la gabare. Quoi qu'il en soit, je ne tiens pas du tout à voyager dans un canoë sur un fleuve déchaîné et sous un torrent de pluie ; ce n'est pas du tout le temps idéal pour une excursion, en ce qui me concerne. »

Il avait réussi à retrouver une voix et un ton quasi normaux ; peut-être s'en irait-elle s'il paraissait se comporter comme d'habitude. « Je suis très fatigué, dit-il brusquement ; si ça ne te dérange pas… »

Elle se leva, remarquablement peu attirante dans son pantalon qui ne faisait que souligner la courbe féminine de ses hanches ; sa chemise commençait à montrer des signes d'usure ; elle l'avait manifestement lavée, mais l'eau l'avait laissée grise au lieu de blanc de neige. Le soleil marquait aussi Alise, faisant virer le roux de ses cheveux à un orange carotte et les éraillant au niveau des épingles, et fonçant ses taches de rousseur. Elle n'était déjà pas une beauté selon les canons de Terrilville ; si elle continuait à s'exposer au vent et au soleil, Sédric se demandait si Hest l'accepterait encore sous son toit. Avoir une épouse timide, c'était une chose ; c'en était une autre de se présenter aux côtés d'une femme qui faisait peur à tout le monde. Songeait-elle parfois que son mari pût ne plus vouloir d'elle ? Non, sans doute. Toute son éducation la poussait à voir la vie sous un certain angle, et, même si la réalité lui affirmait le contraire, elle ne pouvait changer d'optique. Elle n'avait jamais soupçonné que Hest et lui fussent plus que d'excellents amis ; à ses yeux, il demeurait son ami d'enfance, le secrétaire de son époux et son assistant provisoire. Elle était si fermement convaincue que le monde obéissait aux règles qu'on lui avait inculquées qu'elle ne voyait pas ce qui se trouvait sous son nez.

Elle lui sourit avec douceur. « Repose-toi, mon ami », dit-elle, et elle referma sans bruit la porte derrière elle, laissant Sédric dans sa boîte surdimensionnée, seul dans le noir avec ses pensées.

Il se retourna face au mur. La nuque le démangeait ; il se gratta furieusement et sentit de la peau sèche sous ses doigts. Alise n'était pas la seule dont l'aspect se détériorait ; il avait la peau déshydratée et les cheveux aussi rêches que du crin.

Il eût aimé pouvoir rejeter la faute sur Alise, mais il ne le pouvait pas. À partir du moment où Hest l'avait exilé, le condamnant à escorter son épouse, Sédric avait tout fait pour profiter des aubaines que pouvait présenter le voyage ; c'est lui qui avait imaginé, dès que l'occasion s'en offrait à lui, de récupérer des échantillons de dragon, chair, écaille ou goutte de sang. Il avait soigneusement préparé les moyens de préserver ce qu'il recueillerait ; Begasti Cored devait attendre de ses nouvelles, comptant bien faire fortune en étant celui qui permettrait de fournir au duc de Chalcède des marchandises interdites.

Dans certains de ses rêves, Sédric retournait à Terrilville pour montrer son butin à Hest, et ce dernier l'aidait à en obtenir les meilleurs prix ; ils vendaient tout et, quittant à jamais Terrilville, ils vivaient, riches, en Chalcède, à Jamaillia ou dans les îles Pirates, voire au-delà, dans les fabuleuses îles aux Épices. Dans d'autres, il gardait secrète sa nouvelle fortune en attendant de s'être installé au loin dans une cachette luxueuse, après quoi lui et Hest prenaient un bateau de nuit et s'en allaient commencer ensemble une nouvelle vie, exempte de mensonges et de tromperies.

Et, ces derniers temps, il avait d'autres songes, amers mais nimbés de douceur aussi. Il se voyait revenant à Terrilville et découvrant que Hest l'avait remplacé par ce fichu Reddine ; il emportait alors sa fortune pour s'établir en Chalcède, et, plus tard, révélait à Hest tout ce dont il eût pu jouir s'il lui avait accordé plus de valeur, s'il s'était montré loyal.

À présent, tous ces rêves lui paraissaient ridicules et vains, inventions d'un esprit adolescent. Il tira la couverture en laine rêche sur ses épaules et ferma les yeux. « Je ne reviendrai peut-être plus jamais à Terrilville, dit-il en s'efforçant de faire face à cette réalité. Et, même dans le cas contraire, je n'aurai peut-être plus toute ma raison. »

L'espace d'un instant, il abandonna sa conscience de lui-même ; aussitôt, il se retrouva enfoncé jusqu'aux hanches dans l'eau froide du fleuve ; sur son ventre, il sentit le goudron que Leftrin avait étalé sur ses blessures. Il perçut la dragonne qui tendait vaguement son esprit vers lui en quête d'amitié et de réconfort ; il n'avait pas envie d'y répondre, mais il n'avait jamais su avoir le cœur dur, et, lorsqu'elle envahit sa tête, il ne put que l'accepter. *Tu es plus forte que tu ne le crois*, lui dit-il. *Continue d'avancer, suis les autres, ma beauté cuivrée. Tout ira mieux bientôt, mais pour le moment tu dois tenir le coup.*

Un flot de gratitude le submergea, dans lequel il se fût volontiers noyé ; mais il le laissa passer et encouragea la dragonne à fixer son petit esprit sur l'allure épuisante qu'elle devait impérativement suivre. Dans le réduit de sa tête qui n'appartenait encore qu'à lui,

Sédric se demandait s'il existait un moyen de se défaire de ce lien dont il n'avait pas voulu. Si la cuivrée mourait, partagerait-il sa souffrance ou éprouverait-il seulement la douceur de la libération ?

Alise retourna dans la coquerie et s'assit à la table, en face de Leftrin et de son éternelle chope de café noir. Autour d'eux, la gabare grouillait de l'activité nécessaire à la déplacer, comme une ruche bourdonnante ; l'homme de barre était à son gouvernail, les gaffeurs allaient et venaient le long du pont selon un rythme régulier ; depuis la fenêtre du rouf, Alise suivait du regard le circuit incessant de Hennesie et Belline le long du flanc tribord. Grig, le chat roux du bord, perché sur le bastingage, contemplait le fleuve. Carson, levé avant l'aube, était parti en canoë chasser pour les dragons tandis que Davvie restait sur le bateau ; le jeune homme faisait une fixation singulière sur Sédric et son bien-être ; il ne tolérait pas que quelqu'un d'autre préparât les repas du malade ou s'occupât de lui. Alise trouvait à la fois attendrissant et agaçant qu'un garçon issu d'un milieu aussi grossier fît preuve d'une telle fascination pour un jeune Marchand élégant ; à deux reprises, elle avait entendu Leftrin maugréer contre cette situation, mais, n'ayant pas compris la nature de ses récriminations, elle n'y avait pas prêté attention.

En général, à cette heure de la journée, Leftrin et elle jouissaient d'une paix et d'une solitude relatives ; pourtant ce jour-là, Jess, le chasseur, était demeuré sur la gabare, présence silencieuse mais dérangeante ; où qu'Alise se rendît, il était dans les parages, et, la veille, par deux fois elle l'avait surpris en train de l'observer ; il avait soutenu son regard et hoché la tête d'un air entendu, comme s'ils avaient passé un accord, bien qu'Alise n'en eût aucune connaissance. Elle en eût volontiers parlé avec Leftrin si Jess n'avait pas toujours rôdé non loin d'eux.

Le chasseur la mettait mal à l'aise. Elle s'était habituée aux marques du désert des Pluies que portait le capitaine ; elles faisaient partie de lui, et elle ne les remarquait plus guère qu'aux instants où le soleil brillait sur les écailles de son front ; elles lui paraissaient alors exotiques et non repoussantes. Mais Jess, lui, affichait des stigmates moins flatteurs, et il évoquait à la jeune femme, non un dragon ni même un lézard, mais un serpent, avec son nez qui s'aplatissait, ses narines réduites à des fentes et ses yeux trop écartés, comme s'ils voulaient se placer sur les côtés de sa tête. Elle s'était toujours enorgueillie de ne jamais juger les gens sur la mine, mais l'aspect de Jess l'empêchait de se sentir à l'aise et d'avoir une vraie conversation avec lui.

Du coup, en sa présence, elle se contentait de généralités et de sujets convenus. Elle dit d'un ton gai : « Sédric a l'air d'aller mieux ce matin ; je lui ai demandé s'il voulait retourner à Cassaric en canoë, mais il m'a répondu qu'il n'y tenait pas ; il craint que le trajet ne soit risqué, je pense, avec l'arrivée imminente des pluies d'automne. »

Leftrin haussa les sourcils. « Donc, vous allez poursuivre l'expédition tous les deux, quel que soit le temps qu'elle durera ? » Elle perçut cent questions dans sa voix, et elle s'efforça d'y répondre.

« Je crois, oui ; moi, en tout cas, je veux voir le bout de cette aventure. »

Jess éclata de rire. Appuyé contre le chambranle de la porte du rouf, il contemplait apparemment le fleuve ; il ne se tourna pas vers les deux occupants du rouf et n'ajouta rien. Alise regarda Leftrin ; il lui rendit son regard mais ne manifesta nulle réaction à la singulière attitude du chasseur. Peut-être voyait-elle de l'étrange là où il n'y avait rien. Elle changea de sujet de conversation.

« Vous savez, avant ce voyage, je ne me rendais pas vraiment compte des obstacles que les habitants du désert des Pluies doivent surmonter pour construire des villes ; j'avais toujours imaginé, je crois, que dans cette immense vallée ils devaient rencontrer des zones de terre ferme. Mais il n'y en a pas, n'est-ce pas ?

— Marécages, fondrières et bourbiers, confirma Leftrin. On ne trouve rien de pareil ailleurs dans le monde, autant que je sache. Il existe encore quelques cartes d'autrefois, de l'époque des premiers colons ; ils avaient essayé d'explorer la région. Certaines montrent un grand lac en amont d'ici, qui s'étendrait prétendument à perte de vue ; d'autres représentent plus d'une centaine d'affluents qui se jettent dans le fleuve du désert des Pluies, certains larges, d'autres réduits, et tous se baladent dans leur lit. Il y a des années où deux rivières fusionnent, et d'autres où on en découvre trois là où il n'y en avait qu'une ; et deux ans plus tard il n'y a plus qu'un marécage sans aucun cours d'eau défini. Le sol de la forêt a l'air parfois solide, et des gens peuvent essayer de s'y installer ; mais, les passages devenant de plus en plus fréquents, le "sol sec" finit par céder, très vite l'eau souterraine remonte à la surface, et le terrain retourne bientôt au marais.

— Mais vous pensez néanmoins que, quelque part en amont, nous découvrirons une zone sèche où nous pourrons établir les dragons ?

— Je n'en sais pas plus que vous, mais ça doit bien exister. L'eau coule vers le bas, et ce fleuve doit venir de quelque part. Reste à savoir si nous pourrons remonter aussi loin avec la gabare ou bien si tout le pays se transformera en bourbier avant que nous puissions arriver à notre but. Je crois que personne n'est allé aussi loin que nous en bateau ; Mataf est capable de passer là où personne d'autre ne peut se risquer, mais, si nous tombons sur un passage avec trop peu de fond, notre voyage s'arrêtera là.

— Ma foi, j'espère que nous trouverons au moins une plage accueillante pour bivouaquer ce soir. Thymara s'inquiète pour les pattes et les griffes des dragons ; l'immersion constante dans l'eau ne leur fait pas de bien. Elle dit que Sintara a une griffe fendue, et qu'elle a dû la lui tailler, la brider et l'étanchéifier au goudron. Il faudrait peut-être en faire autant à tous les dragons pour prévenir les dégâts. »

Leftrin plissa le front. « Je n'ai pas assez de goudron pour ça ; non, il faut seulement repérer une berge pour être à l'abri de l'humidité ce soir.

— Il faut leur tailler les griffes », dit soudain Jess, en s'imposant à la fois dans la pièce et dans la conversation. Il tira le banc de sous la table et s'assit lourdement. « Réfléchissez, cap'taine : on leur rabote un peu les griffes, on les taille, on y étale un peu de goudron, et tout le monde s'y retrouve, si vous me suivez. » Il regarda tour à tour Leftrin et Alise avec un sourire complice ; il avait de petites dents très écartées dans une large bouche ; on eût dit le sourire d'un nourrisson innocent plaqué sur le visage d'un adulte. C'était déconcertant, voire troublant pour la jeune femme, et Leftrin avait manifestement la même réaction.

« Non, répondit-il d'un ton sans réplique. Non, Jess – et c'est mon dernier mot. N'insistez pas, ni avec nous, ni avec les gardiens. » Ses yeux s'étrécirent.

Jess s'adossa à la cloison et posa les bottes sur le banc en face de lui. « On est superstitieux ? demanda-t-il avec un sourire malicieux. J'aurais cru que vous aviez plus les pieds sur terre, pas que vous pataugiez dans ces vieilles idées du désert des Pluies. C'est horriblement provincial ! Même chez les gardiens, certains reconnaissent qu'il faut parfois changer les règles pour s'adapter aux situations nouvelles. »

Leftrin se leva lentement, posa les deux poings sur la table, les épaules tendues, et il se pencha vers le chasseur. D'une voix basse, il dit : « Vous êtes un crétin, Jess ; un crétin et un imbécile. Vous ne savez même pas de quoi vous parlez. Pourquoi n'allez-vous pas gagner votre salaire en faisant ce que vous pouvez faire ? »

La façon dont Leftrin s'était placé entre Jess et Alise laissait penser qu'il protégeait cette dernière ; elle ignorait contre quoi, mais elle se réjouissait profondément de sa présence. Elle ne l'avait jamais vu aussi furieux et pourtant aussi maître de lui-même ; elle en éprouvait à la fois de la peur et une formidable attirance pour lui, et elle comprit soudain que c'était le genre d'homme avec qui elle voulait vivre.

La rage froide de Leftrin laissa Jess impavide. « "Gagner mon salaire" ? Ce n'est pas de ça qu'on est en train de parler, justement, capitaine ? De gagner de l'argent ? Et plus tôt que plus tard. On devrait peut-être s'asseoir tous ensemble et discuter de la meilleure façon d'y arriver. » Il se pencha de côté pour lancer à Alise un sourire entendu. Elle était horrifiée ; de quoi parlait-il donc ?

« Il n'y a rien à discuter ! » La colère de Leftrin fit vibrer la vitre de la fenêtre.

Jess le regarda, et sa voix baissa soudain pour devenir un grondement menaçant. « Je ne vous laisserai pas me rouler, Leftrin ; si elle veut une part, elle devra compter avec moi. Pas question que je reste les bras croisés à vous regarder prendre une nouvelle associée et me couper l'herbe sous le pied pour récupérer un bon petit magot pour vous tout seul !

— Sortez. » De rugissement, la voix de Leftrin s'était muée en murmure. « Sortez tout de suite, Jess. Allez chasser. »

L'autre se rendit peut-être compte qu'il avait poussé le bouchon trop loin. Le capitaine n'avait pas exprimé de menace, mais il y avait du meurtre dans l'air.

Chaque battement de son cœur ébranlait Alise comme un coup de tonnerre, et elle n'arrivait pas à reprendre son souffle, terrifiée à l'idée de ce qui risquait de se produire.

Jess ôta ses pieds du banc, et ses bottes touchèrent le pont avec un bruit sourd. Il se leva sans hâte, comme un chat qui s'étire avant de tourner le dos à un chien qui bave. « Je m'en vais, dit-il d'un ton désinvolte, jusqu'à une prochaine fois. » Il franchit la porte et ajouta : « Vous savez bien qu'il y aura une prochaine fois. »

Leftrin se pencha sur la table pour atteindre la porte, et il la claqua si violemment que les chopes sursautèrent sur la table. « Quel salaud ! gronda-t-il. Le sale traître ! »

Alise s'aperçut qu'elle avait serré les bras sur sa poitrine et qu'elle tremblait. D'une voix défaillante, elle dit : « Je ne comprends pas. De quoi parlait-il ? De quoi veut-il discuter avec moi ? »

Leftrin n'avait jamais été aussi furieux de toute sa vie, et, par cette rage même, il savait que ce satané chasseur avait aussi éveillé la peur en lui : non seulement il portait un jugement ignoble sur Alise mais ses assertions menaçaient de ruiner son image auprès de la jeune femme.

Les questions auxquelles il n'osait pas répondre restaient en suspens entre eux comme des rasoirs effilés qui risquaient de les mettre en pièces. Il choisit de ne pas prendre de risque : il mentit. « Il n'y a rien de grave, Alise ; tout ira bien. »

Puis, sans lui laisser le temps de demander ce qui n'était pas grave et ce qui irait bien, il la réduisit au silence par le seul moyen à sa disposition : il l'attira à lui et la prit dans ses bras, la tête penchée vers elle. Rien n'était normal : les petites mains d'Alise sur le tissu rêche et sale de sa chemise, ses cheveux fins, lisses et parfumés qui s'accrochaient dans le chaume de son menton. Il sentait sa charpente menue et délicate ; son chemisier était doux sous ses doigts, tiède de la chaleur de son corps. Elle était son opposé à tous points de vue, et il n'avait pas le droit de la toucher ; même si elle n'était pas mariée, même si elle n'avait pas d'instruction, si elle n'était pas raffinée, deux personnes aussi différentes n'eussent tout de même pas dû se rapprocher.

Pourtant, elle ne se débattait pas, elle n'appelait pas au secours, elle ne frappait pas sa poitrine ; au contraire, elle tenait la chemise de Leftrin à pleines mains et l'attirait contre elle en se pressant contre lui, et encore une fois ils étaient à l'opposé l'un de l'autre, mais leurs oppositions étaient merveilleuses. Un long moment, il la tint dans ses bras sans rien dire, et il oublia la perfidie de Jess, sa propre vulnérabilité, et les dangers qu'ils couraient tous. Le reste du monde était peut-être compliqué, mais leur petit univers était simple et parfait, et Leftrin eût voulu pouvoir demeurer dans cet instant, sans avancer, sans même songer aux difficultés qui le menaçaient.

« Leftrin », dit-elle, le visage contre sa poitrine.

Ailleurs et à un autre moment, c'eût été une permission ; en cet instant, ce mot rompit le charme. Ce moment de simplicité, cette brève étreinte s'acheva, seul avant-goût qu'il aurait jamais d'une autre vie. Il pencha légèrement la tête pour effleurer des lèvres les cheveux d'Alise, puis, avec un soupir, il la libéra de son étreinte. « Pardon, marmonna-t-il, bien qu'il ne regrettât rien. Pardon, Alise ; je ne sais pas ce qui m'a pris. Je ne devrais pas laisser Jess me remonter ainsi. »

Elle tenait toujours sa chemise, deux petites poignées de tissu, et son front s'appuyait toujours sur sa poitrine. Elle ne voulait pas qu'il s'écartât d'elle, il le savait ; elle ne voulait pas qu'il interrompît ce qu'ils avaient commencé. Il eut l'impression de décrocher un chaton qui refuse de s'en aller lorsqu'il se dégagea de ses poings, avec d'autant plus de difficulté qu'il n'en avait nulle envie. Jamais il n'eût cru un jour repousser une femme « pour son bien » ; mais jamais non plus il n'avait imaginé se retrouver dans une situation aussi précaire. Tant qu'il n'aurait pas résolu de façon définitive son problème avec Jess, il ne laisserait pas Alise faire quoi que ce fût qui pût la transformer en arme contre lui.

« J'ai l'impression que le courant devient capricieux ; il faut que je parle à Souarge », dit-il ; ce prétexte lui permettrait de quitter la coquerie et d'éviter d'entendre les questions d'Alise à propos des déclarations de Jess. En outre, il pourrait vérifier que le chasseur avait bien débarqué.

Comme il la repoussait doucement, elle le regarda, l'air égaré. « Leftrin, je…

— Je n'en ai pas pour longtemps, promit-il, et il s'éloigna.

— Mais… »

Il referma la porte derrière lui et se dirigea vers l'arrière d'un pas vif. Hors de vue des fenêtres de la coquerie, il ralentit et obliqua vers le bastingage. Il n'avait nul besoin de s'entretenir avec Souarge ni avec quiconque ; personne ne devait savoir dans quelle situation il avait mis son équipage. Maudit soit Jess et ses menaces voilées ! Maudit soit ce marchand chalcédien ! Maudits soient les menuisiers incapables de tenir leur langue ! Et maudit soit-il lui-même d'avoir entraîné tout le monde dans ce désastre ! Quand il avait découvert le bois-sorcier, il savait qu'il risquait de gros ennuis ; pourquoi ne l'avait-il pas abandonné sur place ? Ou pourquoi n'en avait-il pas parlé aux dragons et aux Conseils, charge à eux de s'en débrouiller ? Nul n'avait le droit de s'approprier ni d'utiliser ce matériau, il le savait, mais il s'en était servi – parce qu'il aimait son bateau.

Il perçut une vibration inquiète dans la lisse de Mataf. Il agrippa le bois d'une main apaisante et murmura à la vivenef : « Non, je ne regrette rien. Tu le méritais bien ; j'ai pris ce dont tu avais besoin, et je me fiche que les autres le comprennent ou non. J'aurais seulement aimé nous éviter tous ces ennuis, c'est tout ; mais je trouverai un moyen de les résoudre, tu peux me faire confiance. »

Comme pour l'assurer de sa loyauté et de sa reconnaissance, la gabare accéléra. Au gouvernail, Leftrin entendit Souarge marmonner avec un petit rire : « Allons bon ! Qu'est-ce qui presse ? » tandis que les gaffeurs s'activaient pour soutenir la cadence du bateau. Leftrin ôta les mains du bastingage et s'adossa contre le rouf, les mains dans les poches, pour laisser à ses hommes la place de travailler ; il ne leur dit rien, et ils se gardèrent bien d'adresser la parole à leur capitaine alors qu'il s'absorbait dans ses réflexions. Il avait un problème, et il le réglerait sans leur aide, comme n'importe quel commandant.

Leftrin tira sa pipe d'une de ses poches et son tabac de l'autre, puis il les rangea en se rappelant qu'il ne pouvait se rendre dans la coquerie pour allumer sa bouffarde. Il soupira. Marchand dans la tradition du désert des Pluies, il attachait la plus grande importance au profit ; mais il en attachait autant à la loyauté et à l'humanité. Les Chalcédiens lui avaient proposé un plan qui pouvait assurer sa fortune pour peu qu'il acceptât de trahir le désert des Pluies et de tuer une créature intelligente comme s'il s'agissait d'un animal de boucherie ; ils avaient présenté leur offre sous la forme d'une menace, façon typique des Chalcédiens d'inviter quelqu'un à faire des affaires. D'abord, il y avait eu le « négociant en grain » qui avait réussi à obliger Leftrin à le laisser monter à bord du *Mataf* à l'embouchure du fleuve. Sinad Arich s'était exprimé aussi clairement que le pouvait un Chalcédien : le duc de son pays tenait sa famille en otage, et le marchand était prêt à tout pour procurer des extraits de dragons au vieillard malade.

Leftrin croyait ne jamais le revoir quand il l'avait débarqué à Trehaug, et il se pensait débarrassé de la menace qui planait sur lui et son bateau. Il se trompait. Une fois qu'un Chalcédien s'est emparé d'une proie, il ne la lâche plus. À Cassaric, peu avant leur départ, quelqu'un était monté à bord et avait laissé un petit manuscrit devant sa porte ; la note clandestine l'avertissait d'attendre un collaborateur qui devait embarquer sur sa gabare ; s'il obéissait à cet agent, on le paierait grassement ; dans le cas contraire, on divulguerait ce qu'il avait fait avec le bois-sorcier, ce qui entraînerait sa ruine en tant qu'homme, capitaine et Marchand. Il ignorait s'il perdrait aussi du même coup l'estime d'Alise.

Ce dernier doute pesait plus lourd que les trois certitudes précédentes. Il n'avait jamais eu la tentation d'accepter le marché, mais il s'était souvent demandé s'il ne risquait pas de craquer sous la pression ; à présent, il savait qu'il ne céderait pas. Dès l'instant où il avait entendu les murmures scandalisés des gardiens en réaction à la proposition de Graffe, il avait compris qui était le traître ; ce n'était pas Graffe : le jeune homme avait beau se prétendre instruit et nourrir une pensée radicale, Leftrin connaissait ceux de son espèce. Les idées politiques et les idées « nouvelles » du gamin n'avaient aucune profondeur ; il n'avait fait que succomber au bagout d'un homme plus âgé. Et ce n'était pas Carson, Leftrin en était fort soulagé ; il n'aurait pas à affronter son vieil ami.

C'était Jess. Le chasseur avait embarqué à Cassaric, prétendument engagé par le Conseil des Marchands, pour fournir de la viande aux dragons pendant leur voyage ; soit le Conseil n'avait pas connaissance de l'autre employeur de Jess, soit la corruption avait atteint des niveaux auxquels il préférait ne pas songer.

Mais il n'avait pas le temps de se préoccuper de cela : il ne s'intéressait pour l'instant qu'au chasseur. C'était lui qui s'était rapproché de Graffe, qui parlait avec lui chaque soir devant le feu de camp, qui lui apprenait à s'améliorer avec son matériel de chasse. Leftrin l'avait vu consolider l'image que le jeune homme se faisait de lui-même, l'entraîner dans des discussions philosophiques poussées et le persuader qu'il comprenait les choses mieux que ses camarades gardiens, ruraux et candides. C'était lui qui avait convaincu le jeune homme qu'un chef devait s'imposer et commettre l'impensable dans l'intérêt de ceux qui avaient le cœur trop tendre pour voir ce qu'il était nécessaire de faire. Jess renforçait Graffe dans l'idée qu'il était le chef des gardiens. *Ça reste à voir, mon ami*, songea Leftrin qui avait observé l'expression des autres soigneurs quand ils avaient discuté de la proposition de Graffe : tous sans exception avaient paru choqués ; même ses comparses Kase et Boxteur, pourtant guère portés sur la réflexion, avaient refusé de le suivre sur un terrain aussi glissant et avaient échangé des regards de chiots effarés. Il ne leur avait manifestement pas fait part de ses cogitations au préalable.

Du coup, Leftrin connaissait la source de cette idée répugnante : Jess. Il avait dû la présenter sous un aspect logique, pragmatique, en soulignant le fait qu'un vrai meneur d'hommes devait parfois prendre des décisions brutales ; un vrai chef doit parfois commettre des actes dangereux, détestables, voire immoraux dans l'intérêt de ceux qui le suivent.

Comme par exemple découper un dragon en morceaux et les vendre à une puissance étrangère pour se remplir les poches.

Graffe avait été assez crédule pour écouter le vieux chasseur plein de sagesse et reprendre l'idée à son compte. Quand elle était tombée à plat, son ignominie n'avait éclaboussé que Graffe ; l'amitié qui liait Jess à certains autres gardiens était restée intacte, et il avait appris ce qu'ils pensaient de l'idée de démembrer les dragons dans un but de profit. Leftrin était navré de cette situation, car il jugeait Graffe capable de mener le groupe une fois qu'il aurait encaissé quelques nasardes en route ; peut-être son faux pas en faisait-il partie. S'il avait du cran, il en tirerait la leçon et continuerait son ascension ; sinon, ma foi, certains matelots devenaient capitaines et d'autres n'accédaient jamais au rôle de second.

Quoi qu'il en fût, la déconvenue de Graffe avait permis à Leftrin d'y voir plus clair. Jusque-là, il soupçonnait Jess ; à présent, il savait. Quand, une fois déjà, il avait accusé en privé l'homme d'être l'agent du marchand chalcédien, Jess n'avait même pas sourcillé ; il avait reconnu le fait et aussitôt affirmé que leur tâche se trouverait facilitée maintenant qu'ils n'avaient plus rien à se cacher. Leftrin serrait encore les dents en songeant au sourire qu'affichait ce sale hypocrite en laissant entendre que, s'ils ralentissaient l'allure de la gabare et laissaient les gardiens, les dragons et les autres chasseurs les distancer, il serait facile d'abattre le dernier dragon qui traînait derrière la troupe. « Et, une fois que nous aurons mis fin à ses souffrances et que nous l'aurons découpé proprement en morceaux, nous ferons faire demi-tour et regagner la pleine mer ; pas la peine de nous arrêter à Trehaug ou à Cassaric, ni même de passer devant en plein jour : il nous suffit de nous diriger vers la côte avec notre cargaison. Une fois là, j'ai une poudre spéciale pour signaler notre position, qui dégage une fumée rouge vif même sur un feu réduit – le fourneau du bord suffirait. Un bateau arrivera aussitôt, et nous serons partis pour Chalcède, avec en ligne de mire une fortune telle que vous et votre équipage ne saurez même pas comment la dépenser.

— Il n'y a pas que mon équipage et moi à bord du *Mataf*, avait remarqué Leftrin avec froideur.

— Ça ne m'a pas échappé ; mais, entre nous, je crois que la femme a un faible pour vous. Allez-y énergiquement avec elle ; dites-lui que vous l'enlevez pour l'emmener en Chalcède vivre une vie de princesse. Elle vous suivra. Quant à la gravure de mode qui l'accompagne, il ne rêve que de retrouver la civilisation ; à mon avis, il se fichera pas mal de l'endroit où vous l'entraînez tant qu'il ne reste pas dans le désert des Pluies ; vous pouvez aussi l'associer à vos gains, si vous voulez. » Son sourire s'était élargi et il avait ajouté : « Ou vous débarrasser de lui, tout simplement. Pour moi, ça ne change rien.

— Je n'abandonnerai jamais le *Mataf*, Ma gabare n'est pas faite pour rallier Chalcède.

— Tiens donc ! » Le traître avait penché la tête. « J'ai pourtant l'impression que votre gabare est faite pour beaucoup plus de choses qu'on ne le croit. Si la part d'argent que vous recevrez de la vente de nos extraits de dragon ne vous suffit pas, je parie que vous pourriez obtenir la même somme de votre bateau avec ses "modifications spéciales" – ou en pièces détachées. »

Et voilà. L'homme avait soutenu le regard outré de Leftrin sans se départir de son petit sourire mauvais. Il savait ; il savait ce qu'était le *Mataf*, il savait ce qu'avait trouvé Leftrin et ce qu'il en avait fait, et son sourire signifiait que Leftrin ne valait pas mieux que lui, qu'il n'y avait pas de différence entre eux ; le capitaine avait déjà trempé dans un trafic de morceaux de dragon.

Et, s'il faisait quoi que ce fût pour révéler la véritable nature de Jess, celui-ci lui rendrait la monnaie de sa pièce. Leftrin sentit Mataf l'interroger ; il s'approcha aussitôt de la lisse et posa la main sur le bois argenté. « Tout ira bien, dit-il au bateau. Fais-moi confiance, je trouverai un moyen de nous sortir de là, comme toujours. »

Là-dessus, il alla s'entretenir avec Souarge de peur qu'Alise ne sortît sur le pont.

L'homme de barre, toujours aussi taciturne, était accoudé au gouvernail, le regard fixé sur le fleuve, lointain et rêveur. Leftrin prit soudain conscience qu'il n'était plus tout jeune ; d'un autre côté, lui-même n'était plus de la première jeunesse non plus. Il compta les années qu'ils avaient passées ensemble et songea à tout ce qu'ils avaient vécu, les bons comme les mauvais jours. Souarge n'avait jamais remis en question la décision de son capitaine quand celui-ci lui avait révélé sa découverte d'une bille de bois-sorcier et annoncé l'usage qu'il comptait en faire. Souarge eût pu crier la nouvelle sur tous les toits, mais il s'était tu ; il eût pu faire chanter Leftrin, exiger une part du bois pour prix de son silence, mais il n'en avait rien fait. Il ne lui avait présenté qu'une requête toute simple qu'il eût dû lui soumettre depuis bien longtemps. « Il y a une femme, avait-il dit d'une voix lente ; une bonne batelière capable d'abattre sa part de boulot sur un bateau. Si je reste à bord, je sais que c'est pour toujours, et c'est une femme facile à vivre ; elle s'intégrerait facilement à l'équipage. Elle te plairait, capitaine, j'en suis sûr. »

Belline avait donc fait partie du marché proposé par Souarge, et personne ne l'avait jamais regretté. Elle avait embarqué, suspendu son sac et cousu un rideau pour se donner, à elle et à son homme, un peu d'intimité. Mataf l'avait appréciée dès le début ; la vivenef était la vie de Souarge, elle était devenue le foyer de Belline. Tous deux avaient perdu depuis longtemps tout lien avec la terre, et Souarge était heureux de l'existence qu'il menait. Leftrin le vit à son gouvernail, ses larges mains sur la barre, à son poste comme toute la journée ; à le voir agripper le bois, Leftrin songea qu'il connaissait Mataf presque aussi bien que lui – qu'il le connaissait et l'aimait.

« Comment va Mataf aujourd'hui ? » lui demanda-t-il, bien qu'il le sût parfaitement.

Souarge le regarda, un peu étonné d'une question aussi inutile. « Il va bien, capitaine. » Comme toujours, il s'exprimait d'une voix si basse qu'il fallait tendre l'oreille pour le comprendre. « Il a envie d'avancer. Le fond est bon ici, pas comme le limon d'hier. On marche, pas de doute, et à bonne allure.

— Je suis ravi de te l'entendre dire, Souarge », répondit Leftrin, et il le laissa retourner à sa contemplation.

Mataf avait affronté de rudes changements cette année ; Leftrin s'était séparé de la majorité de son équipage pour ne confier la découverte du bois-sorcier et ses projets qu'aux membres qu'il jugeait capables de garder un secret et qui accepteraient de rester définitivement, car nul gaffeur n'eût pu travailler à bord de Mataf sans se rendre compte aussitôt que la gabare avait changé. Leftrin avait soigneusement choisi chaque élément de son équipage, et tous demeureraient sans doute à vie à bord de son bateau : Hennesie était dévoué à la gabare, Belline adorait l'existence à bord, et Eider était aussi bavard qu'une ancre. Quant à Skelli, le *Mataf* représentait sa fortune. Le secret eût dû être bien gardé.

Mais il s'était éventé, et désormais tous se trouvaient en danger, son bateau compris. Comment réagirait le Conseil s'il apprenait ce qu'il avait fait ? Et les dragons ? Il crispa la mâchoire et les poings ; trop tard pour faire demi-tour.

Il parcourut lentement le pont, vérifiant des détails qui s'en passaient parfaitement et constatant que tout était à sa place. Jess et son canoë avaient disparu. Tant mieux. Il réfléchit puis tira de sa poche son flacon de rhum et le vida par-dessus le bastingage dans le fleuve. « Pour qu'il ne revienne jamais », dit-il à El avec violence. Il était de notoriété public que le dieu ne réagissait pas à la prière mais qu'il se laissait parfois soudoyer. D'ordinaire, c'était à Sâ que Leftrin s'adressait, du moins quand ses pensées se tournaient vers ce genre de sujet, mais, en certaines occasions, la barbarie d'un dieu païen était le seul recours.

Enfin, le seul recours, pas tout à fait : il pouvait toujours assassiner Jess lui-même…

Il n'aimait pas songer à cela, non seulement parce qu'il avait la certitude que l'autre ne se laisserait pas tuer facilement, mais parce que se voir comme quelqu'un qui élimine ceux qui le gênent le mettait mal à l'aise. Cependant, tout indiquait que Jess allait se révéler plus que gênant.

Il existait de nombreuses façons de tuer quelqu'un à bord d'un bateau, et beaucoup pouvaient paraître accidentelles. Il réfléchit froidement : Jess était coriace et tenace, et Leftrin avait eu tort de lui montrer les dents ; il eût mieux fait de feindre de s'intéresser à sa proposition, de vouloir se rapprocher de lui ; il eût dû l'inciter à effectuer nuitamment une opération de prélèvement sur les dragons : c'eût été l'occasion idéale pour le liquider. Mais l'homme l'avait poussé à bout, et Leftrin avait perdu toute notion de stratégie. Il détestait le petit sourire qu'affichait Jess en présence d'Alise ; ce rat savait parfaitement les sentiments de Leftrin pour elle, et le capitaine avait l'impression qu'il serait très heureux de mettre à mal leur relation par pur plaisir. Il avait vu son expression quand Alise était remontée à bord avec l'écaille de dragon pour la montrer à tous avec délices ; il avait vu la flamme de la cupidité s'allumer dans son regard, et il s'était inquiété pour la jeune femme. Leftrin fit quelques pas sur le pont et se courba pour rectifier l'agencement d'un rouleau de cordage qui n'en avait nul besoin.

Deux soirs plus tôt, Jess était venu voir Leftrin pour lui exposer son nouveau plan. Il avait exaspéré le capitaine en soutenant que Sédric se montrerait bien disposé envers « leur » plan ; il avait refusé de dire sur quoi il fondait cette affirmation, mais par deux fois Leftrin l'avait surpris rôdant près de la cabine du malade. Jess lui avait adressé son sourire torve ; à l'évidence, il croyait que Leftrin, Alise et Sédric étaient de mèche pour tirer profit des dragons, et il pensait pouvoir s'immiscer dans ce complot pour l'utiliser à son bénéfice. Tôt ou tard, il parlerait à Sédric, qui se laisserait facilement convaincre que Leftrin était complice des projets de Jess. Il voyait d'ici la réaction du Terrilvillien si Jess laissait supposer que Leftrin pouvait enlever Alise pour l'emmener en Chalcède, en sous-entendant que, une somme suffisante aidant, Sédric ne se ferait pas prier pour les suivre ; il imaginait aussi la réaction d'Alise si Jess lui disait que Leftrin n'attendait que la première occasion pour tuer un dragon et le mettre en pièces.

Cet homme était incontrôlable ; Leftrin devait se débarrasser de lui, il en sentit la conviction glacée monter en lui. Il perçut l'adhésion de Mataf à sa décision. Le capitaine éprouva comme du soulagement d'avoir enfin tranché.

Le meurtre de Jess aurait sans doute des conséquences, même s'il le faisait passer pour un accident. Sinad Arich, le marchand chalcédien, sans nouvelles de son agent, se demanderait ce qui lui était arrivé. Eh bien, qu'il s'interroge ! Le fleuve du désert des Pluies était dangereux, et des hommes tout aussi compétents que Jess et beaucoup plus sympathiques y avaient perdu la vie. Sa décision s'ancra au fond de lui. Jess mourrait.

Mais il faudrait lui tendre un piège, et donc le convaincre que Leftrin avait changé d'optique. Arriverait-il en outre à lui faire croire qu'il ne portait plus aucun intérêt à Alise ? Si Jess ne la percevait plus comme une arme utilisable contre Leftrin, il cesserait peut-être de la suivre partout. Ensuite, il suffirait d'attendre le moment propice.

Mataf le sollicita. « Quoi ? » fit Leftrin en se redressant ; un rapide coup d'œil aux alentours ne lui révéla nul danger. Malgré le prétexte qu'il avait pris pour quitter Alise, le fleuve dans cette zone était parfaitement navigable, bordé de bancs de roseaux qui s'avançaient dans le lit de l'eau, si bien que la gabare les traversait. Le poisson devait pulluler, et les dragons mangeraient sans doute à satiété en chemin.

Soudain il perçut un frémissement dans les arbres derrière les roseaux ; tous tremblaient, et quelques-uns perdirent des feuilles jaunies et des brindilles. Tout de suite après, l'étendue de roseaux se mit à ondoyer comme sous l'effet d'une vague, une vague qui s'élançait vers le fleuve à travers l'eau et l'herbe agitées de vibrations. L'onde frappa la coque et poursuivit sa route pour disparaître sur le fleuve.

« Tremblement de terre ! cria Souarge depuis la poupe.

— Tremblement de terre ! beugla Grand Eider à l'adresse des gardiens dans leurs frêles esquifs.

— Vu ! répondit Leftrin. Écartez Mataf des berges autant que possible, mais ne perdez pas le contact avec le fond. Gare à la manœuvre !

— Gare ! » lancèrent les gaffeurs à l'unisson.

Tandis que la gabare s'éloignait de la rive, Leftrin surveillait une nouvelle onde qui déplaçait les arbres. À terre, feuilles, branchettes et vieux nids d'oiseaux tombèrent en averse, puis, les uns après les autres, les bancs de roseaux s'inclinèrent vers le fleuve, suivis par une vaguelette qui fit danser le bateau. Leftrin fronça les sourcils et continua d'observer les arbres. Les tremblements de terre n'avaient rien de rare dans le désert des Pluies, et, dans la majorité des cas, on ne prêtait guère attention aux petites secousses ; plus fortes, non seulement elles mettaient en danger les ouvriers qui travaillaient sous terre, dans les cités enfouies des Anciens, mais elles pouvaient aussi terrasser des arbres âgés ou affaiblis par la pourriture. Même si l'un d'eux ne heurtait pas la gabare de plein fouet, il arrivait, à ce qu'on racontait, que la chute d'un tronc dans le fleuve pût submerger un bateau ; du temps de son grand-père, un géant aurait en s'abattant bloqué toute circulation et demandé six mois à dégager. Leftrin avait quelques doutes sur l'absolue véracité de l'histoire, mais toute légende contient une parcelle de vérité : assurément, la chute d'un arbre de très grandes dimensions avait donné naissance à celle-là.

« Que se passe-t-il ? » demanda Alise d'un ton inquiet ; aux échanges de cris de l'équipage, elle était sortie sur le pont.

Il répondit sans la regarder : « Il y a eu un tremblement de terre, et costaud, apparemment. Il n'y a pas de problème pour l'instant, et on dirait qu'il n'a fait que secouer les arbres ; aucun n'est tombé. S'il n'y en a pas un second, on sera tranquilles. »

Alise ne s'affola pas et hocha seulement la tête. Les séismes étaient courants le long des Rivages maudits et n'avaient rien d'étonnant pour une Terrilvillienne, mais elle n'avait jamais dû en vivre un à bord d'un bateau ni se trouver sous la menace de la chute d'un arbre. Leftrin songea alors qu'elle ne devait pas s'attendre à ce qu'il allait lui dire. « Parfois, les tremblements de terre réveillent l'acidité de l'eau, mais ce n'est pas immédiat. On suppose que les vibrations déclenchent quelque chose en amont qui relâche l'acide, et dans deux ou trois jours le fleuve va peut-être couler blanc, ou pas. Un tremblement de terre vraiment violent peut annoncer une mauvaise pluie. »

Elle comprit aussitôt le risque. « Si le fleuve devient acide, que feront les dragons ? Et les canoës des gardiens pourront-ils y résister ? »

Il prit une inspiration et soupira longuement. « Ma foi, c'est toujours dangereux. Les canoës supporteraient sans doute l'acidité un moment, mais, au cas où elle serait trop forte, par sécurité, il faudrait les embarquer sur la gabare, les ranger, et faire voyager les soigneurs avec nous.

— Et les dragons ? »

Il secoua la tête. « D'après ce que j'ai pu voir, ils ont la peau épaisse. Certains animaux, poissons et oiseaux du désert des Pluies, supportent l'acide ; d'autres évitent le fleuve quand il devient blanc, tandis que d'autres encore n'ont même pas l'air de remarquer quoi que ce soit. Et puis, si le fleuve devient blanc, beaucoup de choses dépendront du taux d'acidité de l'eau et du temps que ça durera ; si ce n'est qu'un jour ou deux, à mon avis, les dragons s'en sortiront sans mal ; au-delà, je m'inquiéterai. Mais, avec un peu de chance, nous trouverons peut-être une berge solide où ils pourront s'installer en attendant que le pire soit passé.

— Et s'il n'y en a pas ? demanda Alise à voix basse.

— Vous connaissez la réponse comme moi. » Cela n'était arrivé qu'une seule fois malgré la longueur du trajet déjà effectué : le soir était tombé sans qu'on eût repéré de site où monter le camp ; il n'y avait que des marécages à perte de vue, et nulle part où se mettre au sec pour les dragons. Maugréant, ils avaient dû passer la nuit debout, dans l'eau, tandis que les gardiens s'étaient réfugiés sur le pont de Mataf. Les grandes créatures n'avaient pas apprécié l'expérience, mais elles avaient survécu ; cependant, l'eau était douce et le temps clément. « Il faudra qu'ils tiennent bon », dit Leftrin, et ni l'un ni l'autre ne voulut parler de l'action de l'acide sur les blessures et les parties tendres.

Après s'être tu quelques instants, Leftrin ajouta : « C'est un des risques de ce voyage, Alise ; le plus évident, avec lequel nous devons apprendre à vivre. Les premiers "colons" du désert des Pluies y ont été abandonnés, en réalité ; il faudrait être cinglé pour venir s'installer ici de son plein gré.

— J'ai étudié l'histoire, coupa Alise un peu brusquement, avant de poursuivre avec un petit sourire : Et je suis venue de mon plein gré.

— C'est vrai que l'histoire de Terrilville, c'est celle du désert des Pluies ; mais je crois qu'on la vit plus que vous. » Il s'accouda au bastingage et sentit la solidité de Mataf sous ses bras ; il parcourut du regard le courant de son univers. « Le fleuve charrie une étrangeté qui nous affecte tous d'une façon ou d'une autre. Il y a peut-être plus facile à vivre comme ville que Trehaug, et Cassaric ne vaut pas mieux, mais, sans elles, Terrilville n'aurait pas la magie des Anciens à vendre ; donc, sans le désert des Pluies, pas de Terrilville ; c'est comme ça que je vois les choses. Mais je veux dire que, génération après génération, décennie après décennie, de jeunes explorateurs se mettent en route en se promettant de trouver un meilleur site d'installation ; certains ne reviennent jamais, et ceux qu'on revoit décrivent tous la même chose : rien qu'une vallée immense remplie d'arbres, avec un sol marécageux ; et plus on s'enfonce dans la jungle, plus elle devient bizarre. Toutes les expéditions qui ont remonté le fleuve ont rapporté qu'elles ont dû faire demi-tour faute de voie navigable, ou bien que le fleuve s'élargissait au point qu'on ne voyait plus de rive nulle part.

— Mais elles ne sont pas remontées assez loin, sans doute ? J'ai relevé suffisamment de références à Kelsingra pour savoir qu'elle a existé – et qu'elle existe encore quelque part.

— La triste vérité, c'est qu'elle pourrait se trouver juste en dessous de notre coque et que nous ne nous en douterions même pas, ou bien à une demi-journée de marche de nous, au milieu de la forêt, cachée par la mousse et la boue, ou encore le long d'un des affluents que nous avons croisés. Deux autres cités des Anciens se sont enfoncées dans la terre ou ont été ensevelies ; personne ne sait exactement ce qui leur est arrivé, mais, ce qui est sûr, c'est qu'elles sont enterrées aujourd'hui, et le même phénomène a pu se produire pour Kelsingra ; c'est même probable. On sait qu'un énorme cataclysme a frappé le pays il y a très longtemps ; il a provoqué la disparition des Anciens et la quasi-extinction des dragons ; il a tout changé. Pour l'instant, nous nous contentons de suivre les dragons par la voie la plus navigable en espérant aboutir quelque part. »

Il jeta un regard à la jeune femme, vit sa pâleur sous ses taches de rousseur, et le pli amer de sa bouche, et il s'efforça de poursuivre avec plus de douceur : « C'est logique, Alise. Si Kelsingra avait survécu, les Anciens n'en auraient-ils pas fait autant ? Et, dans ce cas, ne se seraient-ils pas débrouillés pour maintenir les dragons en vie ? Sur toutes les tapisseries, on les voit toujours ensemble.

— Mais… si vous ne croyez pas que nous parviendrons à trouver Kelsingra, si vous n'y avez jamais cru, pourquoi avoir entrepris cette expédition ? »

Il la regarda alors, droit dans ses yeux gris-vert. « Parce que vous vouliez y aller ; parce que vous vouliez que j'y aille. C'était un moyen de rester avec vous quelque temps. » L'émotion la submergeait visiblement, et il se détourna. « C'est ça qui m'a décidé. Avant ça, quand j'ai entendu parler de cette aventure, je me suis dit : "C'est une mission pour un fou ; guère de chances de réussite, et sans doute une paye en conséquence." Une petite avance et la promesse d'une fortune une fois le travail terminé – et une bonne aventure entre-temps. Tous ceux qui vivent le long du fleuve se demandent d'où il vient, et c'était l'occasion de le découvrir. Et puis j'ai toujours été un peu joueur ; quand on travaille sur le fleuve, on joue toujours un peu à pile ou face. Alors j'ai accepté le pari. »

Rassemblant son courage, il prit un nouveau pari : les mains d'Alise étaient posées sur la lisse près de la sienne ; il la leva et la plaça doucement sur celles de la jeune femme. Un frisson presque convulsif le parcourut. Sous la main d'Alise qu'il tenait sous la sienne, il y avait Mataf. Une pensée naquit dans son esprit. *Tout ce que je désire au monde est là, sous ma paume.*

La pensée résonna en lui, descendit dans sa chair, pénétra dans les membrures de Mataf, d'où elle remonta jusqu'à lui, au point qu'il ne sut plus d'où elle venait.

DOUZIÈME JOUR DE LA LUNE DE LA PRIÈRE

Sixième année de l'Alliance Indépendante des Marchands

D'Erek, Gardien des Oiseaux, Terrilville, à Detozi, Gardienne des Oiseaux, Trehaug

Document ci-joint en étui cacheté, hautement confidentiel, à remettre au Marchand Niouf. Des droits supplémentaires ont été versés pour l'assurance que le message sera délivré avec son cachet intact.

Detozi,

Mon apprenti continue d'accomplir parfaitement ses devoirs. Mes compliments à votre famille pour l'excellente éducation de ce jeune homme. Il y aura bientôt un vote des gardiens des oiseaux, et il sera sans doute élevé au rang de compagnon ; je vous dis cela en confidence, naturellement, sachant qu'il n'en saura rien tant que la décision ne sera pas officielle.

Il travaille si bien que j'envisage de prendre un congé. Il y a longtemps que je songe à me rendre dans le désert des Pluies pour voir ses merveilles. Je ne voudrais certes pas présumer de l'hospitalité des vôtres, mais je serais ravi de vous rencontrer en personne. Y verriez-vous une objection ?

Erek

3

Première chasse

Chacun des gardiens avait tout de suite identifié le danger quand l'onde était venue soulever les canoës. Devant eux, les dragons avaient soudain fait halte, écartant les pattes arrière et enfonçant les griffes dans le fond du fleuve en attendant que la vague passât ; la dragonne argentée avait lancé des coups de trompe affolés en tournant la tête en tous sens, s'efforçant de regarder dans toutes les directions à la fois. Des oiseaux délogés avaient jailli des arbres et survolé le fleuve en poussant des cris d'effroi.

Quand le deuxième séisme avait frappé et que branches et feuilles avaient chu dans la forêt et les hauts-fonds, Kanaï s'était exclamé : « Heureusement qu'on ne s'est pas précipités sur la berge ! Tu crois qu'un de ces arbres va nous tomber dessus ? »

Thymara prit soudain conscience du danger, alors qu'elle ne s'en était pas souciée jusque-là, trop occupée à comparer l'effet d'un tremblement de terre sur l'eau à ce qu'on éprouvait lorsqu'on vivait au sommet d'un arbre. Ses parents l'avaient-ils ressenti ? Près de la voûte de la forêt de Trehaug, dans les petites maisons fragiles et pas chères du quartier des Cages à Grillons, un séisme faisait tout danser ; les gens criaient et s'agrippaient aux branches s'il y en avait à proximité, et parfois des maisons s'effondraient, des lourdes comme des légères ; à cette idée, elle avait éprouvé à la fois de l'inquiétude pour ses parents et l'envie de rentrer chez elle. Mais la question de Kanaï l'avait ramenée à la réalité : se faire écraser par un arbre n'était pas moins dangereux que tomber de ses plus hautes branches. « Écarte-nous de la rive », lui avait-elle dit en plongeant avec vigueur sa pagaie dans l'eau. Ils avaient presque rattrapé les dragons immobiles ; tout autour d'eux, la flottille des canoës se déplaçait en tous sens.

« Non, c'est fini. Regarde les dragons : ils se remettent en route. »

Il avait raison : les grandes créatures échangeaient de petits coups de trompe tout en reprenant leur lourde marche dans l'eau et la vase. Ils s'étaient attroupés autour de Mercor lors de leur halte subite, et à présent ils se redéployaient, le dragon doré en tête, les autres derrière lui. Thymara s'était presque habituée à la vue des colosses avançant contre le courant devant elle, mais, alors qu'ils repartaient, elle les vit comme pour la première fois. Ils étaient quinze, dont la taille variait de celle de Kalo, qui avait quasiment les proportions d'un vrai dragon, à celle de la petite cuivrée, à peine plus grande que Thymara au garrot. Le soleil brillait sur le fleuve et sur leurs écailles ; or et rouge, lavande et orange, bleu nuit et azur, leurs robes réfléchissaient dans le ciel la splendeur de l'astre, et la jeune fille se rendit compte soudain que leurs couleurs avaient pris de la profondeur et de l'éclat. Cela ne tenait pas seulement au fait qu'ils fussent propres : ils étaient en bien meilleure santé. Certains même acquéraient des teintes secondaires : les ailes bleu foncé de Sintara s'ourlaient d'argent, et les « franges » de son cou prenaient une nouvelle nuance de bleu.

Tous se déplaçaient avec une grâce pesante. Kalo et Sestican marchaient derrière Mercor ; leur tête allait et venait d'avant en arrière, quand tout à coup Sestican la plongea dans le fleuve et en ressortit un gros serpent d'eau. Le dragon secoua brutalement la tête, et la créature qui se tordait pendit soudain mollement dans sa gueule ; il la dévora tout en avançant, rejetant la tête en arrière pour l'avaler comme un oiseau engloutit un ver.

« J'espère que ma petite Gringalette trouvera quelque chose à manger en chemin ; elle a faim, je le sens.

— Sinon, nous nous débrouillerons pour lui fournir de quoi se remplir l'estomac. » Thymara avait parlé sans réfléchir, et elle se rendit compte qu'elle se résignait à partager ce qu'elle pouvait rapporter de ses chasses vespérales ; le plus souvent, son gibier allait au dragon le plus affamé, ce qui ne la faisait pas bien voir de Sintara ; d'un autre côté, la reine bleue ne se montrait guère généreuse avec Thymara. Qu'elle comprenne donc que la loyauté n'était pas une relation univoque !

La jeune fille passa le reste de la journée à craindre des répliques, mais, si elles eurent lieu, elles furent si faibles qu'elle ne les sentit pas. Lors du bivouac, ce soir-là, le tremblement de terre et le risque d'une coulée acide dans le fleuve furent au centre de toutes les conversations. Après le repas, où les gardiens avaient échangé leurs considérations sur le danger potentiel qu'ils couraient, Graffe se leva soudain pour écarter le sujet. « Ce qui se passera se passera, dit-il d'un ton catégorique, comme s'il s'attendait à une opposition ; ça ne sert à rien de s'inquiéter, et il est impossible de contrer une coulée d'acide ; il faut seulement se tenir prêts. »

D'un pas majestueux, il s'éloigna du cercle éclairé par le feu pour s'enfoncer dans les ténèbres. Nul ne dit rien pendant les quelques minutes qui suivirent son départ. Thymara perçut une tension dans l'air : assurément, Graffe n'avait pas digéré la réception de ses paroles inopportunes à propos de la dragonne cuivrée, et sa façon de souligner l'évidence apparaissait comme une piètre tentative pour affirmer son rôle de chef. Même ses plus proches partisans avaient l'air gênés pour lui ; ni Kase ni Boxteur ne le suivit ni même ne se tourna dans la direction où il était parti. Thymara avait gardé le regard fixé sur le feu, mais, du coin de l'œil, elle observa que, peu après, Jerd se leva à son tour, s'étira ostensiblement puis s'éloigna du bivouac. En passant derrière Thymara, elle lui souhaita bonne nuit d'une petite voix rosse ; Thymara serra les dents et ne répondit pas.

« Qu'est-ce qui la tracasse ? demanda Kanaï, à côté de la jeune fille.

— Rien ; elle est comme ça, répliqua Tatou d'un ton acerbe.

— Je ne sais pas ce qui la travaille, mais moi je vais me coucher », fit Thymara. Elle voulait s'éloigner de la lueur du feu de crainte qu'on ne remarquât sa gêne.

« Eh bien, bonne nuit, marmonna Tatou, comme piqué au vif par la brusquerie de la jeune fille.

— Je te rejoins tout de suite », annonça joyeusement Kanaï à Thymara. Elle n'avait pas encore trouvé comment lui dire qu'elle n'avait pas vraiment envie qu'il se collât à son dos chaque soir ; une fois, alors qu'elle lui avait gentiment expliqué qu'elle n'avait pas besoin qu'on la protégeât, il avait répondu avec entrain qu'il aimait bien dormir contre elle.

« Ça me tient chaud, et, s'il y a du danger, tu te réveilleras sans doute plus vite que moi ; et tu as un poignard plus grand que le mien, aussi. » Et ainsi, au discret amusement des autres, il était devenu son compagnon constant pour la nuit et, de jour, son équipier sur le fleuve, à bord du canoë. D'une certaine façon, elle l'aimait bien, mais sa présence permanente finissait par l'irriter. Depuis qu'elle avait surpris Graffe et Jerd en pleine action, elle était troublée, et, malgré ses longues réflexions, elle n'avait pas trouvé de réponses satisfaisantes à ses interrogations.

Graffe pouvait-il réellement inventer de nouvelles règles ? Et Jerd ? Et, si eux le pouvaient, cela s'appliquait-il à tout le groupe ? Elle eût voulu réussir à s'entretenir en privé avec Tatou, mais Kanaï ne la lâchait quasiment jamais d'une semelle, et, quand il ne la suivait pas, c'était Sylve qui accompagnait Tatou partout. Elle ne savait pas si elle lui raconterait ou non ce qu'elle avait vu, mais elle avait besoin d'en parler avec quelqu'un.

En revenant au camp ce jour-là, elle se demandait si elle devait révéler ce qui se tramait au capitaine Leftrin, commandant du bateau en appui de l'expédition ; mais, plus elle y pensait, plus elle renâclait à cette idée, qui lui semblait relever à la fois du ragot et du cafardage. Non, ce que faisaient Graffe et Jerd ne regardait que les gardiens, et personne d'autre ; c'étaient eux qui avaient toujours été tenus par ces règles édictées par d'autres, comme le capitaine Leftrin, marqués eux aussi par le désert des Pluies mais qui refusaient d'en restreindre leur existence pour autant. Était-ce juste ? Était-il normal que d'autres pussent prendre de telles décisions et la contraindre, elle et les autres soigneurs ?

Chaque fois qu'elle songeait à ce qu'elle avait vu, les joues lui brûlaient. Pire que la gêne de les avoir observés et de savoir à présent ce qu'ils faisaient, elle éprouvait la honte de savoir qu'ils s'étaient rendu compte de sa présence ; elle était incapable de les regarder en face, et se sentait presque aussi gênée de la façon dont elle les évitait. Plus terrible encore, les petites remarques acerbes de Jerd et les regards suffisants de Graffe lui donnaient l'impression d'être dans son tort. Or, c'était faux, n'est-ce pas ?

Ce qu'ils faisaient allait à l'encontre de tout ce qu'on lui avait appris. Même s'ils avaient été mariés, c'eût été encore illégal – et, de toute manière, on n'eût pas accepté leur union. Quand le désert des Pluies marquait lourdement un enfant dès la naissance, on savait bien qu'il valait mieux le laisser mourir et tâcher d'en faire un autre, car il n'avait guère de chances de vivre plus d'une quinzaine d'années. Dans un pays où la disette était la norme, les parents eussent été fous de se donner du mal et de dépenser leurs moyens pour un enfant comme cela ; mieux valait s'en débarrasser dès la naissance et s'efforcer d'en avoir un autre le plus vite possible. Ceux qui, comme Thymara, survivaient par hasard ou par entêtement n'avaient pas le droit de tomber amoureux et encore moins de procréer.

Alors, si c'étaient Graffe et Jerd qui se comportaient mal, pourquoi se sentait-elle non seulement coupable mais ridicule ? Elle s'enroula davantage dans ses couvertures et resta les yeux ouverts dans l'obscurité. Elle entendait les autres parler entre eux et parfois éclater de rire autour du feu. Elle eût voulu se trouver avec eux, pouvoir encore partager la camaraderie née de leur voyage, mais Graffe et Jerd avaient tout gâché. Les autres étaient-ils au courant ? S'en moquaient-ils ? Comment la jugeraient-ils si elle leur racontait tout ? Se retourneraient-ils contre les deux jeunes gens ? Ou contre elle, en la raillant de se croire encore tenue par des conventions dépassées ? Devant ces questions dont elle ignorait la réponse, elle se sentait puérile.

Elle ne dormait toujours pas quand Kanaï alla chercher sa couverture dans leur canoë. Les paupières entrouvertes, elle le suivit des yeux tandis qu'il se dirigeait vers elle, sa couverture sur les épaules ; il l'enjamba, s'assit derrière elle puis s'installa confortablement contre son dos. Il poussa un grand soupir, et, en quelques instants, sombra dans un profond sommeil.

Il était chaud contre elle. Si elle se retournait face à lui, cela le réveillerait certainement. Que se passerait-il alors ? Kanaï, malgré sa bizarrerie, était physiquement magnifique, avec son regard bleu clair à la fois perturbant et étrangement séduisant, et ses longs cils noirs qu'il avait conservés en dépit de ses écailles. Elle ne l'aimait pas, du moins pas dans le sens habituel, mais il était indéniablement attirant. Elle se mordit la lèvre en repensant à la scène qu'elle avait surprise entre Graffe et Jerd ; le jeune homme n'aimait sans doute pas Jerd d'amour, il n'avait probablement même pas un grand attachement pour elle ; d'ailleurs, ils se disputaient juste avant de le faire. Qu'est-ce que cela voulait dire ? Kanaï était chaud dans son dos, à travers les épaisseurs de couvertures, mais un soudain frisson la parcourut, non de froid, mais de possibilité.

Très lentement, elle s'écarta de lui. Non ; pas ce soir, pas sur un coup de tête, pas sans réfléchir. Non. Peu importait ce que faisaient les autres, elle devait y penser à tête reposée.

L'aube arriva trop vite sans apporter de réponses. Thymara se redressa, ankylosée, incapable de savoir si elle avait dormi ou non. Kanaï n'avait pas encore ouvert les yeux, pas plus que les autres gardiens ; les dragons n'étaient pas des lève-tôt, et la plupart des soigneurs avaient coutume de se réveiller aussi tard qu'eux. Mais, pour Thymara, les habitudes avaient la vie dure ; l'éclat du jour l'avait tirée du sommeil, et son père lui avait toujours dit que les premières heures du jour étaient les plus propices à la chasse ou à la cueillette. Aussi, malgré sa fatigue, se leva-t-elle ; elle demeura un instant à regarder Kanaï endormi ; ses cils noirs reposaient sur ses joues, sa bouche était détendue, pleine et charnue, ses mains à demi serrées en poings sous son menton. Il avait les ongles plus roses qu'ils ne l'avaient été ; la jeune fille se pencha pour les examiner de plus près. Oui, ils changeaient ; ils devenaient rouges, comme la robe de sa petite dragonne. Elle se surprit à sourire, et se rendit compte qu'elle sentait son odeur, parfum musqué de mâle qui n'était pas si déplaisant que cela. Elle redressa les épaules et s'écarta de lui. Qu'est-ce qui lui prenait ? Elle trouvait qu'il sentait bon ? Comment Jerd avait-elle choisi Graffe, et pourquoi ? Elle plia sa couverture et alla la ranger dans le canoë.

Chaque soir, à l'installation du bivouac, on creusait un puits de sable à quelque distance du fleuve et on le chemisait d'un morceau de toile ; l'eau qui sourdait dans le trou, filtrée par le tissu, était toujours moins acide que celle du fleuve. Néanmoins, Thymara resta prudente ; constatant avec soulagement que le fleuve charriait une onde quasiment limpide, elle jugea sans risque de se laver les mains et le visage, après quoi elle se désaltéra longuement. Le choc de l'eau glacée chassa les dernières brumes du sommeil ; il était temps d'affronter la journée.

La plupart des autres gardiens étaient encore emmitouflés dans leurs couvertures autour des braises du feu ; ils ressemblaient à des cocons bleus, ou à des gangues de dragon. Elle bâilla et décida d'aller faire un tour le long du fleuve avec sa foëne ; elle aurait peut-être la chance de trouver de quoi manger pour elle ou pour Sintara au petit déjeuner.

Du poisson, ce serait bien ; de la viande, ce serait mieux. La pensée somnolente de la dragonne la confirma dans son idée.

« Du poisson, répondit Thymara d'un ton catégorique, sauf si je tombe sur du petit gibier en cours de route ; mais pas question que je m'enfonce dans la forêt au point du jour. Je n'ai pas envie d'être en retard quand les autres se réveilleront et s'apprêteront à partir. »

N'aurais-tu pas plutôt peur de ce que tu pourrais voir entre les arbres ? Il y avait une petite pique dans la question de la dragonne.

« Ça ne me fait pas peur ; c'est seulement que je n'ai pas envie de le voir », répliqua Thymara. Elle s'efforça de fermer son esprit à Sintara, avec un succès limité ; elle pouvait refuser d'entendre ce qu'elle disait, mais elle n'échappait pas à sa présence.

Elle avait le temps de réfléchir au rôle de la dragonne dans sa découverte ; Sintara l'avait évidemment envoyée exprès sur les traces de Graffe et Jerd, elle savait manifestement ce qu'ils faisaient, et elle s'était servie de tous les moyens à sa disposition pour que Thymara en fût témoin. La jeune fille se sentait encore meurtrie en songeant à la façon dont la dragonne avait utilisé son charme pour l'obliger à suivre la trace de Graffe.

Ce qu'elle ignorait, c'étaient les raisons de Sintara, et elle ne les lui avait pas demandées : elle avait appris que le meilleur moyen de la pousser à mentir était de lui poser une question franche. Non, elle en découvrirait davantage en se taisant et en écoutant. *À peu près comme avec ma mère*, se dit-elle avec un sourire sans humour.

Elle chassa cette pensée de son esprit pour se concentrer sur la chasse. L'heure était propice à la sérénité : peu de gardiens se levaient aussi tôt qu'elle, et les dragons, même réveillés, n'étaient pas encore actifs et préféraient attendre que le soleil les réchauffât avant de se dégourdir les pattes. Elle avait donc la berge pour elle seule, et elle longeait le fleuve à pas de loup, harpon brandi ; elle ne pensait plus à rien qu'à elle-même et à sa proie, le monde en parfait équilibre autour d'elle. Le ciel formait un ruban bleu au-dessus du large chenal du fleuve ; dans les hauts-fonds, des roseaux frissonnaient dans une eau quasiment transparente. La boue lisse de la berge avait gardé les empreintes de toutes les bêtes qui l'avaient traversée ; pendant que les dragons dormaient, au moins deux élans des marais étaient descendus au bord de l'eau puis étaient repartis ; un animal aux pattes palmées avait pris pied sur la rive, mangé des clams d'eau douce, rejeté les coques puis rejoint le fleuve.

Elle vit un grand poisson à moustaches venir fouir dans les hauts-fonds ; apparemment, il ne l'avait pas repérée. Il remua le limon de ses barbillons, puis happa brusquement une petite créature qu'il avait débusquée ; il s'avança plus près de Thymara, mais, à l'instant où elle plantait sa foëne, il disparut d'un battement de la queue, ne laissant qu'une brume de vase autour du harpon.

« Saleté ! murmura-t-elle entre ses dents en reprenant son arme.

— Ça ne ressemble pas à une prière », fit Alise avec un léger reproche dans la voix.

Thymara s'efforça de ne pas sursauter. Elle brandit à nouveau son harpon, jeta un regard à la femme derrière elle et se remit à marcher lentement le long de l'eau. « Je chasse ; j'ai raté mon coup.

— Je sais ; j'ai vu. »

Thymara continua d'avancer, les yeux fixés sur le fleuve, en espérant que la Terrilvillienne comprendrait qu'elle voulait demeurer seule. Elle ne l'entendit pas la suivre, mais, du coin de l'œil, elle vit son ombre rester à sa hauteur. Après avoir gardé le silence quelques minutes, elle se dit crânement qu'elle n'avait pas peur de la jeune femme et déclara : « Il est bien tôt pour vous lever.

— Je n'arrivais pas à dormir ; je me suis réveillée avant l'aube, et j'avoue qu'on peut se sentir très seule sur la berge au bout d'une heure ou deux. Votre présence me soulage. »

Elle se montrait beaucoup plus amicale que Thymara ne s'y attendait. Mais pourquoi lui parlait-elle ? Se sentait-elle vraiment à ce point abandonnée ? Sans réfléchir, elle dit : « Mais vous avez Sédric pour vous tenir compagnie ; vous n'êtes pas seule.

— Il ne va toujours pas bien – et, ma foi, il n'est plus aussi proche de moi que naguère, non sans raison, je dois le reconnaître. »

Thymara continua de surveiller l'eau, soulagée que la Terrilvillienne ne pût voir son étonnement. Elle se confiait à elle ? Mais pourquoi ? Qu'imaginait-elle donc qu'elles avaient en commun ? La curiosité planta ses griffes en elle et s'accrocha jusqu'à ce qu'elle demandât, d'un ton qu'elle espérait désinvolte : « Et quelles raisons a-t-il de vous en vouloir ? »

Alise poussa un grand soupir. « Eh bien, vous savez qu'il n'est pas bien ; or, comme il jouit d'habitude d'une excellente santé, il doit très mal supporter d'être malade, en particulier dans des conditions de logement qu'il juge très inconfortables. Il a un lit étroit et dur, il a horreur de l'odeur du bateau et du fleuve, l'ordinaire du bord l'ennuie ou le dégoûte, sa cabine est sombre et il n'a rien pour se distraire. Il est malheureux ; et c'est à cause de moi qu'il participe à ce voyage : il n'avait aucune envie de venir dans le désert des Pluies et encore moins de s'engager dans notre expédition. »

Un autre gros poisson s'était aventuré dans les hauts-fonds et fouillait la vase. L'espace d'un instant, il parut avoir repéré Thymara. Elle demeura parfaitement immobile, puis, comme il se mettait à soulever le limon de ses barbillons, elle frappa. Convaincue de l'avoir touché, elle resta pantoise quand l'eau s'éclaircit et qu'elle découvrit sa foëne plantée dans la boue. Elle la retira.

« Encore raté, dit la Terrilvillienne avec une compassion sincère. J'étais pourtant sûre que vous l'aviez touché. Ces bêtes ont l'air très vif ; je crois que je n'arriverais jamais à en harponner une.

— Bah, ça demande seulement de la pratique », répondit Thymara sans quitter l'eau des yeux. Non, le poisson avait disparu, et il ne reviendrait pas.

« Vous faites ça depuis l'enfance ?

— Pêcher ? Non, pas vraiment. » La jeune fille poursuivit sa lente marche le long du fleuve, et Alise l'accompagna. À mi-voix, Thymara reprit : « Je chassais dans les arbres, surtout ; on y trouve des oiseaux et de petits rongeurs, quelques lézards et des serpents assez gros. La pêche n'est pas très différente de la chasse en ce qui concerne l'affût.

— Croyez-vous que je pourrais apprendre ? »

Thymara s'arrêta net et se retourna vers Alise. « Pour quoi faire ? » demanda-t-elle, déconcertée.

L'autre rougit en baissant les yeux. « J'aimerais être capable d'accomplir quelque chose de concret. Vous êtes beaucoup plus jeune que moi, et pourtant vous savez parfaitement vous débrouiller toute seule ; je vous envie. Parfois je vous observe, vous et les autres gardiens, et je me sens totalement inutile, comme un petit chat domestique pomponné devant des marguets en chasse. Depuis peu, je m'efforce de justifier ma participation à l'expédition et le fait d'y avoir entraîné ce pauvre Sédric sous prétexte que je recueillerais des renseignements sur les dragons, qu'on aurait besoin de moi pour traiter avec eux ; j'ai dit à mon époux et à Sédric que c'était pour moi une occasion inespérée d'apprendre et de partager mes découvertes ; j'ai dit à l'Ancienne Malta que je possédais des connaissances sur la cité perdue et que je pourrais peut-être aider les dragons à en retrouver le chemin. Mais je n'ai rien fait de tout ça. »

Sa voix tomba sur ces derniers mots, comme si Alise avait honte.

Thymara se tut. Cette grande dame de Terrilville lui demandait-elle de la rassurer et de la réconforter ? C'était le monde à l'envers. Comme le silence menaçait de durer, elle dit : « Vous nous avez donné un coup de main avec les dragons, il me semble ; vous étiez là quand le capitaine Leftrin nous a aidés à extraire les serpents, et aussi avant, quand nous avons soigné la queue de l'argentée. J'avoue que ça m'a étonnée ; je vous prenais pour une dame trop raffinée pour effectuer un boulot aussi salissant que… »

Alise l'interrompit. « Une dame raffinée ? » Elle éclata d'un étrange rire strident. « Vous me voyez comme une dame raffinée ?

— Mais… évidemment. Regardez comment vous êtes habillée ; et puis vous venez de Terrilville, et vous êtes une érudite ; vous écrivez des manuscrits sur les dragons, et vous savez tout sur les Anciens. » À court de raisons, elle se tut et contempla Alise en silence. Pour marcher sur la berge, elle s'était coiffée et avait fait un chignon ; elle avait mis un chapeau pour protéger son visage du soleil, et elle portait une chemise et un pantalon, mais propres et repassés ; ses bottes brillaient malgré la boue fraîche qui les maculait. Thymara baissa les yeux : la vase qui crottait les siennes datait, non de quelques heures, mais de plusieurs jours ; sa chemise comme son pantalon arboraient les stigmates d'un usage éprouvant et de lavages intermittents. Et ses cheveux ? Sans réfléchir, elle leva la main pour toucher ses tresses ; à quand remontait la dernière fois où elle s'était lavé les cheveux, les avait peignés puis retressés ? Depuis quand ne s'était-elle pas nettoyée de la tête aux pieds ?

« J'ai épousé un homme riche, dit Alise ; mes parents sont… enfin, nous n'avons qu'une fortune réduite. Je suis sans doute une dame quand je suis à Terrilville, et c'est sans doute très bien ; mais ici, dans le désert des Pluies, je commence à me voir autrement, à désirer autre chose que ce que je désirais jusque-là. » Sa voix mourut, puis elle reprit soudain : « Si vous voulez, Thymara, vous pouvez venir dans ma cabine ce soir ; je pourrais vous montrer d'autres façons d'arranger vos cheveux. Et vous auriez un peu d'intimité si vous souhaitiez prendre un bain, même si le baquet est à peine assez grand pour s'y tenir debout.

— Je suis capable de faire ma toilette toute seule ! rétorqua Thymara, piquée au vif.

— Excusez-moi », fit aussitôt Alise, les joues cramoisies. La jeune fille n'avait jamais vu personne rougir autant. « Je ne voulais pas dire… Je me suis mal exprimée. Je vous ai vue vous regarder, et je me suis rendu compte de mon égoïsme : j'ai le loisir de me baigner et de me vêtir seule tandis que Jerd, Sylve et vous vivez à la dure, au milieu d'hommes et d'adolescents. Je n'avais pas l'intention de…

— Je sais. » Thymara avait-elle déjà eu des mots plus difficiles à prononcer ? Sans doute, mais elle eut quand même du mal à les dire. En évitant le regard d'Alise, elle continua : « Je sais que ce n'était pas méchant. Mon père me disait souvent que j'étais trop susceptible, que les gens ne cherchent pas toujours à m'insulter. » Sa gorge se serrait de plus en plus, et des larmes qu'elle ne pouvait pas verser pressaient douloureusement au coin de ses yeux. Elle avait dû se forcer à répondre, et à présent elle ne pouvait plus s'arrêter. « Je n'espère pas que les gens m'aiment ou me fassent des grâces, bien au contraire : je m'attends toujours à…

— Inutile de m'expliquer, coupa soudain Alise. Nous nous ressemblons plus que vous ne le croyez. » Elle eut un rire tremblant. « Trouvez-vous parfois des motifs de dédaigner des gens que vous ne connaissez pas encore de façon à pouvoir les détester avant qu'ils ne vous détestent ?

— Oui, bien sûr », avoua Thymara, et leur éclat de rire avait la fragilité du cristal. L'envol d'un oiseau à l'orée de la forêt les fit sursauter, et leur rire devint plus naturel, pour s'achever quand elles durent reprendre haleine.

Alise essuya une larme au coin de son œil. « Je me demande si c'est ça que Sintara voulait que j'apprenne auprès de vous. Elle m'a fortement incitée à vous rejoindre ce matin ; souhaitait-elle que nous nous rendions compte que nous ne sommes pas très différentes, croyez-vous ? » Elle s'exprimait avec chaleur quand elle parlait de la dragonne, mais Thymara sentit un frisson glacé lui parcourir le dos.

« Non », murmura-t-elle. Elle choisit ses mots avec soin pour ne pas froisser Alise. Pour le moment, elle ne savait pas si elle voulait se montrer aussi amicale que la Terrilvillienne, mais elle ne tenait pas à la braquer contre elle non plus. « Non ; je pense que Sintara vous a… enfin, nous a manipulées. Il y a quelques jours, elle m'a poussée moi aussi à faire quelque chose, et, euh… ça ne s'est pas très bien terminé. » Elle lança un regard à la jeune femme, inquiète de l'expression qu'elle allait lui voir, mais Alise paraissait plus songeuse que vexée. « Elle essaie peut-être de mesurer le pouvoir qu'elle a sur nous. J'ai senti l'influence de son charme ; et vous ?

— Naturellement ; ça fait partie d'elle, rétorqua Alise. J'ignore si un dragon maîtrise parfaitement l'effet qu'il a sur les humains ; c'est sa nature, comme un humain domine un chien domestique.

— Mais je ne suis pas son toutou. » Sous l'effet de la peur, Thymara s'exprimait d'un ton tranchant ; Sintara la dominait-elle plus qu'elle n'en avait conscience ?

« Non, c'est vrai, dit Alise, et moi non plus, même si, à mon avis, elle me regarde plus comme son toutou qu'autrement. Je pense qu'elle vous respecte parce que vous savez chasser ; en revanche, elle m'a déclaré à plusieurs reprises que je ne sais pas m'affirmer comme femelle. Je crois que je la déçois, sans vraiment comprendre pourquoi.

— Elle a voulu me pousser à chasser ce matin, mais je lui ai répondu que je préférais pêcher.

— Moi, elle m'a dit de vous suivre à la chasse, et je vous ai vue sur la berge. »

Thymara se tut. Elle leva de nouveau son harpon et se remit à marcher lentement le long du fleuve tout en réfléchissant. Était-ce du cafardage ? Elle se décida. « Je sais ce qu'elle voulait vous montrer : la même chose qu'à moi. Elle voulait que vous sachiez que Jerd et Graffe couchent ensemble. »

Elle attendit en vain une réponse. Elle se retourna vers Alise : la Terrilvillienne avait rougi de nouveau, mais elle s'efforça de s'exprimer calmement. « Ma foi, à vivre ainsi, sans intimité, quasiment sans surveillance, il est sans doute facile pour une jeune fille de céder aux avances d'un jeune homme. Ils ne seraient pas les premiers à goûter au repas avant qu'on ait mis la table. Savez-vous s'ils ont l'intention de se marier ? »

Thymara la regarda, les yeux ronds, puis elle choisit ses mots avec soin. « Alise, les gens comme nous, comme eux, ceux qui portent trop visiblement les marques du désert des Pluies, n'ont pas le droit de se marier, ni de coucher ensemble. Ils enfreignent une des plus anciennes règles du désert des Pluies.

— C'est donc une loi ? » Alise avait l'air perplexe.

« Je… Je ne sais pas si c'est une loi ; disons une coutume. Tout le monde la connaît et s'y plie. Si un enfant naît déjà trop différent d'un humain pur, ses parents ne le gardent pas ; ils le “donnent à la nuit” ; ils le laissent mourir et tâchent d'en faire un autre. Il n'y en a que quelques-uns, comme moi… eh bien, mon père m'a ramenée à la maison et il m'a gardée.

— Il y a un poisson, là, un très gros ; il est sous ce tronc. Vous le voyez ? Il se fond dans l'ombre. »

Alise parlait d'un ton excité. Thymara, prise au dépourvu par le brusque changement de sujet, lui tendit son harpon par réflexe. « À vous de jouer ; vous l'avez vu la première. N'oubliez pas, frappez comme si vous vouliez le clouer au fond de l'eau ; allez-y franchement.

— C'est vous qui devriez vous en charger, répondit Alise en prenant l'arme. Je vais le rater et il va s'enfuir. C'est dommage, une si grosse prise !

— Eh bien, ça vous fait une grosse cible pour votre premier essai. Allez-y, essayez. » À pas lents, Thymara s'écarta du bord de l'eau.

Les yeux clairs d'Alise s'agrandirent. Elle regarda Thymara puis le poisson, prit deux grandes inspirations tremblantes et bondit brusquement sur sa proie, le harpon à la main. Poussant un cri, elle atterrit avec une gerbe d'éclaboussures dans l'eau peu profonde en plantant son arme beaucoup plus violemment que nécessaire. Devant Thymara bouche bée, elle se servit de ses deux mains pour enfoncer la foëne davantage. À coup sûr, le poisson avait dû disparaître… Mais non, Alise, les pieds dans l'eau, tenait fermement le harpon au bout duquel un poisson long et massif se convulsait dans les affres de la mort.

Quand il cessa enfin de bouger, elle se tourna vers Thymara et cria : « J'y suis arrivée ! Je l'ai fait ! J'ai tué un poisson ! Je l'ai tué !

— Oui. Et vous devriez sortir de l'eau avant qu'elle n'abîme vos bottes.

— Je m'en fiche ! J'ai eu un poisson ! Puis-je réessayer ? Puis-je en tuer un autre ?

— Sans doute ; mais tirons d'abord celui-ci à terre, d'accord ?

— Ne le perdez pas ! Ne le laissez pas s'échapper ! s'exclama Alise comme Thymara s'avançait dans l'eau et saisissait la foëne.

— Il ne s'en ira pas : il est bien mort. Il faut sortir le harpon de la vase avant de pouvoir rapporter votre poisson sur la berge. Ne vous inquiétez pas, nous ne le perdrons pas.

— J'y suis vraiment arrivée, n'est-ce pas ? J'ai vraiment tué un poisson !

— Oui. »

Elles extirpèrent non sans mal l'arme de la boue. Le poisson se révéla plus gros que Thymara ne s'y attendait, et elles ne furent pas trop de deux pour le traîner sur la rive. C'était une créature repoussante, noire et couverte de fines écailles, avec un mufle camard hérissé de longues dents. Quand elles le retournèrent, elles lui découvrirent un ventre rouge vif. Thymara n'avait jamais vu d'animal semblable. « Je ne suis pas sûre qu'on puisse le manger, dit-elle, hésitante. Quelquefois, des teintes vives indiquent une chair toxique.

— Il faut demander à Mercor ; il saura nous renseigner. Il se rappelle beaucoup de choses. » Alise s'accroupit pour examiner sa prise, approcha un index curieux puis le retira. « C'est étrange : aucun dragon ne paraît avoir le même niveau de souvenirs que les autres. Parfois, je me dis que Sintara refuse de répondre à mes questions parce qu'elle en est incapable. Au contraire, avec Mercor, j'ai toujours l'impression qu'il possède des connaissances qu'il ne veut pas partager ; quand il s'entretient avec moi, il parle de tout sauf des dragons et des Anciens.

— Je crois que nous ferions bien d'éviter de toucher ce poisson avant d'être sûres. » Thymara était restée accroupie près de l'animal. Alise acquiesça de la tête, se redressa, prit le harpon et se mit à suivre le fleuve à pas lents, aux aguets ; son excitation était palpable. « Voyons ce qu'on peut prendre d'autre ; ensuite, nous interrogerons Mercor sur ce poisson. »

Thymara se redressa à son tour. Elle se sentait un peu nue sans sa foëne, et cela lui faisait bizarre de suivre quelqu'un qui chassait à sa place ; cela ne lui plaisait guère, et elle parla comme pour retrouver le sentiment de sa propre importance. « On dirait que Mercor est plus âgé que les autres, non ? Plus âgé et plus fatigué.

— C'est vrai », répondit Alise à mi-voix. Elle ne se déplaçait pas aussi souplement que Thymara, mais elle s'y efforçait, et la jeune fille se rendit compte que sa façon d'avancer sur la pointe des pieds, pliée en deux, était une imitation exagérée de sa propre attitude de chasse ; devait-elle s'en sentir insultée ou flattée ? Elle l'ignorait. « C'est parce qu'il a beaucoup plus de souvenirs que les autres ; je songe parfois qu'on a l'âge de ses expériences et de ce qu'on en conserve plutôt que son âge physique. Et je crois que Mercor se rappelle beaucoup de choses, même de l'époque où il était serpent.

— J'ai toujours l'impression qu'il est triste, et attentionné, au contraire des autres dragons. »

Alise s'accroupit pour regarder sous un embrouillamini de branches et de feuilles mortes, et elle répondit d'un ton à la fois pénétré et distrait : « À mon avis, il a plus de souvenirs que les autres. Une fois, j'ai passé une bonne soirée à parler avec lui, et il s'est montré beaucoup plus franc et direct que ses congénères. Néanmoins, il s'est borné à évoquer des généralités plutôt que des souvenirs ataviques précis ; mais il a parlé de sujets que je n'ai jamais entendu aucun autre dragon aborder. » Elle tendit la foëne pour tenter d'écarter une partie de la masse d'algues. Un poisson en jaillit, et elle bondit sur lui avec un grand cri, au milieu d'une gerbe d'éclaboussures, mais il avait disparu.

« La prochaine fois, si vous supposez la présence d'un poisson, frappez, c'est tout. Si vous agitez l'eau près de lui en le cherchant, il s'enfuit ; autant risquer un coup de harpon et peut-être une bonne prise.

— Vous avez raison. » Alise poussa un soupir d'agacement et reprit sa lente marche le long de l'eau.

Thymara lui emboîta le pas. « Ainsi, Mercor a parlé de sujets inhabituels ?

— Ah, oui, oui. Il s'est étendu sur Kelsingra, cité importante, a-t-il dit, tant pour les dragons que pour les Anciens ; on y trouvait une eau argentée très particulière que ses congénères appréciaient particulièrement. Il n'a pas pu ou pas voulu m'expliquer ce qu'il entendait par là, mais il m'a précisé que c'était une ville importante parce que les dragons et les Anciens s'y rencontraient pour passer des accords. Sa description a modifié ma façon de voir les relations des deux espèces ; c'était un peu comme deux royaumes limitrophes qui signent des traités et des ententes. Quand je lui ai fait part de mon impression, il a répondu qu'il s'agissait plutôt d'une symbiose.

— Une symbiose ?

— Ils vivaient ensemble selon un système mutuellement profitable, et plus encore. Il ne l'a pas dit clairement, mais je pense que, selon lui, si les Anciens avaient survécu, les dragons n'auraient pas disparu aussi longtemps de ce monde ; ressusciter les Anciens devrait permettre aux dragons de continuer à vivre.

— Eh bien, il y a Malta, Reyn et Selden.

— Mais aucun d'eux n'est ici », répondit Alise. Comme elle s'apprêtait à s'avancer dans l'eau, elle s'arrêta. « Vous voyez ces mouchetis ? C'est une ombre au fond du fleuve ou un poisson ? » Elle pencha la tête. « Les dragons dépendent aujourd'hui de leurs gardiens pour les tâches qu'effectuaient pour eux les Anciens autrefois. » Elle plissa le front. « Hum ! Est-ce pour cela qu'ils ont exigé d'avoir des soigneurs pour les accompagner, en plus des chasseurs ? Je m'interroge : pourquoi désiraient-ils tant de gardiens alors qu'ils se contentaient de trois chasseurs ? Quels services pouviez-vous rendre dont les chasseurs n'étaient pas capables ?

— Ma foi, nous les nettoyons, et nous nous occupons beaucoup d'eux ; vous savez combien ils aiment qu'on les flatte. » Thymara se tut pour réfléchir. Pourquoi les grandes créatures avaient-elles exigé des gardiens ? Elle vit le regard d'Alise toujours fixé sur l'eau. « Si vous pensez qu'il peut s'agir d'un poisson, frappez ! Si ce n'est qu'une ombre, on n'aura rien perdu ; si c'est un poisson, vous le tuerez.

— D'accord. » Alise prit une grande inspiration

« Cette fois, évitez de crier ou de sauter dans l'eau ; ça fait fuir le gibier des environs. »

Alise se figea. « J'ai crié, la dernière fois ? »

Thymara tâcha de ne pas s'esclaffer trop bruyamment. « Oui ; et vous avez sauté dans l'eau. Servez-vous seulement du harpon. Plus en arrière ; ramenez le bras plus en arrière. Voilà ; maintenant, regardez bien ce que vous voulez toucher, et frappez ! » *On croirait entendre mon père*, se dit-elle brusquement, et elle s'aperçut tout aussi soudainement qu'elle prenait plaisir à enseigner à Alise ce qu'elle savait.

La jeune femme apprenait vite. Elle respira à fond, se concentra sur sa cible et enfonça brutalement la foëne. Thymara n'avait pas cru à la présence d'un poisson, mais l'arme se planta pourtant dans une créature vivante, car une grande surface de l'eau s'agita soudain sous l'effet de mouvements violents. « Tenez bien le harpon, ne le lâchez pas ! » s'exclama la jeune fille, et elle se précipita pour ajouter son poids à celui de la Terrilvillienne. Elle avait touché une grosse proie, qui n'était peut-être pas du tout un poisson. Le coup l'avait clouée au fond de l'eau ; elle était grande, avec un corps aplati et une queue en forme de fouet qui se mit soudain à battre au-dessus de la surface.

« Attention ! Elle a peut-être des piquants ou un aiguillon ! » cria Thymara, en croyant qu'Alise lâcherait la foëne ; mais non : la jeune femme s'y agrippait obstinément.

« Allez… chercher… un autre harpon… ou quelque chose », fit-elle, haletante.

L'espace d'un instant, Thymara demeura pétrifiée, puis elle se rua en direction des canoës. Celui de Tatou était le plus proche, et il y avait entreposé tout son matériel ; le garçon se réveillait, assis par terre près de l'embarcation. « Je t'emprunte ta foëne ! » lui lança-t-elle, et, comme il commençait à réagir, elle s'empara de l'arme et repartit au grand galop.

« Il s'échappe ! » cria Alise au retour de Thymara. La jeune fille n'était pas seule : Kanaï et Sylve arrivaient au pas de course, suivis par le capitaine Leftrin. Le camp s'était réveillé pendant la partie de chasse. Sans se soucier de la queue qui fouettait l'air, Alise s'était avancée dans l'eau pour s'appuyer de tout son poids sur le harpon. Thymara serra les dents et attaqua ; elle planta son arme au jugé dans l'eau boueuse, là où elle pensait que se trouvait le corps de l'animal. La pointe s'enfonça dans une masse musculeuse, dont la furieuse réaction faillit lui arracher la hampe des mains. L'animal se mit à se déplacer en les entraînant, elle et Alise, vers le milieu du fleuve.

« On va devoir lâcher prise ! » s'exclama-t-elle, hors d'haleine, mais, derrière elle, Kanaï cria : « Non ! », et il se dirigea vers elle d'un pas décidé. Sans se préoccuper de la queue qui battait violemment les flots, il frappa la créature cinq ou six fois avec son propre harpon. Un sang noir se mêla en volutes à l'eau boueuse, mais le poisson ne fit que redoubler d'efforts pour s'échapper.

« Récupérez mon arme ! Ne le laissez pas l'emporter ! lança Thymara à l'adresse d'Alise, qui, trempée jusqu'à la taille, s'accrochait au harpon.

— Ni le mien ! brailla Tatou. C'est mon dernier, Thymara !

— Écartez-vous ! » beugla Sintara, sans laisser à personne le temps de lui obéir : elle fonça dans l'eau tandis que Kanaï s'efforçait de l'éviter.

« Thymara ! » hurla Tatou, mais, malgré son cri, l'aile à demi déployée de la dragonne heurta la jeune fille. L'eau parut bondir et l'étreindre ; la foëne lui échappa des mains, puis une grande masse plate et vivante la frappa, arrachant le tissu et la peau de son bras gauche avant de la projeter au fond du fleuve. Elle ouvrit la bouche pour protester, et l'eau limoneuse l'emplit aussitôt ; elle la recracha, mais il n'y avait pas d'air pour la remplacer. Elle retint sa respiration tant bien que mal ; faite pour grimper dans les arbres, elle n'avait jamais appris à nager, et elle pataugeait dans cet élément inconnu qui l'avait saisie et l'emportait elle ne savait où.

La lumière éclata brutalement sur son visage, mais, avant qu'elle eût le temps de respirer, elle coula de nouveau. Elle avait cru entendre quelqu'un crier quelque chose. Les yeux lui piquaient, le bras lui brûlait. Elle se sentit saisie par le torse et écrasée ; elle frappa la créature écailleuse de toute la force de ses poings, et sa bouche s'ouvrit pour pousser un cri suffoqué. Son ravisseur l'entraîna sous l'eau puis l'en ressortit, et une pensée pénétra dans son esprit : *Je la tiens ! Je la tiens !*

Et elle se retrouva en l'air, entre les mâchoires de Mercor ; elle percevait ses crocs à travers le tissu de ses vêtements, et, bien qu'il la tînt avec délicatesse, ils lui égratignaient la peau. Avant qu'elle eût le temps de réagir au fait qu'elle fût prise dans la gueule d'un dragon, il la laissa tomber sur la berge boueuse. Un cercle de gens qui criaient tous en même temps se referma sur elle tandis que, prise de haut-le-cœur, elle recrachait un mélange d'eau et de sable qui lui coulait aussi par le nez et lui piquait les narines. Elle s'essuya de la manche, et quelqu'un lui fourra une couverture entre les mains ; elle s'en servit pour se sécher le visage, puis battit des paupières. Elle voyait flou, mais sa vision s'éclaircit peu à peu.

« Tu vas bien ? Tu vas bien ? » C'était Tatou qui, agenouillé près d'elle et dégoulinant, répétait la même question.

« C'est ma faute ! Je ne voulais pas laisser le poisson s'en aller ! Ô, Sâ, pardonne-moi, tout est ma faute ! Elle va bien ? Elle saigne ! Qu'on aille chercher de quoi la panser ! » Alise était pâle, et ses cheveux roux pendaient en mèches mouillées sur son visage.

Kanaï, empressé, s'efforçait de maintenir Thymara allongée ; elle le repoussa et se redressa pour recracher, avec des éructations bruyantes, encore un peu d'eau sableuse. « Laissez-moi un peu d'espace, s'il vous plaît », dit-elle, et c'est seulement quand une ombre s'écarta d'elle qu'elle comprit qu'un dragon se tenait au-dessus d'elle. Elle cracha encore du sable ; les yeux lui piquaient et elle ne pouvait pas pleurer ; elle les essuya du bout du doigt et ramena un peu de limon.

« Renverse la tête en arrière », lui ordonna Tatou ; elle obéit, et il lui versa de l'eau claire sur le visage. « Je m'occupe de ton bras, maintenant », la prévint-il, et la soudaine fraîcheur la fit suffoquer en même temps qu'elle apaisait la brûlure qu'elle tâchait de ne pas éprouver. Elle éternua brusquement, projetant de la morve partout ; elle s'essuya sur la couverture, ce qui provoqua une exclamation de Kanaï : « Hé, c'est la mienne !

— Tu peux prendre la mienne », répondit-elle d'une voix rauque. Elle se rendit soudain compte qu'elle n'était pas morte ni mourante, seulement étrangement humiliée de se trouver au centre de l'attention générale. Elle voulut se remettre debout, et, quand Tatou l'aida, elle réussit à ne pas retirer son bras, bien qu'il lui déplût d'apparaître faible devant les autres. Et, pour ne rien arranger, Alise la prit soudain contre elle.

« Ah, Thymara, pardon ! J'ai failli vous faire tuer, tout ça pour un poisson ! »

La jeune fille parvint tant bien que mal à se démêler de son étreinte. « Quelle sorte de poisson était-ce ? » demanda-t-elle dans l'espoir de détourner d'elle l'attention ; son bras écorché lui piquait, et ses vêtements étaient trempés. Elle mit la couverture sur ses épaules alors qu'Alise répondait : « Venez voir ; je n'ai jamais rien vu de pareil. »

Thymara non plus. De forme, on eût dit une assiette à soupe à l'envers, mais une assiette deux fois plus grande que sa couverture ; la créature avait deux yeux globuleux sur le dessus du corps et une longue queue semblable à un fouet avec des barbelures à l'extrémité. Sa face supérieure portait des taches claires et sombres, tandis que sa face inférieure était blanche ; les blessures laissées par les harpons apparaissaient en une dizaine d'endroits, ainsi que les entailles des crocs de Sintara quand elle l'avait sortie de l'eau. « C'est un poisson ? demanda-t-elle, incrédule.

— Oui ; on dirait un peu une raie, répondit Leftrin. Mais je n'ai jamais vu de bestiole pareille dans le fleuve ; en eau salée, oui, mais jamais de cette taille.

— Et elle est à moi, intervint Sintara. Sans moi, vous l'auriez perdue.

— Ton avidité a failli me coûter la vie », dit Thymara, sans crier, mais d'un ton ferme ; elle-même s'étonna de son calme. « Tu m'as heurtée et projetée dans l'eau, où j'ai manqué me noyer. » Elle regarda la dragonne, qui lui rendit son regard ; elle n'y perçut rien, ni remords ni volonté de se justifier. Elles avaient fait du chemin ensemble, Sintara avait gagné en force, en taille et en beauté, mais, au contraire de ses congénères, elle ne s'était pas rapprochée de sa gardienne. Un regret terrible envahit Thymara. La dragonne devenait chaque jour plus belle ; c'était sans aucun doute la créature la plus magnifique qu'elle eût jamais contemplée. Elle avait rêvé de devenir la compagne d'un être aussi merveilleux, de jouir du reflet de sa splendeur. Elle lui avait fourni à manger au mieux de ses capacités, elle la pansait tous les jours, elle la soignait quand elle pensait pouvoir l'aider, et elle l'abreuvait de flatteries et de compliments. Elle l'avait vue grandir en puissance et en beauté.

Et aujourd'hui la dragonne avait failli la tuer, par négligence, non par méchanceté, et elle n'exprimait nul regret. La question revint la hanter : pourquoi les dragons voulaient-ils des gardiens ? La réponse lui paraissait désormais évidente : pour en faire des serviteurs ; rien de plus.

Elle avait entendu employer l'expression « avoir le cœur brisé » ; elle ignorait que cela causait une vraie douleur dans la poitrine, comme si on avait le cœur arraché. Elle regarda Sintara et chercha ses mots. Elle eût pu dire : « Tu n'es plus ma dragonne et je ne suis plus ta gardienne. » Mais elle n'en fit rien, parce qu'elle eut soudain le sentiment que cela n'avait jamais été la réalité. Elle secoua lentement la tête devant la somptueuse créature saphir puis se détourna d'elle ; elle parcourut du regard le cercle des soigneurs et des dragons. Alise la regardait, ses yeux gris écarquillés, et trempée de la tête aux pieds ; le capitaine Leftrin lui avait mis son manteau sur les épaules. La Terrilvillienne posait sur Thymara un regard fixe, et la jeune fille comprit qu'elle seule savait ce qu'elle ressentait. C'était insupportable ; elle lui tourna le dos et s'éloigna. Tatou, le visage de pierre, s'écarta pour la laisser passer.

Elle n'avait pas fait dix pas que Sylve la rejoignait ; son dragon d'or l'accompagnait lentement. La jeune fille murmura : « Mercor t'a retrouvée dans l'eau et il t'en a sortie. »

Thymara s'arrêta. C'était donc lui le dragon qui la dominait alors qu'elle se remettait. Par réflexe, elle porta la main à ses côtes, où ses crocs avaient déchiré ses vêtements et égratigné sa peau. « Merci », dit-elle. Elle leva les yeux pour rencontrer ceux du dragon, animés d'un lent tourbillon. « Tu m'as sauvé la vie. » Le dragon de Sylve lui avait sauvé la vie après que sa propre dragonne l'avait laissée se noyer. Le contraste était trop dur à supporter ; elle se détourna et s'en alla seule.

Alise avait peine à voir Thymara s'éloigner ; la douleur semblait l'entourer comme un nuage. La jeune femme se tourna vers Sintara, mais, avant qu'elle eût le temps de trouver quoi dire, la dragonne releva soudain la tête, fit demi-tour et s'en alla à grandes enjambées en battant de la queue. Elle ouvrit les ailes et les agita violemment, sans se préoccuper de l'eau ni du sable dont elle aspergea les humains et ses semblables.

Dans le silence qui suivit, un des gardiens demanda : « Si elle ne mange pas les poissons, Gringalette peut les avoir ? Elle a très faim ; d'ailleurs, elle a toujours faim.

— Les dragons peuvent-ils les manger sans risque ? Sont-ils comestibles ? fit Alise d'un ton inquiet. Ils me paraissent bizarres ; mieux vaudrait nous montrer prudents.

— Ce sont des poissons du grand lac bleu ; je connais ces espèces. Celle qui a le ventre rouge convient pour les dragons, mais elle est toxique pour les humains ; l'autre est mangeable par tous. »

Alise se tourna en entendant la voix de Mercor. Le dragon d'or s'approchait du groupe avec une grâce et une dignité pesantes ; ce n'était peut-être pas le plus grand de son espèce, mais c'était assurément le plus imposant.

« Le grand lac bleu ? répéta-t-elle.

— C'est un lac alimenté par plusieurs rivières, et la source de ce que vous appelez le fleuve du désert des Pluies. C'était une immense étendue d'eau dont la surface augmentait encore pendant la saison pluvieuse, et la pêche y était excellente. À l'époque que je me rappelle, on aurait regardé comme du menu fretin les poissons que tu as tués aujourd'hui. » Plongé dans ses souvenirs, Mercor prit un ton plus distant. « Les Anciens pratiquaient la pêche dans des bateaux aux voiles vivement colorées. Vu du ciel, c'était un spectacle ravissant que celui du vaste lac bleu piqueté de ces voiles. Il existait peu de villages sur les berges à cause des inondations chroniques, mais des Anciens fortunés s'y installaient des résidences bâties sur des jetées ou y faisaient conduire des bateaux aménagés en habitations pour l'été.

— À quelle distance se trouvait le grand lac bleu de Kelsingra ? » Alise retint sa respiration en attendant la réponse.

« À vol de dragon ? Pas très loin. » Il y avait de l'humour dans le ton de Mercor. « Nous n'avions aucun mal à traverser le lac en volant, après quoi nous tirions tout droit au lieu de suivre les méandres du fleuve. Mais, à mon avis, ce n'est pas parce que nous avons découvert ces poissons que nous sommes à proximité du grand lac bleu ni de Kelsingra ; ces animaux se déplacent. » Il leva la tête et parcourut les environs du regard. « Les dragons aussi doivent se déplacer ; le jour passe. Il est temps que nous mangions puis reprenions notre route. »

Là-dessus, il se dirigea vers le poisson au ventre rouge, courba le cou et s'en empara tranquillement. Plusieurs autres dragons s'approchèrent du poisson plat, et, la première, la petite Gringalette y planta ses crocs. Les soigneurs s'écartèrent ; aucun ne paraissait tenir à s'approprier une part de la chair.

Comme ils retournaient tous à leurs lits et à leurs feux de bivouac, Leftrin offrit son bras à Alise. Elle le prit, et il dit : « Mieux vaudrait quitter vos vêtements trempés aussitôt que possible ; l'eau du fleuve est douce aujourd'hui, mais plus elle reste en contact avec la peau, plus vous avez de risque de faire une réaction. »

Comme en réponse, elle prit conscience que son col la démangeait et que la taille de son pantalon l'irritait. « Ça me paraît judicieux, en effet.

— Certainement. D'ailleurs, qu'est-ce qui vous a pris de vous mêler de la pêche de Thymara ? »

L'amusement qu'elle perçut dans sa voix la hérissa. « Je voulais apprendre à faire quelque chose d'utile, répondit-elle avec raideur.

— Plus utile qu'acquérir des informations sur les dragons ? » Son ton conciliant offensa encore plus la jeune femme.

« Ce que je découvre sur eux est appréciable, certes, mais je ne suis pas sûre que ce soit utile à l'expédition. Si je disposais d'un talent plus concret, comme rapporter de quoi manger ou…

— Vous ne croyez pas que les renseignements que vous venez d'obtenir de Mercor sont importants ? Je ne pense pas que quelqu'un d'autre aurait su lui tirer les vers du nez.

— J'ignore si ces informations ont un quelconque intérêt. » Alise s'efforçait de rester sur la défensive, mais Leftrin savait trop bien comment l'apaiser ; en outre, l'angle sous lequel il voyait sa conversation avec le dragon l'intriguait.

« Mercor a raison : les poissons ne séjournent pas toujours au même endroit ; ils se déplacent. Mais, c'est vrai, nous n'en avions pas vu de ce genre jusqu'ici ; j'en déduis que nous nous rapprochons peut-être du site où ils vivaient autrefois. Si leurs ancêtres venaient d'un lac situé sur le fleuve avant d'arriver à Kelsingra, c'est que nous sommes dans la bonne direction et qu'il y a encore de l'espoir de trouver cette ville. Je finissais par craindre que nous l'ayons dépassée sans nous en rendre compte. »

Elle en demeura pantoise. « Je n'y avais même pas pensé !

— Ma foi, j'y songe depuis un moment. À voir votre ami Sédric malade comme un chien et vous complètement abattue, je commençais à me demander si ça valait la peine de continuer. Peut-être que l'expédition ne servait à rien et ne menait nulle part. Mais je veux voir dans ces poissons le signe que nous sommes sur la bonne piste et qu'il faut poursuivre le voyage.

— Jusqu'à quand ? »

Il se tut un instant avant de répondre. « Jusqu'à ce que nous baissions les bras, sans doute.

— Et comment saurons-nous que le moment est venu ? » L'irritation tournait à la brûlure, et Alise accéléra le pas. Sans rien dire, Leftrin allongea sa foulée pour se tenir à sa hauteur.

« Quand il deviendra évident que notre expédition n'aboutira jamais, murmura-t-il. Si le fleuve devient si peu profond que même Mataf ne peut plus rester à flot, ou si les pluies d'hiver arrivent, que le fleuve enfle et que le courant devient si rapide que nous ne parvenons plus à le remonter. C'est ce que je me suis dit tout d'abord. Pour être franc, Alise, cette aventure a pris une tournure à laquelle je ne m'attendais pas ; je pensais qu'au point où nous en sommes nous n'aurions plus autour de nous que des dragons morts ou à l'agonie, sans parler des gardiens blessés, malades ou enfuis ; or j'ai fini par apprécier ces jeunes plus que je ne veux l'avouer, et même par admirer certains des dragons. Mercor, par exemple : il a du cœur et du courage ; il est allé repêcher Thymara alors que je la croyais morte à coup sûr. » Il eut un petit rire et secoua la tête. « Il faut admettre qu'elle est coriace ; elle s'est relevée sans une larme, sans une plainte, comme si de rien n'était. Ils grandissent tous un peu chaque jour, les gardiens comme les dragons.

— Plus encore que vous ne l'imaginez », déclara-t-elle. Elle tira sur son col. « Leftrin, je vais devoir regagner le bateau au pas de course ; la peau commence à me brûler.

— Que vouliez-vous dire ? » lança-t-il alors qu'elle s'éloignait à toutes jambes, mais elle ne répondit pas. Il marchait plus lourdement qu'elle, et elle le distança facilement. « Je vais vous tirer de l'eau propre ! » lui cria-t-il tandis qu'elle s'enfuyait, la peau brûlée, vers Mataf.

Sintara avançait d'un pas hautain sur la berge, abandonnant les poissons qu'elle avait rapportés à terre alors que les gardiens allaient les laisser échapper. Et elle n'en avait même pas eu une bouchée, tout cela par la faute de Thymara qui ne s'était pas écartée à temps quand la dragonne s'était jetée à l'eau.

Elle trouvait les humains d'une stupidité insupportable. Qu'espérait donc cette gamine ? Que Sintara jouât les animaux de compagnie câlins et enamourés ? Qu'elle s'efforçât de combler toutes les lacunes de son existence de moucheron ? Qu'elle prenne un compagnon si elle cherchait ce genre de relation ! Elle ne comprenait pas pourquoi les humains aspiraient toujours à ces contacts intenses ; leurs pensées ne leur suffisaient-elles pas ? Pourquoi demandaient-ils aux autres de pallier leurs manques au lieu de s'occuper d'eux-mêmes, tout simplement ?

La tristesse de Thymara était comme un moustique zonzonnant à son oreille. Depuis que son sang avait éclaboussé le visage et les lèvres de la jeune fille, elle sentait sa présence de façon très désagréable. Elle n'y pouvait rien ; elle n'avait nullement l'intention de partager son sang avec elle ni d'élaborer cette conscience mutuelle qui existerait désormais pour toujours ; et elle n'avait jamais cherché à accélérer les changements que Thymara subissait. Elle n'avait nul désir de créer un Ancien ni d'y consacrer le temps et la réflexion que le processus exigeait. Que d'autres s'adonnent à un passe-temps aussi suranné s'ils le souhaitaient ! Les humains avaient une espérance de vie excessivement brève ; même quand les dragons les modifiaient de façon à allonger leur existence de multiples fois, ils ne duraient encore qu'une fraction de la vie d'un dragon. Dans ces conditions, pourquoi prendre la peine d'en former et de s'attacher à eux alors qu'ils devaient mourir peu après ?

Et maintenant Thymara était partie bouder dans son coin, ou pleurer ; parfois, la différence paraissait insignifiante à Sintara. Ah ! Voilà qu'elle pleurait, à présent, comme si pleurer représentait une solution à un problème et non une réaction désordonnée propre aux humains face à toute difficulté. Partager les sensations de ses larmes douloureuses, de son nez qui coulait et de sa gorge serrée dégoûtait la dragonne ; elle avait envie de rabrouer Thymara, mais elle n'eût fait que piailler davantage. Aussi prit-elle sur elle pour tendre doucement son esprit vers la jeune fille.

Thymara, je t'en prie, cesse tes bêtises. C'est gênant pour tout le monde.

Elle ne perçut qu'un sentiment de rejet en retour. Pas même une pensée cohérente : rien qu'un effort futile pour chasser la dragonne de sa tête. Quelle grossièreté ! Comme si Sintara avait envie de sentir sa présence !

La dragonne trouva un coin de soleil sur la berge et s'y allongea. *N'essaie pas d'entrer dans ma tête !* lança-t-elle à la jeune fille, et elle détourna d'elle ses pensées, mais elle ne put complètement étouffer une vague sensation de peine et de désolation.

Quatorzième jour de la Lune de la Prière

Sixième année de l'Alliance Indépendante des Marchands

De Detozi, Gardienne des Oiseaux, Trehaug, à Erek, Gardien des Oiseaux, Terrilville

Envoyé ce jour par bateau vingt-cinq de mes oiseaux à bord de la vivenef Dune d'Or. Le capitaine vous porte le paiement à l'intention du Conseil des Marchands du désert des Pluies de Trehaug pour trois sacs d'un quintal de pois jaunes destinés à l'alimentation des pigeons.

Erek,

J'ai enfin convaincu le Conseil de l'intérêt d'un bon régime pour les oiseaux ; je lui ai aussi présenté plusieurs pigeons royaux, y compris deux jeunes en pleine croissance, en expliquant qu'ils pouvaient pondre deux œufs tous les seize jours, et qu'un couple pondait souvent deux œufs de plus dès l'éclosion de la première portée, si bien que des oiseaux élevés en plein air peuvent produire à flux continu des pigeonneaux à viande. Les membres ont paru sensibles à cette idée.

Concernant Meldar et Finbok, je ne puis que vous répéter ce que j'ai entendu à Cassaric : la femme paraissait tenir à partir avec l'expédition, et elle s'est engagée comme membre de l'équipage sous contrat ; Meldar, lui, semble l'avoir simplement suivie. Le bateau n'a pas embarqué d'oiseaux messagers, négligence stupide à mon sens. Nous ne saurons rien d'eux avant leur retour ou l'annonce qu'ils ne reviendront pas. Je regrette de n'avoir pas davantage de détails à fournir à leurs familles.

Detozi

4

Encre bleue, pluie noire

Alise était assise, raide, à la table de la coquerie. Dehors, le soir virait à la nuit. La jeune femme portait une longue robe pudique, quoique exotique, en tissu moelleux, dont elle ignorait dans quelle matière elle était faite. Belline pénétra dans la pièce, sans bruit comme à son habitude ; elle haussa ses sourcils noirs d'un air à la fois surpris et approbateur, adressa un sourire de connivence à Alise qui rougit, et poursuivit son chemin. La Terrilvillienne baissa la tête en souriant.

Belline était devenue une amie comme elle n'en avait jamais eu. Elles avaient des conversations brèves mais intenses. Une fois, Belline était passée près d'Alise accoudée au bastingage ; s'arrêtant, elle avait dit : « Nous autres du désert des Pluies, nous n'avons pas une longue vie ; alors il faut qu'on saute sur les occasions qui se présentent ou qu'on soit capables de reconnaître qu'on ne les aura pas, de les laisser passer et d'en chercher d'autres. Mais un homme de chez nous ne peut pas patienter éternellement s'il ne veut pas perdre son existence. »

Elle n'avait pas attendu la réponse d'Alise ; elle paraissait savoir quand la jeune femme avait besoin de réfléchir à ce qu'elle lui disait. Mais, ce soir, son sourire laissait entendre qu'Alise approchait d'une décision qui lui plaisait. La jeune femme poussa un grand soupir. Était-ce vrai ?

Leftrin lui avait donné la robe soyeuse et collante après que sa mésaventure au bord du fleuve avait laissé sa peau si enflammée qu'elle supportait à peine le contact d'aucun vêtement ; deux jours après son bain forcé, elle restait sensible. La robe était de facture Ancienne, elle en avait la certitude ; scintillante et couleur de cuivre, elle avait plus l'aspect d'une très fine résille que d'un tissu, et elle murmurait doucement contre son corps quand Alise bougeait, comme si elle voulait divulguer les secrets de la princesse Ancienne à qui elle appartenait en des temps oubliés. Son contact apaisait les irritations cutanées d'Alise, qui avait été étonnée de constater qu'un simple capitaine de gabare possédât un tel trésor.

« Simple marchandise de commerce, avait-il expliqué d'un air désinvolte. J'aimerais que vous la gardiez », avait-il ajouté d'un ton bourru, comme s'il ignorait comment offrir un présent. Il avait tant rougi lorsqu'elle l'avait remercié avec effusion que les écailles de ses pommettes et le long de son front ressemblaient à de la cote de mailles argentée. Naguère, ce spectacle eût paru répugnant à la jeune femme, mais aujourd'hui elle éprouvait une excitation érotique en imaginant qu'elle caressait ces écailles du bout des doigts. Elle s'était détournée, le cœur battant.

Elle lissa le tissu cuivré sur ses cuisses. C'était le deuxième jour qu'elle portait le vêtement ; à la fois fraîche et tiède, la robe apaisait la brûlure des milliers de petites cloques que l'eau du fleuve avait fait naître sur sa peau. Alise savait que le tissu la moulait plus qu'il n'était convenable ; même Souarge, habituellement rassis, lui avait lancé un regard admiratif quand elle l'avait croisé sur le pont, et la tête lui avait tourné comme à une adolescente. Elle éprouvait presque du soulagement à savoir Sédric alité : il eût certainement réprouvé sa tenue.

La porte s'ouvrit, et Leftrin entra. « Encore en train d'écrire ? Vous me sidérez ! Je ne peux pas tenir une plume plus d'une dizaine de lignes sans attraper une crampe. Que notez-vous ?

— Ah, quelle histoire ! J'ai étudié toutes les notes et tous les croquis que vous avez faits du fleuve ; vous êtes aussi obsédé par la documentation que moi. Quant à ce que j'écris, je rapporte les détails d'une conversation que j'ai eue avec Ranculos hier soir. En l'absence de Sédric, je dois prendre moi-même des notes au vol, puis combler les blancs par la suite. Enfin, enfin, les dragons commencent à me faire part de certains de leurs souvenirs – pas beaucoup, et parfois incohérents, mais toute information, même parcellaire, est utile. L'ensemble forme un tout passionnant. » Elle tapota son journal relié en cuir ; lui et sa serviette à dessins étaient neufs et luisants quand elle avait quitté Terrilville ; à présent, ils présentaient des taches et des balafres, et les frottements avaient assombri le cuir. Alise sourit : ils avaient l'air de sortir du sac d'un aventurier, non de la cabine d'une maîtresse de maison vaguement toquée.

« Eh bien, lisez-moi un peu ce que vous avez noté, alors », demanda Leftrin tout en se déplaçant dans la coquerie. Il prit la lourde bouilloire posée sur le fourneau et se versa une tasse d'épais café avant de s'asseoir en face d'Alise.

Elle se sentit soudain aussi timide qu'une enfant ; elle n'avait nulle envie de lire tout haut son traité embelli de ses connaissances : elle craignait que son texte ne parût lourd et futile. « Je vais vous en faire un résumé, fit-elle en hâte. Ranculos parlait des cloques que j'ai sur les mains et le visage, et il me disait que, si c'étaient des écailles, je serais ravissante ; je lui ai alors demandé si cela tiendrait à ce que ma peau ressemblerait davantage à celle d'un dragon, et il m'a répondu : "Naturellement ; il n'y a rien de plus beau que la peau d'un dragon." Puis il a dit – enfin, il a laissé entendre que plus les humains fréquentent les dragons, plus ils ont de chances de commencer à subir les changements qui en feront des Anciens ; à ce que j'ai compris, autrefois, un dragon pouvait décider d'accélérer ces modifications s'il en jugeait un humain digne, mais Ranculos n'a pas précisé par quels moyens. Néanmoins, j'ai déduit de ses propos qu'on trouvait des humains ordinaires aussi bien que des Anciens dans leurs cités ; il l'a reconnu, mais il a ajouté que les humains avaient leurs propres quartiers à la périphérie de la ville ; certains fermiers, certains commerçants habitaient de l'autre côté du fleuve, à l'écart des Anciens et des dragons.

— Et c'est important ? » demanda Leftrin.

Elle sourit. « Tous les détails que j'obtiens sont importants, capitaine. »

Il tapota du doigt l'épaisse serviette en cuir. « Et ça, c'est quoi ? Je vous vois écrire tout le temps dans votre journal, mais ça, on dirait que vous le traînez partout sans jamais l'ouvrir.

— Mais c'est mon trésor, monsieur ! C'est tout le savoir que j'ai glané au cours de mes années de recherches. J'ai eu la chance extrême d'avoir accès à nombre de manuscrits rares, et même à des cartes de l'époque des Anciens. » Elle éclata de rire, craignant de paraître prétentieuse.

Leftrin haussa ses sourcils broussailleux qui lui donnaient un air adorable. « Et vous avez tout apporté dans cette serviette ?

— Non, bien sûr ! Beaucoup sont trop fragiles, et tous ont trop de valeur pour les risquer dans un voyage ; non, il s'agit seulement de mes copies et de mes traductions – et de mes notes, évidemment ; de mes hypothèses sur le contenu des parties manquantes et de mes essais d'interprétation des caractères inconnus. Tout est là. » Elle caressa d'un geste affectueux le sac de cuir ventru.

« Je peux regarder ? »

Surprise, elle répondit : « Naturellement ; mais je ne sais pas si vous saurez déchiffrer mes gribouillis. » Elle défit les larges lanières à grosses boucles de cuivre et ouvrit la serviette. Comme toujours, un petit frisson de plaisir la parcourut à la vue de l'épaisse liasse de papier couleur crème. Leftrin se pencha par-dessus son épaule et observa avec curiosité les pages de transcription qu'elle tournait devant lui. Son haleine tiède sur son oreille lui procurait une émotion qu'elle adorait.

Elle tomba sur le manuscrit, laborieusement recopié par ses soins, du Niveau Sept de Trehaug ; elle avait méticuleusement reproduit chaque caractère de l'écriture Ancienne et, autant qu'elle le pouvait, les traits arachnéens des dessins mystérieux qui encadraient le texte. La feuille suivante, d'excellent papier, portait sa copie, en encre de qualité, des traductions de Klimer de six parchemins Anciens, auxquelles elle avait apporté ses ajouts et ses corrections à l'encre rouge, tandis qu'elle avait employé une encre bleue pour ses notes et ses références à d'autres documents.

« Mais c'est très détaillé ! s'exclama le capitaine d'un ton admiratif qui lui réchauffa le cœur.

— Ce sont des années de travail », répondit-elle avec modestie. Elle tourna plusieurs pages pour révéler une copie de sa main d'une tapisserie Ancienne ; un motif de feuilles, de coquillages et de poissons encadrait une œuvre abstraite dans les tons bleu et vert. « Personne ne sait ce que représente ce dessin ; peut-être a-t-il été endommagé, ou bien il est inachevé. »

Il haussa de nouveau les sourcils. « Ma foi, je n'y vois rien de compliqué : c'est une carte de l'embouchure d'un fleuve qui indique les points de mouillage. » Délicatement, il suivit les contours du dessin d'un index couvert d'écailles. « Vous voyez, ça, c'est le meilleur chenal, en différentes nuances de bleu pour symboliser les hauteurs d'eau à marée haute et basse ; quant à cette partie noire, ça pourrait être le chenal destiné aux bateaux à fort tirant d'eau, ou l'indication d'un flot dangereux, ou d'un courant de retour. »

Elle examina la feuille de plus près puis leva les yeux vers le capitaine, étonnée. « Oui, je vois maintenant. Reconnaissez-vous la région ? demanda-t-elle, fébrile.

— Non, je n'ai jamais été par là. Mais c'est la carte d'un fleuve, qui s'intéresse uniquement à l'eau et laisse de côté les détails de la terre, je suis prêt à le parier.

— Asseyez-vous donc près de moi et expliquez-moi ce qu'on voit, proposa Alise. Que représentent ces lignes ondulées, par exemple ? »

Il secoua la tête d'un air de regret. « Je n'ai pas le temps pour le moment, malheureusement. Je suis seulement venu prendre une tasse de café en vitesse et m'abriter un moment du vent et de la pluie. Le soir tombe, mais les dragons n'ont pas l'air de vouloir s'arrêter pour la nuit, alors il vaut mieux que je reste dehors : on n'a jamais assez d'yeux sur un bateau quand on navigue de nuit sur le fleuve.

— Vous craignez toujours un passage d'eau blanche ? »

Leftrin se gratta la barbe puis secoua la tête. « Le danger s'est éloigné, je pense. Mais c'est difficile à dire ; la pluie est sale, elle sent la suie, et elle laisse des traces noires sur le pont ; ça veut dire qu'il se passe quelque chose quelque part. Je n'ai vu de vraies crues blanches que deux fois dans ma vie, et c'était toujours deux jours environ après un tremblement de terre. Des variations de l'acidité de l'eau, ça n'a rien de rare, mais j'ai le sentiment que, si nous devions avoir de l'eau blanche, ce serait déjà fait.

— Eh bien, c'est rassurant. » Elle chercha autre chose à dire pour obliger Leftrin à rester dans la coquerie à lui parler ; mais elle savait qu'il avait du travail, et elle renonça à ses gamineries.

« Je dois y aller », dit-il à contrecœur, et, avec une émotion digne d'une adolescente, elle sentit brusquement que lui aussi souhaitait demeurer auprès d'elle. Elle eut du coup moins de mal à le laisser partir.

« Oui, Mataf a besoin de vous.

— Ma foi, il y a des jours où je me le demande. Pourtant il faut quand même que j'aille surveiller le fleuve. » Il se tut puis ajouta avec audace : « Mais j'aimerais mieux vous regarder, vous. »

Elle baissa la tête, rougissante, et il éclata de rire. Puis il sortit, et le vent claqua la porte derrière lui. Alise sourit en songeant à l'écervelée qu'elle devenait avec lui.

Comme elle s'apprêtait à tremper sa plume dans l'encrier, elle pensa qu'il lui fallait de l'encre bleue pour noter l'interprétation de Leftrin sur la feuille ; oui, de l'encre bleue, et elle lui laisserait l'honneur de la découverte. Elle se plut à imaginer que, dans les décennies à venir, d'autres chercheurs liraient le nom de Leftrin et sauraient qu'un simple capitaine de gabare avait élucidé un problème qui mystifiait leurs collègues. Elle trouva la petite bouteille, la déboucha et y plongea sa plume. La pointe ressortit sèche.

Elle observa le flacon par transparence. Avait-elle donc tant écrit pendant le voyage ? Sans doute ; elle avait vu tant de choses qui lui avaient donné de nouvelles idées ou l'avaient obligée à réviser ses anciennes conceptions ! Peut-être pouvait-elle ajouter de l'eau au pigment restant ? Elle fronça les sourcils. Non ; elle n'y recourrait qu'en dernier ressort. Sédric avait de l'encre en quantité dans son écritoire, et puis elle n'était pas passée chez lui depuis le matin ; cela lui fournirait un prétexte pour voir comment il se portait.

Sédric se réveilla, non pas d'un seul coup, mais comme s'il remontait d'une longue plongée dans une eau sombre. Le sommeil s'écoula de son esprit comme l'eau de ses cheveux et sur sa peau. Il ouvrit les yeux et retrouva la pénombre familière de sa cabine. Pourtant, il y avait une différence : l'air était un peu plus frais que d'habitude. On avait récemment ouvert sa porte, et on était entré.

Il finit par distinguer une silhouette accroupie près de son lit, et il perçut le tapotis discret de mains voleuses sur son coffre à vêtements. Très lentement, il se déplaça de façon à voir par-dessus le bord de sa couchette. Il faisait sombre dans la pièce ; dehors, le jour mourait, et il n'avait pas de lampe. Le seul éclairage provenait de la petite « fenêtre » qui servait aussi à la ventilation.

Pourtant, la créature luisait d'un chaud éclat cuivré et semblait réfléchir une lumière qui ne la touchait pas ; elle bougea, et un scintillement parcourut son échine écailleuse. Elle palpait le coffre à vêtement à la recherche du tiroir dissimulé qui contenait les fioles du sang qu'il lui avait volé.

Submergé de terreur, il crut que ses sphincters allaient le trahir. « Je regrette ! s'écria-t-il. Je regrette ! Je ne savais pas ce que tu étais ! Je t'en prie, laisse-moi, par pitié ! N'entre plus dans mon esprit, je t'en supplie !

— Sédric ? » La dragonne cuivrée se dressa sur ses pattes arrière et revêtit soudain l'aspect d'Alise. « Sédric ! Tu vas bien ? Tu as la fièvre, ou bien es-tu en plein rêve ? » Elle posa une main tiède sur son front humide, et il s'écarta d'un mouvement convulsif. C'était Alise, seulement Alise !

« Pourquoi portes-tu une peau de dragon ? Et pourquoi fouilles-tu dans mes affaires ? » Sous le choc, il avait pris un ton à la fois accusateur et indigné.

« Je… Une peau de dragon ? Ah, non, c'est une robe ; le capitaine Leftrin me l'a prêtée. Elle a été confectionnée par les Anciens et elle est absolument ravissante ; et puis elle ne m'irrite pas la peau. Tiens, touche la manche. » Et elle lui tendit le bras.

Il ne fit pas un geste pour tâter le tissu miroitant, ce tissu fabriqué par les Anciens, compagnons des dragons. « Ça n'explique pas pourquoi tu t'introduis chez moi en cachette pour fureter dans mes affaires ! fit-il, agacé.

— Mais c'est faux ! Je ne suis pas entrée en cachette ! J'ai frappé, et, comme tu ne répondais pas, j'ai ouvert la porte. Elle n'était pas fermée, et tu dormais ; tu avais l'air si fatigué ces derniers jours que je n'ai pas voulu te réveiller. C'est tout. Je cherche seulement de l'encre, de l'encre bleue. Tu ne la ranges pas dans ta petite écritoire ? Ah, voilà ! Je t'en prends un peu et je te laisse.

— Non ! N'ouvre pas ça ! Donne-le-moi ! »

Elle se figea alors qu'elle s'apprêtait à défaire le verrou, et, dans un silence de mort, elle lui tendit le petit bureau. Il ne le lui arracha pas des mains, mais il était manifestement soulagé de le récupérer, et il le posa sur le lit à côté de lui de façon à le cacher à Alise. Il l'entrouvrit et y glissa la main pour chercher à tâtons ses bouteilles d'encre. La chance lui sourit : il en saisit une bleue. Il l'offrit à la jeune femme en disant en guise d'excuses : « Je dormais quand tu es entrée, et je ne me sens pas bien.

— Ça se voit, répondit-elle fraîchement. Je n'ai besoin de rien d'autre, merci. » Elle lui prit le flacon des mains. Comme elle sortait, elle murmura assez fort pour qu'il l'entendît : « En cachette !

— Je regrette ! » lança-t-il, mais elle ferma la porte sans répliquer.

Il quitta alors son lit pour fermer le verrou derrière elle, puis il s'agenouilla devant le tiroir secret. « Ce n'était qu'Alise », se dit-il tout bas. Oui, mais qui savait ce que la dragonne cuivrée lui avait raconté ? Il s'efforça maladroitement d'ouvrir le tiroir qui se bloqua, puis il se contraignit au calme pour en sortir soigneusement le flacon de sang de dragon. Il l'avait toujours ; tout allait bien.

Et la dragonne le tenait toujours.

Il ne savait plus combien de jours avaient passé depuis qu'il avait goûté au sang de la créature. Sa conscience se dédoublait sans cesse comme la vision lorsqu'on a reçu un coup sur la tête ; un instant, il était presque lui-même, morose et accablé, mais lui-même, et puis un raz-de-marée de sensations et de souvenirs brumeux le submergeait alors que les impressions confuses de la dragonne se mêlaient aux siennes. Parfois, il s'efforçait de lui rendre le monde compréhensible. *Tu es en train de marcher dans l'eau, pas de voler ; par moments, elle te soulève et tu perds pied avec le fond, mais ça ne s'appelle pas voler. Tes ailes ne sont pas assez solides pour te porter.*

Parfois aussi, il l'encourageait. *Les autres sont presque hors de vue ; essaye d'avancer plus vite. Tu peux y arriver ; déplace-toi vers la gauche, où l'eau est moins profonde. Tu vois ? Tu marches plus facilement maintenant, non ? C'est bien. Continue. Je sais que tu as faim ; surveille ce qui t'entoure : tu pourras peut-être attraper un poisson.*

Quelquefois, il éprouvait une vague fierté à se montrer bienveillant avec elle, mais, en d'autres occasions, il avait le sentiment de passer sa vie à s'occuper d'un enfant à l'intelligence très limitée. En faisant un effort, il réussissait à bloquer en grande partie la conscience qu'il avait de la dragonne, mais, si elle ressentait de la douleur, si sa faim devenait trop forte, ou si quelque chose l'effrayait, ses pensées obscures envahissaient brusquement les siennes. Même s'il parvenait à ne pas partager ses lents processus mentaux, il ne pouvait pas échapper à ses sensations constantes de fatigue et de faim, et ses « pourquoi ? » désolés résonnaient à chaque instant de ses journées, ce qui n'arrangeait pas son propre accablement, car il se posait exactement la même question sur son sort. Le pire, c'était quand elle s'efforçait de comprendre les pensées de Sédric ; elle n'imaginait pas qu'il lui arrivait de dormir et de rêver. Elle pénétrait dans ses songes pour lui proposer de tuer Hest ou pour tâcher de le réconforter par sa présence. C'était étrange, de façon excessive ; Sédric était épuisé à double titre, à force de mal dormir et de partager la lutte incessante et morne de la dragonne.

La vie à bord de la gabare avait pris un aspect curieux à ses yeux. Il restait dans sa cabine autant qu'il le pouvait, et pourtant il ne connaissait pas la solitude ; même quand la dragonne ne s'introduisait pas dans ses pensées, il n'était pas seul. Alise, taraudée par la culpabilité, ne le laissait pas tranquille ; chaque matin, chaque après-midi, et chaque soir avant d'aller se coucher, elle passait lui rendre une visite brève et contrainte. Il n'avait nulle envie de l'entendre jacasser avec enthousiasme de sa journée et il n'osait rien lui dire, mais il ne voyait pas de façon gracieuse de la faire taire et de la mettre à la porte.

Davvie venait juste après Alise en matière de calamité. Sédric ne comprenait pas la fascination que Davvie éprouvait pour lui. Pourquoi ne pouvait-il se contenter de lui apporter son repas sur un plateau et de s'en aller ? Mais non, l'adolescent le dévorait des yeux, prêt à lui rendre le plus menu service, allant jusqu'à proposer de laver ses chemises et ses chaussettes, offre qui faisait frémir Sédric. À deux reprises, il s'était montré grossier avec Davvie, non par plaisir, mais parce qu'il ne voyait pas d'autre moyen de l'obliger à sortir, et, chaque fois, cette réaction avait si manifestement accablé le jeune homme que Sédric s'était traité de monstre.

Il fit tourner entre ses doigts la fiole de sang qu'il tenait pour en observer les tourbillons et la luisance dans la pénombre. Même quand il immobilisa le flacon, le liquide rouge poursuivit sa lente danse ; il irradiait une lumière propre, et, rouges sur fond rouge, les volutes s'entremêlaient dans la petite bouteille. Tentation ou obsession ? se demanda-t-il sans que lui vînt aucune réponse. Le sang l'attirait. Sédric tenait une rançon de roi dans sa main, à condition qu'il pût l'apporter en Chalcède ; mais il attachait déjà une grande importance au seul fait de posséder cette fiole. Voulait-il y goûter encore ? Il l'ignorait ; il n'avait pas envie de revivre cette expérience, et il craignait, s'il cédait à cette impulsion, de se retrouver encore plus étroitement lié à la dragonne, ou à d'autres dragons.

En fin d'après-midi, alors qu'il était discrètement sorti sur le pont pour prendre l'air, il avait entendu Mercor s'adresser à ses congénères. Il en avait appelé deux par leur nom. « Sestican ! Ranculos ! Cessez de vous disputer ! Gardez vos forces pour affronter le fleuve. Demain, nous reprenons le voyage. » Sédric était resté pétrifié, les paroles du dragon vibrant encore dans son esprit. Il les avait perçues avec une clarté parfaite. Avait-il entendu les coups de trompe ou les reniflements par lesquels les dragons transmettaient leur pensée ? Il n'en savait rien. Les dragons parlaient entre eux, raisonnaient entre eux exactement comme les hommes. Le vertige l'avait saisi, mêlé d'un sentiment de culpabilité. Abattu, voyant tout tourner, il avait regagné sa cabine d'un pas chancelant et refermé la porte derrière lui. « Ça ne peut pas durer ainsi ; c'est impossible », avait-il dit tout haut. Et, aussitôt, il avait senti une interrogation soucieuse de la dragonne cuivrée ; elle percevait son émoi et s'inquiétait pour lui.

Non, je vais bien. Va-t'en ; laisse-moi tranquille ! Il l'avait repoussée, et elle s'était retirée, attristée par sa dureté. « Ça ne peut pas durer », avait-il répété, avec la nostalgie de l'époque où nul ne partageait ses pensées. Il inclina le flacon de sang. S'il le buvait entièrement, en mourrait-il ?

S'il tuait la dragonne, son esprit redeviendrait-il sa propriété privée ?

Des coups secs ébranlèrent la porte. « Une minute ! » s'exclama-t-il plus fort qu'il ne le voulait, sous l'effet de la terreur et de la colère. Il n'avait pas le temps de cacher la fiole convenablement ; il l'enroula dans une chemise sale et la fourra sous sa couverture. « Qui est-ce ? demanda-t-il, un peu tardivement.

— Carson. J'aimerais vous parler, s'il vous plaît. »

Carson ! Encore un qui ne pouvait pas le laisser tranquille. Les chasseurs s'en allaient pendant la journée gagner leur salaire, mais si Sédric avait le malheur de se lever tôt ou de se risquer le soir dans la coquerie, l'homme apparaissait toujours sur son chemin. À deux reprises, il était entré dans sa cabine quand Davvie s'y trouvait pour rappeler à l'adolescent qu'il ne devait pas déranger Sédric. Chaque fois, le garçon avait obéi, mais à contrecœur, et, chaque fois, Carson avait tardé à le suivre ; il tâchait de lancer la conversation, demandant à Sédric à quoi ressemblait la vie dans une ville civilisée comme Terrilville et s'il avait déjà visité d'autres cités ; Sédric répondait brièvement, mais l'autre ne paraissait pas se rendre compte de sa rudesse, et il persistait à le traiter avec une courtoisie bienveillante qui contrastait fort avec ses vêtements grossiers et la brutalité de son métier.

La dernière fois qu'il était venu chasser l'adolescent, il avait pris sa place au bout de la couchette de Sédric et avait commencé à lui parler de lui-même. Il menait une existence solitaire, sans épouse, sans enfant, seul maître de son destin, vivant pour lui-même comme il l'entendait. Il avait pris en charge Davvie, son neveu, parce qu'il lui prévoyait une existence semblable, si Sédric voyait où il voulait en venir. Mais Sédric ne voyait rien du tout ; il avait achevé son dîner puis s'était mis à bâiller ostensiblement.

« Votre maladie vous fatigue encore, je crois ; j'espérais que vous vous sentiriez mieux, avait alors dit Carson. Je vais vous laisser vous reposer. » Puis, avec les gestes précis d'un homme qui a l'habitude de tout faire seul, il avait rangé les couverts et l'assiette de Sédric sur le plateau, qu'il avait emporté. Tout en pliant le carré de coton qui passait pour une serviette à bord de la gabare, il avait regardé Sédric avec un curieux sourire. « Ne bougez pas. » D'un bout du tissu, il avait nettoyé le coin de la bouche du Terrilvillien. « On voit que vous n'avez pas l'habitude d'avoir un peu de barbe. Ça demande de l'entretien ; personnellement, je pense que vous devriez vous raser. » Il s'était tu et avait parcouru des yeux la petite pièce mal tenue avec une expression entendue. « Et prendre un bain, et mettre de l'ordre. Je sais que vous n'êtes pas content d'être sur ce bateau, et je ne vous fais pas de reproches, mais ce n'est pas pour ça que vous devez cesser d'être ce que vous êtes. »

Et il était sorti, laissant Sédric à la fois abasourdi et offusqué. Il avait pris son petit miroir et approché la bougie pour s'examiner. Oui, il y avait de la soupe à la commissure de ses lèvres, accrochée aux poils ras qui y avaient poussé. Il y avait plusieurs jours qu'il ne s'était pas rasé, ni lavé complètement. Il se regarda dans la glace et nota son air hagard, accentué par ses cernes noirs et le chaume qui couvrait ses joues ; il avait les cheveux plats et mal coiffés. Mais la seule pensée de se rendre dans la coquerie pour y mettre de l'eau à chauffer afin de se raser et de se laver l'épuisait. Quel choc aurait Hest à le voir dans cet état !

Pourtant, cette idée ne l'avait pas davantage incité à prendre soin de lui ; il s'était rassis sur son lit, et son regard s'était perdu dans la pénombre. Peu importe ce que Hest penserait de lui en le découvrant couvert de sueur, mal rasé, dans une pièce jonchée de vêtements sales ; il devenait de plus en plus improbable que Hest le revît jamais, et tout cela par la faute du même Hest, qui, par esprit de vengeance stupide, l'avait obligé à partir chaperonner Alise. Lui arrivait-il seulement de penser à lui ? De se demander ce qui retardait son retour ? Sédric en doutait.

Il avait de plus en plus de questions concernant Hest.

À quatre pattes, il s'était étendu sur sa couchette, mieux faite pour un chien que pour un homme, et il avait dormi le reste de la journée.

Un nouveau coup à la porte le ramena à la réalité. « Sédric ? Ça va ? Répondez ou j'entre !

— Je vais bien. » Sédric avança jusqu'à la porte et défit le crochet qui la fermait. « Vous pouvez entrer, s'il le faut. »

Soit l'homme ne perçut pas la froideur de son ton, soit il n'en tint pas compte ; quoi qu'il en fût, Carson pénétra dans la cabine obscure, qu'il parcourut du regard. « À mon avis, vous vous sentiriez mieux à la lumière et au grand air que dans le noir, dans une pièce fermée, dit-il.

— Ce ne sont pas la lumière ni le grand air qui me guériront de mon mal », marmonna Sédric. Il leva les yeux vers le puissant chasseur barbu puis les détourna. Carson donnait l'impression de remplir la cabine par sa présence. Il avait un large front qui abritait de beaux yeux sombres sous d'épais sourcils. Sa barbe courte était du même roux que sa rude tignasse ; le vent avait rougi ses joues, et il avait les lèvres cramoisies et bien dessinées. Il parut sentir que Sédric l'observait, car il se lissa les cheveux d'un air gêné.

« Vous aviez besoin de quelque chose ? » demanda Sédric, plus sèchement qu'il n'en avait l'intention, et l'amitié qui se lisait dans le regard de Carson se teinta de défiance.

« À vrai dire, oui. » Il referma la porte derrière lui, replongeant la pièce dans la pénombre, chercha un siège et finit par s'asseoir sur le bout du lit sans y avoir été invité. « Écoutez, je vais vous parler sans détour, et ensuite je m'en vais ; je pense que vous comprendrez – enfin, je vous ferai comprendre d'une façon ou d'une autre. Davvie n'est qu'un enfant ; je ne veux pas qu'il souffre, et je ne veux pas qu'on se serve de lui. Son père et moi étions comme des frères, et je me suis rendu compte de la voie que suivait Davvie bien avant sa mère, si tant est qu'elle s'en soit rendu compte, ce qui m'étonnerait. » Il eut un rire sec puis jeta un regard à Sédric comme s'il attendait une réponse. Comme l'autre se taisait, il baissa les yeux vers ses grandes mains, qu'il frotta l'une contre l'autre comme si elles étaient douloureuses. « Vous voyez où je veux en venir ? demanda-t-il.

— Au fait que vous êtes comme un père pour Davvie ? » fit Sédric au hasard.

Carson éclata de rire à nouveau. « Autant que j'ai des chances de devenir père un jour ! » Il regarda de nouveau Sédric comme s'il espérait une réaction. Sédric lui rendit son regard, perplexe.

« Je vois », dit le chasseur ; il baissa la voix et prit un ton plus grave. « Je comprends. Je n'insisterai pas, n'ayez pas peur ; je vais vous parler franchement et je m'en irai. Davvie est très jeune ; vous êtes sans doute le plus bel homme qu'il ait jamais croisé, et il est amoureux de vous. J'ai bien tenté de lui faire comprendre qu'il est bien trop jeune et que vous êtes largement au-dessus de lui socialement, il ne veut rien entendre. Je ferai mon possible pour l'empêcher de vous approcher, et je vous serais reconnaissant de le tenir à distance. Quand il se sera rendu compte qu'il ne peut rien espérer, il oubliera bien vite cette histoire ; il vous en voudra peut-être même un peu, vous savez ce que c'est. Mais si vous vous moquez de lui, si vous parlez de lui de façon humiliante aux autres, vous aurez affaire à moi. »

Sédric le regardait fixement, le visage de pierre, tandis que son esprit comblait les sous-entendus du discours de Carson.

Le chasseur planta ses yeux dans ceux de Sédric. « Et, si je vous ai mal jugé et que vous êtes du genre à profiter d'un gamin, je ne vous lâcherai plus. C'est compris ?

— Très bien », répondit Sédric. Le sens de ce que disait Carson avait enfin pénétré sa conscience, et l'effarement le disputait en lui à l'embarras. Il avait les joues brûlantes et se réjouissait de l'obscurité de la cabine. Le chasseur ne le quittait pas du regard, et Sédric détourna les yeux. « Quant à ridiculiser Davvie auprès de l'équipage, je ne ferais jamais ça, et je vous demande de m'imiter en cela. Concernant votre garçon et son… béguin pour moi, ma foi (il avala sa salive), je n'avais rien vu ; et, même dans le cas contraire, je n'aurais pas profité de lui. Il est si jeune, c'est presque encore un enfant ! »

Carson acquiesçait de la tête, un petit sourire triste aux lèvres. « Je ne me suis pas trompé sur vous ; tant mieux. Vous n'aviez pas l'air du genre à ça, mais on ne sait jamais, surtout quand il s'agit d'un gosse comme Davvie qui a tendance à aller au-devant des ennuis. Il y a quelques mois, à Trehaug, il a mal jugé un jeune homme, il a dit ce qu'il ne fallait pas, et, rien que pour une proposition malvenue, l'autre l'a frappé deux fois en pleine figure avant que le petit puisse seulement se relever. Je n'ai pas eu le choix : j'ai dû intervenir, et j'ai le caractère emporté. Je crois que nous ne serons pas les bienvenus dans cette taverne avant un bon bout de temps. C'est pour ça, entre autres, que j'ai signé pour cette expédition, pour tenir Davvie à l'écart de la ville et des tentations pendant quelques mois, le temps qu'il apprenne un peu la discrétion et la maîtrise de soi. Je pensais lui éviter les ennuis, mais, dès qu'il vous a vu, je l'ai perdu – et je ne peux pas le lui reprocher. Enfin… » Il se leva soudain. « Je vais vous laisser. Le gosse ne vous apportera plus vos repas ; j'ai toujours pensé que c'était une mauvaise idée, mais je ne voyais pas quelle raison donner pour le lui interdire. Je vais dire à Leftrin que j'ai besoin de lui pour m'aider à chasser de quoi nourrir les dragons, et je l'emmènerai plus tôt que d'habitude. Il faudra peut-être que vous alliez vous-même chercher vos repas, à moins qu'Alise ne vous les apporte. » Il se tourna pour poser la main sur la porte. « Vous travaillez pour son mari, c'est ça ?

C'est ce qu'elle nous a dit le premier soir où je l'ai rencontrée : que vous l'accompagnez en général partout, et qu'elle ne comprend pas pourquoi il vous a envoyé avec elle ni comment il peut se débrouiller sans vous. Elle a de gros remords, vous le savez ? Que vous soyez ici et que ça vous contrarie.

— Je sais.

— Mais, pour ma part, je crois qu'elle ignore beaucoup de choses, et qu'il y a une autre raison à votre contrariété. J'ai raison ? »

Sédric en eut le souffle coupé. « Je ne crois pas que ça vous regarde. »

Carson lui jeta un coup d'œil par-dessus son épaule. « Peut-être ; mais je connais Leftrin depuis très longtemps, et je ne l'ai jamais vu aussi épris d'une femme que d'Alise ; et elle aussi m'a l'air drôlement amoureuse. Je me dis que, si son mari a réussi à obtenir un peu de joie dans sa vie, elle y a peut-être droit aussi, et Leftrin également. Ils trouveraient peut-être leur bonheur si elle se sentait libre de le chercher. »

Il souleva la clenche et commença d'ouvrir la porte. Sédric retrouva l'usage de la parole. « Vous allez tout lui dire ? »

Le grand chasseur ne répondit pas tout de suite, les yeux fixés à l'extérieur par la porte entrouverte. La nuit tombait. Enfin, il secoua sa tignasse. « Non, fit-il avec un soupir. Ce n'est pas à moi de le faire ; mais je crois que vous devriez. » Avec la grâce d'un félin, il sortit et referma le battant derrière lui, laissant Sédric seul avec ses pensées.

Ils avaient voyagé plus longtemps que d'habitude sous une pluie sale et brumeuse qui irritait la peau de Thymara. Dans l'après-midi, les berges boueuses étaient devenues inhospitalières, tapissées de végétation épineuse ; sur les hautes branches des arbres, les plantes grimpantes qui cherchaient le soleil croulaient sous des grappes de fruits rouges ; la pluie incessante couvrait les feuilles de minuscules diamants et grêlait la surface du fleuve. Harrikine avait tiré son canoë sur la rive dans l'espoir de récolter des fruits, mais n'avait vu ses efforts récompensés que par des égratignures et des taches de boue. Thymara, elle, n'avait même pas voulu s'y risquer ; elle savait par expérience que, pour atteindre ces fruits, il fallait arriver par au-dessus, et que l'aventure n'en restait pas moins douloureuse et périlleuse. Avec le temps qu'il lui faudrait pour repérer un chemin jusqu'au sommet des arbres, Kanaï et elle se retrouveraient bien loin derrière les autres. « Ce soir, peut-être, au bivouac », dit-elle à son compagnon en réponse aux regards d'envie qu'il lançait aux globes rouges.

Mais, comme le ciel s'éteignait et que les berges ne devenaient pas plus accueillantes, elle se résigna à passer la nuit à bord du *Mataf*, avec pour seul repas du pain dur et un peu de poisson en saumure. Les dragons, eux, avec leurs écailles, pouvaient se rapprocher de la base des arbres pour dormir, certes sans confort, mais au sec. Elle et les autres gardiens n'avaient pas cette possibilité, sa dernière expérience le lui avait prouvé ; ses écailles la couvraient de plus en plus, mais ce n'était pas la cotte de mailles qui protégeait les grandes créatures, et les crocs de Mercor, malgré ses efforts pour ne pas lui faire mal, y avaient laissé des marques. Elle avait été gênée de montrer à Sylve l'étendue de ses écailles quand la jeune fille l'avait aidée à panser les égratignures et la large écorchure au bras que le dragon lui avait infligées. La plupart de ses blessures étaient superficielles, mais il restait une plaie en haut de son dos qui demeurait douloureuse et enflammée. Elle souffrait, et elle n'avait qu'une envie : échouer son canoë sur la berge et dormir. Mais, à l'évidence, les dragons espéraient trouver un site plus accueillant car ils continuaient d'avancer, et les gardiens devaient les suivre.

Les imposantes créatures se découpaient en silhouettes noires sur la surface brillante de l'eau quand elle et Kanaï les rattrapèrent ce soir-là. Ils s'étaient installés sur un long ruban de boue limoneuse qui s'incurvait vers le fleuve ; il n'y avait pas d'arbres sur le banc de sable, relativement récent, et seuls poussaient sur son échine quelques buissons et bandes d'herbe. En revanche, il offrait abondance de bois sous la forme d'un énorme tronc échoué et d'un écheveau de branches portées par le courant qui étaient venues s'arrêter contre lui. Cela irait.

D'un vigoureux coup de pagaie, elle enfonça le nez de son embarcation dans la rive fangeuse. Kanaï laissa tomber sa rame et sauta dans l'eau pour prendre la bosse et tirer le canoë plus haut sur la terre ferme. Avec un gémissement d'effort, Thymara rangea sa propre pagaie puis se déplia avec raideur. Les journées passées à ramer l'avaient musclée et lui avaient donné de l'endurance, mais elle éprouvait toujours la même fatigue et les mêmes douleurs dans les épaules chaque soir.

Les efforts supplémentaires qu'ils avaient dû accomplir ne paraissaient pas avoir affecté Kanaï. « Et maintenant, on fait un bon feu, annonça-t-il avec entrain, et on se sèche. J'espère que les chasseurs ont rapporté de la viande ; j'en ai plein le dos du poisson.

— Ce serait agréable, oui, et un feu aussi. » Autour d'elle, les autres gardiens tiraient leurs embarcations sur la berge et en descendaient, l'air las.

« Espérons », dit-il, et, sans un regard en arrière, il s'enfonça au petit trot dans l'obscurité.

Elle soupira. Son optimisme et son énergie inébranlables la fatiguaient presque autant qu'ils lui remontaient le moral. Agacée, elle entreprit de mettre de l'ordre dans les affaires que Kanaï avait laissées en pagaille au fond du canoë, puis elle arrangea son propre paquetage de façon à ce que sa couverture et son matériel de cuisine fussent sur le dessus, et enfin elle suivit le chemin qu'il avait pris. On était en train de faire un feu à l'abri du tronc échoué, qui fournirait du combustible tout en réfléchissant la chaleur du foyer ; de minuscules flammes commençaient déjà à s'épanouir. Kanaï avait un talent pour allumer des feux, et il ne paraissait pas s'en lasser ; sa boîte à amadou ne quittait pas une petite bourse pendue à son cou. La bruine perpétuelle grésillait en tombant sur les brandons.

« Fatiguée ? » La voix de Tatou parvint à Thymara de l'obscurité à sa gauche.

« Plus que ça, répondit-elle. Ce voyage n'en finira-t-il donc jamais ? Je ne sais plus ce que c'est de rester plus d'une nuit ou deux au même endroit.

— Il y a pire : une fois arrivés à destination avec les dragons, il faudra qu'on refasse le voyage en sens inverse. »

Elle se figea un instant. « Tu abandonnerais ton dragon ? » demanda-t-elle à mi-voix. Elle ne s'était pas encore rabibochée avec Sintara, et penser à la dragonne lui faisait toujours mal ; elle s'occupait d'elle comme d'habitude, elle la pansait et lui rapportait de quoi manger, mais elles ne parlaient guère ; le contraste était d'autant plus pénible quand elle voyait l'affection que certains de ses compagnons partageaient avec leurs dragons. Tatou et Dente étaient proches, du moins le supposait-elle.

Il posa les mains sur les épaules de Thymara et serra légèrement les doigts. « Je ne sais pas. Ça dépend ; parfois, elle a l'air d'avoir besoin de moi, de bien m'aimer, même, mais à d'autres moments… »

Alors qu'elle se dégageait de son étreinte, son corps garda l'agréable sensation de son doux contact sur ses muscles douloureux. Il s'écarta d'elle, acceptant la rebuffade. Comme un raz-de-marée d'eau chaude, l'image de Graffe et de Jerd mêlés l'un à l'autre la submergea. Le temps d'un battement de paupières, elle s'imagina se tournant vers Tatou et caressant son dos nu et tiède ; mais aussitôt elle vit les mains de Tatou glissant sur sa peau écailleuse. Comme s'il caressait un lézard chaud de soleil, se dit-elle avec ironie, et elle pinça les lèvres pour retenir un cri de désespoir devant l'injustice de sa vie. Graffe et Jerd se permettaient d'enfreindre les interdits, mais cela tenait peut-être seulement à ce que chacun avait trouvé en l'autre un paria comme lui ; leurs stigmates du désert des Pluies ne les repoussaient pas, mais ce ne serait pas le cas avec quelqu'un comme Tatou. Il n'était pas né dans le pays, et il avait la peau lisse comme celle d'une Terrilvillienne, sans écailles ni caroncules, pas comme celle de Thymara.

« La journée a été longue », dit Tatou, comme la jeune fille se taisait.

À son ton hésitant, elle comprit qu'il se demandait s'il l'avait blessée par son geste ; elle ravala sa fureur et répondit d'une voix maîtrisée : « Oui, et j'ai encore mal du "sauvetage" de Mercor. Un bon feu et un repas chaud, ça me fera du bien. »

Comme sur son signal, les flammes escaladèrent soudain le bois, et sur leur éclat se dessina la silhouette de ses amis réunis autour d'elles. La menue Sylve était là, debout à côté du mince Harrikine ; ils riaient, car Houarkenn, dégingandé, s'agitait frénétiquement pour débarrasser sa tignasse et sa chemise élimée des étincelles qui avaient plu sur lui.

Boxteur et Kase, inséparables cousins, formaient deux blocs d'obscurité ; Lecter passait lentement près d'eux, les piquants de sa nuque et de son dos découpés sur la lumière du feu. Il avait dû ouvrir au couteau le col de sa chemise pour leur laisser la place de pousser, et ce spectacle rassura bizarrement Thymara. *Ce sont mes amis*, songea-t-elle avec un sourire. Ils étaient aussi lourdement marqués qu'elle. Puis elle aperçut le profil de Jerd, assise sur une branche échouée, Graffe debout à côté d'elle, solide et protecteur. La jeune fille se laissa aller en arrière si bien que sa tête s'appuya sur la cuisse de son compagnon tandis qu'elle lui parlait ; il se pencha pour lui répondre, et, l'espace d'un instant, ils ne furent plus qu'une forme, une seule entité séparée du reste du monde.

La jalousie lui tordit les entrailles. Elle avait envie, non pas de Graffe, mais de ce qu'ils s'étaient approprié. Jerd éclata de rire, et les épaules de Graffe se soulevèrent en écho à son hilarité. Les autres acceptaient leur intimité ou faisaient comme s'ils ne voyaient rien. Était-elle la seule à se sentir scandalisée et gênée devant cet étalage ?

Sans réfléchir, elle suivit Tatou vers le feu. « Que penses-tu de Jerd et Graffe ? » lui demanda-t-elle avant de s'étonner d'avoir posé la question. Elle la regretta aussitôt, car, quand Tatou se retourna vers elle, il avait l'air surpris.

« Jerd et Graffe ?

— Ils couchent ensemble. Ils font l'amour. » Elle entendit la rudesse de ses paroles, la colère sous-jacente. « Elle va retrouver Graffe dès qu'elle en a l'occasion.

— Pour le moment », fit Tatou d'un ton désinvolte. Il poursuivit, comme s'il répondait à autre chose : « Jerd est prête à coucher avec n'importe qui, Graffe s'en apercevra bientôt ; à moins qu'il ne le sache déjà et qu'il ne s'en fiche. Je le vois très bien profitant de ce qu'il peut avoir en attendant mieux. » Le regard entendu qu'il lui adressa sur ces derniers mots laissa

Thymara perplexe et mal à l'aise à la fois. Ses pensées bondissaient en tous sens comme des puces. Que racontait-il ? Elle s'efforça de donner une tournure plus badine à la conversation. « Jerd est prête à coucher avec n'importe qui ? Même avec toi ? » Elle se mit à rire de sa taquinerie, mais son rire s'éteignit quand elle vit Tatou voûter les épaules et se détourner légèrement.

« Avec moi ? Peut-être, répondit-il sèchement. C'est si inconcevable que ça ? »

Elle se remémora soudain le soir où Tatou, réagissant aux propos de Graffe, avait quitté le bivouac, et où Jerd s'était levée peu après pour s'éloigner à son tour. Le lendemain et les jours suivants, ils avaient partagé le même canoë… La révélation la réduisit soudain au silence : Tatou étendant ses couvertures près de celles de Jerd, s'asseyant à côté d'elle pendant le repas du soir… comment avait-elle pu rester à ce point aveugle ? La jalousie l'envahit, mais avant que sa brûlure pût atteindre son cœur, un sentiment glacial l'éteignit. Mais quelle idiote ! Ça ne pouvait que se passer ainsi, sans doute depuis le premier jour où ils avaient quitté Trehaug. Jerd, Graffe, Tatou, ils avaient tous rejeté les règles ; seule Thymara, cette bécasse rigide, avait cru qu'elles s'appliquaient toujours.

« Moi aussi ! lança Kanaï, surgissant de l'obscurité pour apporter une contribution malvenue à la conversation.

— Quoi, toi aussi ? » demanda Tatou par réflexe.

L'autre le regarda comme s'il était stupide. « Moi aussi avec Jerd, avant toi ; mais elle n'a pas tellement aimé comment je m'y prenais. Elle a dit que ce n'était pas drôle, et, quand j'ai ri parce qu'il y en avait partout, elle a dit que ça prouvait seulement que j'étais un adolescent et pas un homme. "Plus jamais avec toi !" elle m'a dit après. "Ça m'est égal", j'ai répondu, et c'est vrai. Pourquoi faire ça avec quelqu'un qui prend les choses trop au sérieux ? À mon avis, ce serait plus amusant avec quelqu'un comme toi, Thymara ; toi au moins, tu comprends la plaisanterie. Regarde-nous, on s'entend bien, et tu ne prends pas la mouche parce que j'ai le sens de l'humour.

— Tais-toi, Kanaï ! » fit-elle dans un grondement hargneux qui contredisait les propos du jeune homme, et elle s'éloigna d'un pas furieux dans l'obscurité, laissant ses deux compagnons bouche bée. Elle entendit Tatou morigéner Kanaï, qui protesta de son innocence. Kanaï ? Même lui ? Des larmes brûlantes perlèrent à ses yeux et laissèrent des traces salées sur les fines écailles de ses joues. Elle avait chaud au visage ; avait-elle rougi ? Était-ce par gêne ou par colère ?

Elle n'avait rien vu. Aveugle, stupide et confiante, naïve comme une enfant. Quelle humiliation ! Elle avait eu bêtement l'impression que, parce qu'elle avait de l'affection pour Tatou, il partageait son sentiment ; elle se savait condamnée par sa nature à mener une vie exempte de passion humaine ; croyait-elle qu'il se refuserait tout plaisir parce qu'il ne pouvait pas l'avoir, elle ? Idiote !

Et Kanaï ? Elle se sentit soudain suffoquée d'outrage. Comment Jerd avait-elle pu coucher avec lui, si simple et si franc ? Ce qu'elle l'avait amené à faire le diminuait aux yeux de Thymara ; son optimisme effronté, sa bonne humeur inaltérable prenaient un autre sens. Elle songea soudain à sa façon de dormir près d'elle toutes les nuits, parfois chaud contre son dos. Elle n'y voyait jusque-là qu'une marque d'affection enfantine ; à présent, un petit cri d'indignation lui échappa. À quoi rêvait-il en ces moments-là ? Que pensaient les autres de leur proximité ? Croyaient-ils qu'elle et Kanaï s'entremêlaient comme Jerd et Graffe ?

Tatou le croyait-il ?

L'indignation la submergea de nouveau. Elle regarda le feu et sut, malgré ses vêtements mouillés et son ventre vide, qu'elle ne se joindrait pas aux autres ce soir – et qu'elle ne laisserait pas Kanaï s'installer près d'elle. Elle fit brusquement demi-tour et se dirigea vers son canoë : elle allait prendre sa couverture et dormirait près de Sintara. Elle n'avait plus guère d'affection pour cette imbécile de dragonne, mais, malgré son indifférence, elle valait mieux que ses soi-disant amis ; au moins, elle ne se cachait pas de ne nourrir nul sentiment pour Thymara.

Mataf avait été échoué sur la berge à côté des canoës. Sous les yeux compatissants de la gabare, la jeune fille tira d'un geste furieux sa couverture de son paquetage et prit sa réserve de viande séchée. Elle n'avait pas envie de partager son repas avec quiconque, mais, à l'idée d'un plat chaud, elle sentit sa résolution faiblir. Elle jeta un regard à Mataf en se demandant si Leftrin lui permettrait de monter à bord pour se réchauffer près du fourneau de la coquerie, voire de boire une tasse de thé. Elle se rapprocha du bateau. Le capitaine maintenait strictement son autorité sur le pont, et aucun gardien n'y prenait pied sans une autorisation expresse. Peut-être pourrait-elle en obtenir une d'Alise ? Elle n'avait pas eu l'occasion de bavarder beaucoup avec elle depuis sa mésaventure.

Alors qu'elle réfléchissait ainsi, elle vit la silhouette d'un homme qui enjambait le bastingage de proue et descendait maladroitement l'échelle jusqu'à terre ; mince, il ne se déplaçait comme aucun des membres d'équipage qu'elle connaissait. Il trébucha en posant le pied sur la berge, et il jura tout bas. Elle le reconnut aussitôt.

« Sédric ! s'exclama-t-elle, étonnée. Je croyais que vous étiez très malade ; je suis surprise de vous voir. Vous allez mieux ? » En son for intérieur, elle songea que c'était une question stupide : il paraissait au plus mal, hâve et ravagé ; ses délicats vêtements pendaient lamentablement sur lui, et, à l'odeur, il n'avait pas fait de toilette.

Il se tourna vers elle d'un pas traînant très différent de sa grâce habituelle. Il avait l'air contrarié de la voir, mais il répondit néanmoins : « Mieux ? Non, Thymara, je ne vais pas mieux. Mais bientôt, peut-être. » Il s'exprimait d'une voix embarrassée, comme s'il avait la gorge sèche. Elle se demanda s'il avait bu, puis se reprocha cette pensée ; il était très malade, voilà tout.

Comme il s'apprêtait à s'éloigner sans même lui dire au revoir, elle remarqua qu'il portait une boîte en bois ; c'était à cause d'elle qu'il avait descendu l'échelle si gauchement. Il marchait penché de côté comme si le fardeau était trop lourd pour lui. Thymara faillit courir le rattraper pour lui proposer son aide, mais elle se ravisa : il se sentirait sans doute humilié d'apparaître aussi faible devant elle. Mieux valait le laisser tranquille ; il se débrouillerait.

Elle alla chercher Sintara parmi ses congénères. Sa couverture roulée sautait sur son dos au rythme de sa marche ; au bout de trois pas, elle la ramena devant elle et la serra sur sa poitrine. Une croûte s'était formée sur son écorchure au bras qui guérissait vite, mais la longue égratignure en haut de son dos ne paraissait pas vouloir se refermer. Partout ailleurs, ses écailles l'avaient protégée des crocs de Mercor, mais, là, elles avaient cédé. C'était Sylve qui l'avait remarqué quand elle avait insisté pour que Thymara ôtât sa chemise afin de lui permettre de panser son bras. « Qu'est-ce que c'est ? avait-elle demandé.

— Quoi ? avait répondu Thymara, encore frissonnante.

— Ça. » Sylve avait touché un point entre ses omoplates ; le contact avait été douloureux, comme si elle avait appuyé sur un abcès. « On dirait une coupure mal cicatrisée. Quand t'es-tu fait ça ?

— Je n'en sais rien.

— Je vais la laisser se vider. » Et, avant que Thymara pût intervenir, Sylve avait soulevé la croûte. Elle avait senti un liquide chaud couler dans son dos, et, quand elle se tourna, elle aperçut l'expression dégoûtée de Sylve qui essuyait l'écoulement.

Pourtant, la jeune fille n'avait rien dit tandis qu'elle pressait la blessure puis la nettoyait à l'eau claire et la pansait. L'entaille eût dû commencer à guérir, mais elle restait purulente, enflammée, douloureuse et parfois suppurante le matin. Thymara n'avait rien pour la traiter, et nulle envie de soumettre son corps de lézard à l'examen de quiconque. Elle se répétait que la plaie finirait par se refermer ; toutes les blessures guérissaient toujours. Celle-ci mettait un peu plus longtemps que d'habitude, et elle faisait plus mal.

La chance n'avait pas souri aux chasseurs : Thymara ne percevait nul fumet de viande en train de griller, seulement une odeur de poisson sur la braise. Jadis, elle appréciait ce plat et le regardait comme un mets rare ; aujourd'hui, malgré sa faim, elle préférait se contenter de sa viande séchée.

Les dragons aussi étaient déçus, et plusieurs des grands mâles parcouraient le banc de boue d'un air mécontent. Ranculos marchait dans l'eau comme dans l'espoir d'y trouver de quoi manger. Les soirs d'abondance, ils s'assemblaient souvent avec les gardiens autour du feu, et tous profitaient de sa chaleur. Mais aujourd'hui ils avaient faim et restaient à l'écart les uns des autres.

Thymara eût eu du mal à repérer Sintara dans le noir à l'aide de ses seuls yeux, mais elle n'avait en réalité qu'à suivre le lien malvenu qu'elle partageait avec la reine. La dragonne était installée à l'extrémité du banc de sable, tournée vers l'aval.

Et elle n'était pas seule. En s'approchant, Thymara reconnut la voix d'Alise ; la jeune femme adressait des reproches à Sintara sur un ton mesuré. « Tu l'as exposée à ce spectacle exprès, sans préparation, et naturellement ça l'a bouleversée. Je n'aimerais pas non plus tomber sans avertissement sur une scène pareille. Elle est sensible, Sintara, et tu devrais faire plus attention à ses sentiments.

— Elle n'a pas les moyens d'être "sensible" », répliqua la dragonne d'un ton cassant.

Thymara s'arrêta et tendit l'oreille. Elle songea amèrement qu'elle commençait à devenir douée pour écouter aux portes.

« Elle est déjà solide et résistante, dit Alise en contredisant hardiment la dragonne ; ce n'est pas en la traumatisant encore que tu en feras quelqu'un de mieux ; tu en feras seulement quelqu'un de dur, et ce serait dommage.

— Il serait encore plus dommage qu'elle reste telle qu'elle est, trop gentille, contrainte par des règles qu'elle n'a pas édictées, s'interdisant toujours de dire ce qu'elle pense. Chez les dragons et les Anciens, on savait qu'une femelle est une reine, libre de prendre ses décisions et de suivre ses désirs. C'est ce que Thymara doit apprendre si elle veut continuer à me servir.

— Te servir ! répéta Alise, outrée. C'est ainsi que tu la vois ? Comme ta servante ? »

La jeune fille songea qu'Alise avait fait du chemin depuis l'époque où chacun des propos qu'elle adressait à la dragonne s'enveloppait de compliments fleuris ; à présent, on avait l'impression qu'elle lui parlait de femme à femme. Avait-elle changé à ce point elle-même ? Ou bien Sintara avait-elle désormais assez confiance en elles pour ne plus exercer son charme sur elles ? Entendre Alise prendre sa défense fit sourire Thymara, mais la jeune femme paya sans tarder le prix de son audace.

« Naturellement, elle me sert, ou du moins elle en a le potentiel si elle parvient à acquérir le caractère d'une reine. À quoi bon une servante qui s'aplatit devant les autres humains ? Comment peut-elle exiger que je lui donne le meilleur de moi-même si c'est à eux que va sa déférence ? Naguère, Alise, j'ai cru que toi aussi tu pourrais me servir ainsi ; mais tu me déçois encore plus que Thymara ces derniers temps, et je ne vois pas que tu t'efforces de changer. Tu es peut-être trop vieille pour ça. »

Le silence aussi peut exprimer la peine ; Thymara s'en rendit compte, car elle perçut la douleur d'Alise, qui la débusqua de l'obscurité. Sans chercher à faire croire qu'elle n'avait rien entendu, elle bondit pour défendre son aînée. « Je ne vois pas pourquoi nous voudrions l'une ou l'autre servir une créature aussi prétentieuse et ingrate que toi ! » s'exclama-t-elle en s'interposant entre elles.

« Ah ! Bonsoir, petite sournoise. T'es-tu bien amusée à te tapir dans le noir pour nous écouter ? » L'hostilité gonflait le poitrail de Sintara, et elle paraissait lumineuse sous l'effet de la colère : un soudain éclat bleu l'environna, sur lequel se détachaient les piques qui poussaient sur son cou ; la lueur se réfléchissait en ondes cuivrées sur la robe d'Alise. La femme dorée à la chevelure d'un roux flamboyant sur le fond bleu et argent de la reine était un spectacle d'une beauté à couper le souffle ; on eût dit une scène tirée d'une vieille légende ou d'une tapisserie d'autrefois, et, si Thymara n'en avait pas tant voulu à la dragonne, elle se fût volontiers laissée aller à sa contemplation. Sintara perçut son émerveillement et se mit à faire des grâces, déployant ses ailes afin d'affirmer leur éclat ; elles étaient opalescentes et plus longues que Thymara ne se les rappelait.

« Chaque jour, je deviens plus forte et plus belle. » La dragonne fit écho sans effort à ses pensées. « Ceux qui prétendaient que je ne volerais jamais devront ravaler leurs paroles. Seule Tintaglia peut rivaliser avec moi en magnificence et en puissance, et un jour viendra où ça ne sera plus vrai, je n'ai pas de honte à le dire. Je sais ce que je suis ; pourquoi donc supporterais-je la compagnie d'une petite proie timide qui bêle et couine, éperdue de pitié pour elle-même, incapable même de défier le mâle qui se présente ?

— Défier le mâle... » La voix glacée d'Alise mourut, noyée dans la perplexité.

« Naturellement. » La dragonne se moquait manifestement de son incompréhension. « Il s'est présenté ; il est assez fort et en bonne santé, il te suit partout, il hume ta trace, il te flatte et te complimente de ton intelligence. Tu ne peux pas me cacher que tu sens son désir pour toi et qu'il t'attire. Mais, avant de l'accepter, tu dois lui soumettre un défi. Pour toi, il n'existe pas de vol d'accouplement, pas de combat dans les airs alors qu'il s'efforce de te monter, que tu lui échappes et mets à l'épreuve ses capacités en vol.

Mais il y a d'autres façons par lesquelles les mâles Anciens prouvaient leur valeur. Oppose-lui un défi.

— Je ne suis pas une Ancienne », dit Alise. À part elle, Thymara nota qu'elle ne niait aucun des autres points soulevés par Sintara. Qui était donc ce prétendant que la dragonne estimait digne d'elle ? La réponse lui vint brusquement : Sédric, le séduisant Terrilvillien qui obéissait à Alise au doigt et à l'œil. Était-ce à cause d'elle qu'il était descendu à terre ce soir ? Espérait-il un rendez-vous amoureux avec elle ? À cette idée, un frisson d'excitation teinté de voyeurisme la parcourut, à son grand effarement. Que lui arrivait-il ? Elle refusa catégoriquement de les imaginer enserrés, roulant ventre sur ventre comme Jerd et Graffe.

« Et je suis mariée. » Cette seconde affirmation d'Alise sonnait, non comme l'énoncé d'un fait, mais comme l'aveu d'une condamnation.

« Pourquoi te lier à un compagnon que tu ne désires pas ? demanda la dragonne avec une perplexité non feinte. Pourquoi obéir à une règle dont tu ne tires que frustration ? Qu'y gagnes-tu ?

— Je tiens parole, répondit Alise avec peine, et je garde mon honneur. Nous avons passé un marché, Hest et moi ; nous avons promis sincèrement de rester ensemble et de n'avoir personne d'autre dans notre vie. Je le regrette, car, en vérité, j'ignorais à quoi je renonçais. Je me suis vendue pour des manuscrits, une résidence confortable et des repas de qualité ; c'était un contrat stupide, mais nous l'observons tous deux de bonne foi. Par conséquent, quand cette aventure s'achèvera, je quitterai Leftrin, mes dragons et ces jours où j'aurai été vivante pour rentrer chez moi et m'efforcer de donner un héritier à mon époux, parce que j'en ai fait la promesse. Et, si tu me vois comme une proie qui bêle et couine entre les griffes d'un prédateur, ma foi, tu as peut-être raison ; mais peut-être me faut-il posséder une force d'un autre genre pour tenir ma parole alors que toutes les fibres de mon corps me hurlent de l'enfreindre. »

Sintara eut un reniflement méprisant. « Tu ne crois pas toi-même qu'il ait respecté ses promesses.

— Je n'ai pas non plus de preuve qu'il les ait rompues.

— Non ; tu es la seule preuve qu'il a rompu quelque chose : tu es brisée. » La dragonne prononça son diagnostic sans pitié.

« Peut-être, mais ma parole et mon honneur sont intacts. » À mesure qu'elle parlait, Alise s'était exprimée d'une voix de plus en plus hachée, et, alors qu'elle affirmait son honneur, elle avait enfoui son visage dans ses mains. L'espace d'un instant, elle s'étrangla en silence, puis de gros sanglots douloureux lui échappèrent. Thymara s'avança et posa une main hésitante sur son épaule ; elle n'avait encore jamais essayé de consoler quiconque. « Je comprends, murmura-t-elle. Vous avez choisi la seule voie honorable, mais c'est dur – et encore plus quand l'entourage juge votre décision inepte. »

Alise leva vers elle un visage ruisselant de larmes, et, instinctivement, Thymara la prit dans ses bras.

« Merci, dit la jeune femme d'une voix cassée. Merci de ne pas me juger stupide. »

La pluie s'était remise à tomber, plus fort à présent. Leftrin tira son bonnet de laine sur ses oreilles et plissa les yeux pour tâcher d'y voir malgré l'averse et l'obscurité. La journée avait été longue, et il n'avait qu'une envie : s'asseoir à la table de la coquerie avec une chope de thé brûlant, un bol de soupe de poisson et une femme rousse prête à sourire à ses plaisanteries, à répondre « s'il vous plaît » et « merci » aux efforts de son équipage pour se montrer bien élevé. *Ce n'est pas trop demander de la vie*, se dit-il. Tandis qu'il descendait à terre et s'éloignait sur la berge boueuse, les yeux de Mataf peints sur la coque l'avaient suivi avec compassion. Le bateau savait ce qu'il allait faire, et il savait aussi combien cela lui déplaisait.

C'était bien de ce salaud de Jess d'exiger un rendez-vous à la nuit et sous la pluie. Ils échangeaient des regards et des silences menaçants depuis plusieurs jours, cependant Leftrin avait réussi jusque-là à éviter toute confrontation avec l'homme en refusant de se trouver seul avec lui. Mais, ce soir, alors qu'il s'apprêtait à s'installer bien au chaud près du fourneau de la coquerie, il avait découvert un mot au fond de sa chope à café.

Il avait fait de son mieux pour s'éclipser discrètement malgré son équipage réuni dans la pièce, et nul n'avait paru remarquer son départ. Il se déplaçait sans bruit dans l'obscurité, contournant les gardiens et leur feu de camp ; une rafale de vent fit bondir les flammes et lui apporta leurs rires et l'odeur de leur poisson en train de cuire. Il n'avait pas envie qu'on le vît à terre ce soir.

Dissimulé par la nuit et les rideaux de pluie, il se dirigea vers le dragon argenté, près duquel Jess lui avait fixé rendez-vous selon une formule cryptique : « Retrouvez-moi près de l'argenté ou je révèle le secret. » Le billet ne disait rien d'autre, mais la menace était évidente. Le dragon tenait quelque chose à terre avec ses pattes antérieures et en arrachait des morceaux de viande. Dans une bouffée d'espoir délirant, Leftrin songea qu'il dévorait Jess ; mais, deux pas plus loin, il s'aperçut qu'il mangeait une créature à quatre pattes : le chasseur lui avait fourni de quoi le distraire pendant que les deux hommes discutaient. Il regarda le dragon arracher un membre à la carcasse ; l'état de l'argenté s'était amélioré depuis le début de l'expédition, mais il restait plus petit et moins bien portant que ses congénères. Sa blessure à la queue avait guéri, mais il attrapait apparemment beaucoup plus souvent des parasites que les autres dragons. Il remarqua la présence de Leftrin et se déplaça pour le surveiller tout en mâchant une patte achevée par un sabot.

« Bonsoir, capitaine, dit Jess en apparaissant derrière l'épaule du dragon. Belle nuit pour une promenade.

— Je suis là ; que voulez-vous ?

— Pas grand-chose : votre coopération, c'est tout. J'ai vu une occasion cet après-midi et j'ai pensé qu'il fallait la saisir.

— Une occasion ?

— C'est ça. » Jess posa la main sur l'épaule du dragon, qui répondit par un grondement bas ; mais il continua de s'intéresser exclusivement à la viande. « Il fait le méchant, mais il me connaît ; je lui glisse une ration de viande supplémentaire chaque fois que je peux, et ma présence ne le dérange plus. » Il écarta un pan de son manteau pour révéler une hachette, deux longs couteaux et un poignard à lame courte, tous soigneusement rangés dans des poches intérieures. Il pencha légèrement la tête vers l'argenté. « On commence ?

— Vous êtes cinglé, murmura Leftrin.

— Pas du tout. » L'homme sourit. « Une fois qu'il aura fini de dévorer son daim, il aura envie de faire une très longue sieste. Dès le départ, j'avais prévu le coup, et je me suis préparé : j'ai éventré le daim et j'y ai fourré de la valériane et du pavot en quantité avant de le donner au dragon, assez pour qu'il s'endorme comme une masse, je pense. On va bientôt le savoir. » Il referma son manteau pour se protéger du vent et de la pluie, et regarda Leftrin avec un grand sourire.

« Pas question que je participe à vos mauvais coups, dit le capitaine. Nous nous ferons prendre ; pas question !

— Mais non, nous ne nous ferons pas prendre ! J'ai tout calculé. Le dragon s'endort, et nous faisons en sorte qu'il ne se réveille jamais, puis, en une heure ou deux, nous récupérons les morceaux les plus vendables, nous les rapportons à bord du *Mataf* et nous redescendons le fleuve dès ce soir.

— Et que deviennent les gardiens et les autres dragons ?

— Par un déluge pareil ? Ils ne se rendront compte de rien, et, après notre départ, ils constateront que nous avons saboté leurs canoës ; ça m'étonnerait qu'on entende parler d'eux ensuite.

— Et que dirons-nous aux gens de Trehaug ?

— Nous ne nous y arrêterons pas. Nous tirerons tout droit vers l'embouchure du fleuve, puis nous remonterons la côte jusqu'en Chalcède. Vous pourrez y vivre comme un roi avec votre amie. J'ai vu la façon dont vous la regardez ; ainsi, au moins, vous ne la quitterez pas.

— Comment ça ?

— Eh bien, si vous refusez, je choisis une autre voie où vous perdez tout : je révèle aux dragons et aux gardiens que vous avez débité un cocon de serpent pour fournir à votre cher Mataf du bois-sorcier en plus ; votre équipage est au courant, visiblement, puisqu'il sait le peu de travail qu'il doit fournir pour faire avancer la gabare. À mon avis, les dragons vous regarderont d'un mauvais œil s'ils apprennent que vous avez tué l'un des leurs pour votre profit ; ce genre de chose les agace. Et votre jolie rouquine risque de vous juger moins honorable qu'elle le croyait, hypocrite, voire menteur, si je mène ma barque comme il faut. Donc, vous pouvez m'aider à faire provision de bonne marchandise sur un dragon stupide, malformé, et qui n'appartient à personne, pour fournir à votre amie, à votre équipage et à vous-même une vie d'indolence et de luxe en Chalcède, ou bien vous pouvez vous entêter, auquel cas je mettrai en pièces tous les espoirs que vous pouvez nourrir. » Il sourit, les yeux plissés à cause de la pluie, et ajouta : « Quand tout le monde se sera retourné contre vous, ça ne m'étonnerait pas que je récupère à la fois votre bateau et votre amie. J'ai passé pas mal de soirées à acquérir l'amitié et la confiance des gardiens pendant que vous perdiez votre temps à courtiser votre petite écervelée ; en outre, je pense que le gommeux de Terrilville se rangera dans mon camp. Ou bien comptez-vous continuer à prétendre que vous êtes tous innocents, que vous n'avez rien à cacher ? »

Le dragon courba le cou et saisit la cage thoracique du daim dans sa gueule ; il referma les mâchoires et la broya, puis entreprit une lente mastication, repliant la carcasse sur elle-même tout en l'écrasant. Leftrin s'avança pour l'empêcher de continuer, mais l'argenté se mit à gronder d'un air menaçant ; la puanteur de son haleine fit blêmir le capitaine, qui recula.

« Oh, il ne vous fait pas confiance ! fit Jess d'un ton faussement compatissant. À mon avis, il ne voudra pas que vous essayiez de le sauver. Quel crétin, ce lézard ! On dirait bien que nous sommes sur le même bateau, capitaine ; une fois qu'il s'endormira, ce sera le moment de commencer la découpe. Pour l'instant, je vais m'occuper des canoës. »

L'effronterie du personnage eût suffi à provoquer Leftrin, même s'il n'avait pas menacé ses rêves. Comme Jess passait près de lui sous la pluie battante, il se jeta sur lui, prêt à l'assommer et à le donner en pâture au dragon. *Le malheureux ! Il a dû énerver cet animal sans cervelle. Mais un dragon reste un dragon, Alise ; on ne peut pas lui en vouloir.*

Mais Jess se tourna vers lui, les dents dénudées par un rictus de joie, une lame brillante au poing.

Sintara regardait les deux femelles humaines avec effarement. Que signifiaient cette étreinte et ces larmes ? Elles ne chassaient pas, elles ne se battaient pas, elles ne s'accouplaient pas, elles ne se livraient à aucune activité raisonnable qu'elle connût, et elle voulait qu'elles cessent. « L'une ou l'autre d'entre vous m'a-t-elle apporté à manger ? » fit-elle d'un ton impérieux.

Thymara s'écarta d'Alise et s'essuya les yeux de la manche. « Je n'ai pas eu le temps de chasser aujourd'hui ; je crois que les chasseurs ont pris du poisson.

— J'ai déjà avalé ce que Carson a désigné comme “ma part” ; c'était pitoyable.

— Je pourrais peut-être aller…

— Silence ! » aboya Sintara. Elle avait entendu un bruit lointain, comme le hurlement d'un vent terrible, et elle perçut un mélange d'angoisse et de colère de la part du dragon argenté. Comme toujours, ses pensées étaient confuses, mais quelque chose lui faisait peur.

« Qu'y a-t-il ? » lui demanda-t-elle dans un cri, ainsi qu'aux autres dragons. Le bruit devenait plus fort, et même les humains l'entendaient à présent. Elle vit Thymara se tourner pour lancer un avertissement, Alise agrippée à son bras, la tête pivotant de droite et de gauche à la recherche de la source du vacarme. Le rugissement s'approchait, et pourtant la dragonne ne sentait nulle précipitation du vent ni de la pluie ; le bruit devenait plus fort, grondement crissant où se mêlaient par moments des claquements et des craquements secs.

« C'est le fleuve ! C'est une crue ! » Le coup de trompe de Mercor pénétra violemment dans son esprit, et d'antiques souvenirs surgirent à la conscience de Sintara.

« Envolez-vous ! Passez au-dessus de l'eau ! » beugla-t-elle, oubliant ce qu'elle était, un demi-dragon incapable de quitter le sol. L'obscurité ne dissimulait pas complètement le danger : elle regarda vers l'amont et vit une dentelle blanche qui ourlait le sommet d'une falaise grise, une falaise liquide où tournoyaient des troncs d'arbre.

« Vers la forêt ! » cria Thymara, mais seule la dragonne pouvait désormais entendre sa petite voix dans le tonnerre de l'eau. Sintara vit les deux femmes, main dans la main, se mettre à courir.

« C'est trop tard ! » leur cria-t-elle. Elle tendit le cou, saisit Alise par l'épaule et la souleva dans les airs. La femme hurla, mais, sans y prêter attention, la dragonne ramena la tête en arrière et déposa son fardeau entre ses ailes. « Accroche-toi ! » lui lança-t-elle.

Thymara fuyait à toutes jambes ; Sintara la poursuivait dans un bruit de tonnerre.

C'est alors que la vague les frappa.

Il n'y avait pas que de l'eau. Elle roulait dans son flot déchaîné des rochers et du sable ; les vieux arbres s'y mêlaient aux jeunes qu'elle venait de déraciner.

Sintara fut soulevée du sol et emportée ; un tronc lui heurta les côtes et la projeta de côté ; la masse bouillonnante du fleuve l'entraînait inexorablement vers l'aval. Un instant, elle se retrouva complètement submergée, et elle se mit à nager vigoureusement vers ce qu'elle espérait être la surface et la berge. Tout n'était qu'eau, ténèbres et chaos ; dragons, humains, canoës, arbres et rochers, tout se mêlait dans les tourbillons de la crue. La tête de la dragonne creva enfin la surface, mais le monde qui l'entourait était incompréhensible ; elle tournoyait dans le courant en pataugeant désespérément, mais elle ne trouvait pas la rive ; tout autour d'elle, l'eau coulait, blanche et furieuse, sous le ciel nocturne. Elle aperçut les lumières de Mataf et vit un canoë vide empêtré dans les branches feuillues d'un arbre à la dérive ; l'immense tronc qui abritait le feu des gardiens passa près d'elle, fumant et encore couronné de braises brillantes.

« Thymara ! cria Alise, et Sintara prit alors conscience que la jeune femme s'accrochait toujours à ses ailes. Sauve-la ! Regarde, Sintara, elle est là ! Là ! Là ! »

Elle finit par repérer la gardienne ; elle s'efforçait de se libérer d'une masse de broussailles flottantes prises dans ses vêtements, qui n'allaient pas tarder à l'engloutir et à l'entraîner au fond. « Imbéciles d'humains ! » beugla la dragonne ; elle se précipita vers elle, mais Ranculos, emporté par le courant, la heurta de plein fouet. Quand elle eut repris ses esprits, elle se tourna vers la masse flottante, mais la jeune fille avait disparu. Trop tard.

« Thymara ! Thymara ! hurlait Alise d'une voix stridente, mais teintée de désespoir.

— De quel côté est la terre ? brailla la dragonne.

— Je ne sais pas ! » répondit la femme en criant. Puis elle reprit : « Là-bas ! Par là. Va par là. » D'un index tremblant, elle indiquait la direction qu'elles suivaient déjà. Encouragée, Sintara nagea plus énergiquement ; elle ne pouvait grimper aux arbres pour se mettre en sécurité, mais elle pouvait se bloquer entre eux en attendant que passât le plus fort de la crue.

Alise se remit à crier : « Là ! Là ! » Elle montrait, non la terre, mais un visage blanc à la surface de l'eau ; Thymara tendait les mains vers elles.

« Par pitié ! » hurla-t-elle.

Sintara courba le cou et arracha sa gardienne à l'étreinte du fleuve. « À moi ! beugla-t-elle d'un ton de défi, Thymara entre les mâchoires. À moi ! »

Dix-septième jour de la Lune de la Prière

Sixième année de l'Alliance Indépendante des Marchands

D'Erek, gardien des Oiseaux, Terrilville, à Detozi, Gardienne des Oiseaux, Trehaug

Message du Marchand Korum Finbok des Marchands de Terrilville, envoyé à la demande et en soutien d'une demande des Marchands Meldar et Kincarron qui recherchent des informations sur le départ d'Alise Kincarron Finbok et de Sédric Meldar à bord de la vive-nef Mataf.

Detozi,

Un mot rapide : les parents de Sédric Meldar et d'Alise Finbok sont dans tous leurs états ; ils affirment les uns comme les autres que leur enfant ne se serait jamais embarqué volontairement dans une expédition qui risquerait de durer plusieurs mois. L'époux d'Alise Finbok est parti pour un long voyage d'affaires, mais son père a été persuadé d'employer sa considérable fortune pour obtenir de plus amples renseignements. Si vous connaissiez quelqu'un qui soit capable de remonter rapidement le fleuve et d'emporter un ou deux oiseaux messagers, il pourrait y gagner une récompense substantielle.

Erek

5

Crue blanche

Les mains de Leftrin serraient la gorge de Jess, et le chasseur lui assenait une pluie de coups de poing dans le ventre et le torse. Le capitaine avait l'impression que son adversaire lui avait fêlé plusieurs côtes, et il avait dans la bouche le goût du sang qui coulait de ses lèvres meurtries, mais il ne lâchait pas prise. C'était une question de temps : s'il parvenait à étrangler Jess assez longtemps, les coups violents finiraient par cesser ; déjà ils perdaient en puissance, et, quand le chasseur leva les mains pour lui agripper les poignets, il sut que le combat s'achevait. Il ne lui restait qu'à gagner l'épreuve d'endurance. L'homme lui griffait les mains, mais elles étaient résistantes, non seulement à cause des écailles, mais aussi à cause de leurs fréquentes immersions dans l'eau du fleuve, et sa peau épaissie ne cédait pas sous les ongles de Jess. Il ne voyait pas le visage de son adversaire, mais il devait avoir désormais les yeux exorbités. Il serra plus fort, imaginant la langue du chasseur commençant à sortir.

Autour des combattants, le vent tournoyait et la pluie tombait à verse. Le dragon argenté avait abandonné la carcasse, ou bien les drogues ne l'avaient pas affecté. D'une démarche maladroite, il courait en rond autour des deux hommes en poussant des coups de trompe angoissés. Leftrin ne s'inquiétait pas de son vacarme : s'il attirait les gardiens, il pourrait leur montrer le poignard de Jess et prétendre qu'il avait protégé le dragon. *Ne lâchez pas*, dit-il à ses mains épuisées et à ses bras tremblants. *Ne lâchez pas !* La douleur était insoutenable. Un rugissement envahissait ses oreilles, et il craignait de s'évanouir avant d'avoir achevé le travail. Il serrait de toutes ses forces, mais le chasseur continuait à se débattre ; il jeta la tête en avant dans une tentative futile de frapper Leftrin au visage.

Une muraille d'eau, de pierre et de bois se dressa soudain derrière Jess. L'esprit de Leftrin figea l'instant terrifiant en une longue décennie ; il vit nettement les débris qui pointaient de la face blanche, et il sut que la vague serait acide et épaissie de boue. C'était une crue qui venait de très loin, qui avait emporté les bois flottés et arraché les arbres des rives qu'elle avait suivies. Il aperçut l'énorme carcasse d'un élan qui fonçait sur lui en tournoyant comme un jouet jeté en l'air.

« Mataf ! » cria-t-il en lâchant Jess, et il se tourna pour regagner son bateau, pour sauver sa vivenef bien-aimée s'il le pouvait.

Mais le temps reprit alors son cours, et l'eau le plaqua au sol tout en dévorant le banc de sable. Il ne vit plus rien, ne sut plus rien ; il n'y avait plus en lui que la lutte d'un animal soudain plongé dans un élément étranger. Il n'y avait plus d'air, plus de lumière, plus de haut ni de bas ; le froid et la pression chassèrent l'air de ses poumons. *Adieu*, se dit-il bêtement. *Adieu, Alise ; au moins je n'aurai pas eu le temps de te voir retourner auprès d'un autre.* Mourir noyé était peut-être préférable à ce tourment.

Quelque chose le heurta ; il s'y accrocha à pleins bras, et il remonta pour émerger dans les ténèbres. Il avala une grande goulée d'air mêlée d'eau qui ruisselait de ses cheveux, s'étrangla, s'enfonça de nouveau sous l'eau avec le tronc qu'il étreignait, puis ressortit à la surface. Le sommet de la vague l'avait dépassé, mais le courant restait fort et le fleuve avait peut-être deux fois sa profondeur habituelle. La force de l'eau l'emportait au milieu d'un mélange périlleux d'arbres, d'animaux affolés, de cadavres, et de branches tournoyantes. Sans chercher à rester au-dessus du tronc auquel il se tenait, il se résigna à des bains réguliers et s'accrocha énergiquement en espérant que le courant le maintiendrait au milieu du fleuve. Il entendait des chocs et des craquements dus aux débris qui frappaient les arbres de la berge et les arrachaient ou les jetaient à terre. Il aperçut un dragon qui nageait frénétiquement, et puis son tronc se retourna, le plongeant dans l'eau, et, quand il remonta, la grande créature avait disparu.

Comme le fleuve coulait un peu plus calmement, Leftrin suivit le tronc jusqu'aux racines ; là, le bois était plus épais et les racines lui offraient plus de prises. Il prit le risque d'y grimper pour avoir plus de hauteur, et il parcourut la surface de l'eau des yeux. Dans le courant apaisé, les débris s'étalaient, emportés par le fleuve gonflé, sous le clair des étoiles et de la lune ; des carcasses d'animaux flottaient, formes noires. Au loin, il vit la silhouette d'un dragon qui nageait ; il l'appela, mais sa voix ne portait sans doute pas jusqu'à lui : le fracas de l'eau torrentueuse, des arbres qui gémissaient et cédaient sous le flot, des troncs qui s'entrechoquaient, tout cela noyait ses appels.

Soudain, un spectacle lui rendit espoir : une lumière qui s'alluma, s'assombrit puis grandit régulièrement pour finir par former un cercle parfait. Ce ne pouvait être que Mataf : quelqu'un venait d'allumer une lampe à son bord. Son éclat donna brusquement relief et sens à ce qui n'était jusque-là que ténèbres. Mataf se trouvait loin en aval de Leftrin, mais le capitaine reconnut le profil bas et noir de son bateau ; il prit une longue inspiration malgré ses poumons douloureux, et fit la grimace quand ses côtes meurtries se soulevèrent. Il ne gaspilla pas sa salive à maudire Jess ; avec un peu de chance, ce n'était désormais plus qu'un cadavre. Il serra les lèvres et émit un long sifflement régulier ; il reprit son souffle et siffla de nouveau, sur une note légèrement plus aiguë. Il reprit encore son souffle.

Avant même d'avoir le temps de siffler une troisième fois, il sut que Mataf l'avait entendu : le cercle de lumière se déplaça tandis que la gabare se tournait vers lui. L'éclat de la lampe disparut, et, pendant un moment, Leftrin resta accroché à son tronc, respirant régulièrement ; puis une lanterne fut allumée sur l'étrave de Mataf. Le capitaine siffla de nouveau, et l'éclat de la lampe se renforça aussitôt ; nageant de toutes ses forces, Mataf venait le secourir. Les pattes épaisses et puissantes de la vivenef, aux extrémités palmées, la propulsaient contre le courant ; Souarge devait être à la barre et l'équipage sortait sans doute les gaffes, mais Mataf n'avait pas dû attendre leur feinte contribution : la vivenef se portait au secours de son capitaine. Ce dernier siffla encore une fois, et, au ras de l'eau, il vit la lueur bleu pâle de deux grands yeux. L'aide arrivait ; il n'avait plus qu'à attendre que son bateau le sauvât.

Sintara avait peut-être l'intention de déposer Thymara près d'Alise, mais elle visa mal et la jeune fille tomba sur la Terrilvillienne. Celle-ci la prit dans une étreinte qui les empêcha toutes deux de glisser dans l'eau, mais qui enfonça une pointe de souffrance dans le dos de Thymara quand les mains d'Alise appuyèrent sur sa blessure.

Elle s'efforça de ne pas lutter contre ces bras qui tentaient de la sauver, mais les deux femmes commencèrent à glisser le long de l'épaule droite de la dragonne. « Accrochez-vous ! » cria Alise contre son oreille, et Thymara tendit les bras pour s'agripper à la première prise venue ; ses doigts fébriles se prirent au bord des écailles de Sintara, qui eût certainement protesté si elle n'avait été occupée à tenter de survivre.

Alise ne cherchait plus à empêcher sa compagne de tomber, mais elle se cramponnait désormais à elle pour ne pas choir de la dragonne. Thymara prit le risque de lâcher sa prise de gauche pour en chercher une meilleure, et sa main se referma sur l'articulation de l'aile de Sintara. « Accrochez-vous à moi », lança-t-elle à Alise, haletante, et elle fit appel à toutes ses forces pour les remonter toutes deux sur l'échine de la grande créature.

Une fois en place, elle se dégagea suffisamment de l'étreinte d'Alise pour s'avancer sur la dragonne. Elle s'installa devant les ailes de Sintara en ramenant les talons vers l'arrière et en serrant les genoux. Ce n'était pas une position très stable, mais elle valait mieux que la précédente ; elle sentit Alise se glisser derrière elle. La Terrilvillienne passa ses bras autour de sa taille, l'enserra, et elles disposèrent alors d'un moment pour évaluer leur situation.

« Que s'est-il passé ? cria Thymara à Alise.

— Je ne sais pas ! » Malgré leur proximité, la jeune fille perçut à peine la réponse au milieu du rugissement du fleuve. « Une énorme vague est arrivée. Le capitaine Leftrin m'avait dit que, parfois, après un tremblement de terre, l'eau devenait blanche, mais il n'a jamais parlé d'un tel phénomène ! »

Le vent faisait claquer les nattes noires de Thymara ; tout autour d'elle, tout n'était que bruit et fureur, et le spectacle que lui montrait le faible clair de lune était incompréhensible. Le fleuve était blanc comme du lait. Accrochée à la dragonne qui luttait contre le courant, elle partageait sa terreur et sa rage ; elle sentait aussi sa fatigue croissante. L'eau charriait quantité d'épaves, branches et troncs d'arbres, radeaux de broussailles déracinées, cadavres d'animaux qui tournoyaient dans le courant. Quand elle regarda du côté de la rive, elle vit que le fleuve s'étendait très loin sous la forêt ; à cet instant, un arbre immense se mit à osciller puis entama une chute d'une lenteur extrême. Elle poussa un cri d'effroi, mais Sintara ne pouvait rien faire. Le géant s'abattait comme une tour ; il s'inclina, gémit puis s'inclina davantage, et soudain le courant emporta la dragonne et ses passagères loin du danger.

« Un dragon ! cria soudain Alise en lâchant étourdiment Thymara pour indiquer l'aval du fleuve. Un autre dragon ! Je crois que c'est Veras ! »

Elle ne se trompait pas ; Thymara reconnut la dragonne verte à la crête qui se développait depuis peu sur sa tête. Elle nageait, mais la jeune fille la trouva enfoncée dans l'eau, comme si l'épuisement l'alourdissait. Veras était la dragonne de Jerd ; Thymara se demanda où était sa gardienne, puis, comme si une seconde vague s'abattait sur elle, elle prit conscience qu'elle n'était pas la seule à avoir été emportée par la crue ; les autres étaient regroupés autour du feu de camp et avaient dû être submergés eux aussi. Et qu'étaient devenus leurs canoës et tout leur matériel, le *Mataf*, les autres dragons ? Comment avait-elle pu ne penser qu'à elle-même ? Tout son monde et ceux qui l'habitaient avaient disparu, entraînés par le fleuve. Elle parcourut la surface de l'eau d'un regard éperdu, mais il faisait trop sombre, et trop d'objets flottaient dans l'onde bouillonnante.

Sous ses jambes, elle sentit les côtes de Sintara se soulever ; la dragonne inspira profondément puis poussa un coup de trompe retentissant. Au loin, Veras tourna la tête, et un petit cri, semblable au croassement d'un oiseau, parvint aux oreilles de la jeune fille, puis un autre, plus long et plus grave, qui attira son regard vers une énorme masse, sans doute Ranculos. Il émit un nouvel appel, dont le sens apparut enfin à l'esprit de Thymara ; « Mercor dit qu'il faut nager vers la rive ; nous pourrons nous retenir aux arbres et rester en place en attendant que l'eau redescende. Tous vers la rive ! »

Sintara remplit à nouveau ses poumons, et, plus fort encore que la première fois, elle relaya le message à qui pouvait l'entendre. « Tous vers la rive ! Vers les arbres ! »

Thymara entendit un autre dragon reprendre l'appel au loin, puis peut-être un autre encore. Après cela, à intervalles irréguliers, elle perçut des coups de trompe qui venaient apparemment de la berge. « Dirige-toi vers ces cris ! » dit-elle à Sintara.

Ce ne fut pas une mince affaire : le courant entraînait la dragonne, qui devait en outre lutter contre les débris flottants qui lui faisaient obstacle. Une fois, elles furent prises dans un tourbillon qui les fit tournoyer au point que Thymara perdit tout sens de l'orientation.

Alise s'agrippait à la taille de Thymara et serrait les dents pour résister à la douleur de ses brûlures dues à l'eau acide. Sa peau était protégée là où sa robe cuivrée la touchait, mais ses joues, son front et ses paupières la piquaient atrocement. Elle offrit son visage à la pluie, et sa fraîcheur la soulagea. Elle crispa les mâchoires, et un sourire ironique lui étira les lèvres : elle risquait de mourir mais elle s'inquiétait de quelques petits bobos ! Ridicule. Elle éclata de rire.

Thymara se retourna pour la dévisager. « Vous allez bien ? »

L'espace d'un instant, l'éclat bleu clair des yeux de la jeune fille qui brillaient dans la nuit démonta Alise, puis elle hocha la tête gravement. « On ne peut mieux. J'ai vu huit dragons jusqu'ici, du moins je crois ; j'en ai peut-être compté certains deux fois.

— Je n'ai repéré aucun gardien, ni le *Mataf*. Et vous ?

— Non », répondit la jeune femme laconiquement. Elle ne voulait pas, elle ne pouvait pas s'inquiéter de cela maintenant. Le *Mataf* était un gros bateau ; il avait dû s'en sortir, et Leftrin finirait par la retrouver et la secourir. Il le fallait ; il représentait son seul espoir. Un instant, elle s'étonna de placer une si grande confiance en un homme, puis elle chassa cette pensée de son esprit. Elle n'avait que lui sur qui se reposer ; ce n'était pas le moment de douter de lui.

Autour d'elle, le fleuve bouillonnant rugissait, et le fracas lui meurtrissait les oreilles. La fureur de la vague initiale était passée, mais l'eau qui la suivait enflait le courant et lui donnait une puissance meurtrière. Alise serrait les genoux sur la dragonne comme si elle montait un cheval, s'agrippait à la ceinture de Thymara et priait. Les muscles lui faisaient mal de rester bandés depuis trop longtemps. Doux Sâ, combien de temps la terreur absolue pouvait-elle durer ? Entre ses jambes, la dragonne s'efforçait d'avancer, mais paraissait nager moins vigoureusement. Combien de temps s'était-il écoulé depuis la catastrophe ? Sintara devait commencer à se fatiguer ; si elle renonçait à lutter, toutes trois mourraient. Alise savait qu'elle ne survivrait pas sans elle à la crue. Elle se pencha vers la dragonne.

« Ce n'est plus très loin, ma reine, ma belle ; regarde, on voit la ligne des arbres. Tu peux y arriver ; n'essaie pas de t'y rendre tout droit ; laisse le courant te porter et dirige-toi en même temps vers la rive, ma pierre précieuse, ma beauté sans prix. »

Elle perçut une réaction, comme un sursaut de vigueur, comme si ses simples mots encourageaient Sintara d'une façon qui défiait les obstacles physiques.

Thymara l'avait sentie elle aussi. « Grande reine, il faut que tu survives. Tu dois transmettre les souvenirs de tous tes ancêtres. Nage, ou ils seront perdus à jamais, et le monde en sera diminué. Tu dois survivre, tu le dois ! »

La berge approchait, mais avec une lenteur désespérante, et, malgré les encouragements, les forces de Sintara l'abandonnaient. Soudain, elles entendirent des coups de trompe : plusieurs dragons s'étaient glissés entre les arbres le long de la berge. Ils appelaient leur congénère, et un frisson de soulagement parcourut Alise lorsqu'elle entendit aussi de frêles voix humaines.

« C'est Sintara ! La reine bleue de Thymara ! Nage, ma reine, nage ! N'abandonne pas !

— Doux Sâ, il y quelqu'un sur son dos ! Qui est-ce ? Qui a-t-elle sauvé ?

— Nage, dragonne ! Nage ! Tu vas y arriver ! »

Thymara lança soudain : « Sylve ? C'est toi ? Nous sommes là, Alise et moi ! Sintara nous a sauvées ! »

La voix haut perchée de Sylve leur parvint. « N'essayez pas de grimper sur le matelas flottant de débris et de broussailles, vous allez vous y empêtrer. Frayez-vous un chemin jusqu'aux arbres ; là, Sintara, on glissera quelques gros troncs en dessous de toi pour que tu puisses te reposer. Fais attention de ne pas te laisser prendre dans les broussailles ! Ça fait comme un filet ; si elles te prennent, elles t'entraîneront au fond. »

Quelques minutes plus tard, le conseil se révéla bien utile : toutes sortes de débris s'étaient accumulés le long de la rive. Du côté du fleuve, ils flottaient librement, mais, plus la dragonne approchait des arbres, plus leur masse devenait compacte et intriquée. Thymara s'agrippait à sa monture, avec l'impression que cette dernière partie de leurs tribulations durait une éternité. Les arbres dressaient leur havre de sécurité devant elle, et jamais elle n'avait eu plus envie de sentir l'écorce sous ses griffes ni de s'accrocher à l'un de ces géants. Une pénombre, qui n'était pas encore tout à fait la lumière du jour mais indiquait que l'aube naissait quelque part, avait commencé à envahir le ciel et à descendre vers le fleuve bouillonnant. Avaient-elles passé la nuit à combattre l'eau ? Thymara distinguait à présent les larges masses des dragons sous les arbres ; ils résistaient au courant, épuisés, en s'accrochant des pattes avant aux troncs. De temps en temps, certains poussaient des coups de trompe, et la jeune fille se demanda qui ils appelaient ainsi. Il y avait aussi des gardiens avec eux, perchés dans les basses branches ; elle ignorait leur nombre et leur identité, mais elle se prit à espérer que tous se portaient bien. Quelques heures plus tôt à peine, elle craignait qu'elle, Alise et Sintara ne fussent les seules survivantes ; à présent, elle envisageait que tous s'en fussent sortis sans dommage.

Du poitrail, Sintara s'ouvrit un passage dans la masse de débris ; elle avait peine à se retenir d'essayer de grimper sur cette couche flottante. Thymara sentait sa fatigue, son envie de cesser de lutter pour se reposer. Le cœur de la jeune fille bondit quand elle vit d'abord Sylve puis Tatou s'aventurer vers eux sur les troncs et les branches entremêlés. « Faites attention ! leur cria-t-elle. Si vous tombez dans l'eau, on ne vous retrouvera jamais sous ce matelas.

— Je sais ! répondit Tatou. Mais il faut dégager un peu le terrain pour permettre à Sintara d'accéder aux arbres. Nous avons pu aider certains dragons à rester à la surface en leur glissant des pièces de bois sous le ventre.

— J'en aurais bien besoin, dit aussitôt Sintara, et Thymara comprit qu'elle était beaucoup plus épuisée qu'elle ne le croyait.

— Il faut descendre de son dos, souffla-t-elle à Alise. Le radeau de débris a l'air assez épais pour supporter notre poids si nous y allons prudemment. »

Alise défaisait déjà la ceinture de tissu de sa robe ; elle était plus longue que ne s'y attendait Thymara, car la Terrilvillienne l'avait enroulée deux fois autour de sa taille. « Attachez-la à votre poignet, dit-elle, et j'en ferai autant ; si l'une de nous perd pied, l'autre pourra la retenir. »

La jeune fille se lança la première dans la descente, glissant à demi sur l'épaule mouillée de la dragonne, et se réjouit d'avoir fixé la ceinture à son poignet lorsqu'Alise la retint juste au-dessus du matelas de débris et lui permit ainsi de choisir son point d'atterrissage. Elle sauta sur un tronc proche d'où pointait une branche verticale ; il s'enfonça légèrement sous son poids, mais ne roula pas sous ses pieds. Il avait sans doute de nombreuses autres branches sous la surface, tellement prises dans les autres débris qu'il ne pouvait pas facilement bouger.

« Ça va ! Venez ! » cria-t-elle à Alise. Jetant un regard par-dessus son épaule, elle constata que Tatou s'apprêtait à prendre pied sur son tronc. « Non ! s'exclama-t-elle. Laisse-moi réceptionner Alise dessus avant d'y ajouter ton poids. » Il s'arrêta, manifestement mécontent et inquiet, mais il ne tenta pas de discuter. Comme la jeune femme entamait lentement sa descente en s'accrochant à l'aile de Sintara, elle entendit la voix de Sylve de l'autre côté de la dragonne.

« Il faut procéder prudemment, ou tu vas me précipiter à l'eau. Je vais m'approcher de toi en empruntant ce tronc ; il va s'enfoncer sous mon poids, et tu vas essayer d'y appuyer une patte de devant. Puis, tandis que je reculerai, tu tâcheras de t'avancer le long du tronc. Jusqu'ici, on a réussi à aider trois dragons à se maintenir comme ça à la surface. Tu es prête ?

— Tout à fait », répondit Sintara d'un ton où perçait la gratitude, très différent de sa façon de s'exprimer habituelle. Thymara faillit sourire ; après cette aventure, peut-être la reine verrait-elle les gardiens d'un autre œil.

Elle sursauta quand Tatou lui prit le bras. « Je te tiens, dit-il, rassurant. Viens par ici.

— Lâche-moi ! Tu me déséquilibres ! » Devant son expression peinée, elle poursuivit d'un ton plus apaisant : « Il faut faire de la place pour Alise sur le tronc. Recule, Tatou. » Il obéit et elle ajouta plus bas : « Je suis si contente de te voir en vie que je ne sais pas quoi te dire.

— À part “lâche-moi” ? demanda-t-il avec un humour acerbe.

— Je ne suis plus fâchée contre toi, répondit-elle, un peu surprise de constater que c'était vrai. À gauche, Alise ! lança-t-elle à la jeune femme qui, toujours agrippée à l'aile de Sintara, cherchait un endroit où poser le pied. Encore, encore… Là ! Vous êtes juste au-dessus. Laissez-vous descendre tranquillement. »

La Terrilvillienne suivit ses directives et poussa un petit cri quand elle sentit le tronc s'enfoncer légèrement sous son poids. Elle posa l'autre pied et resta debout, les bras écartés comme un oiseau qui fait sécher son plumage après un orage. À peine eut-elle quitté la dragonne que celle-ci s'élança pour poser la patte sur le tronc que Sylve alourdissait d'un côté, et son brusque mouvement fit danser tout le radeau ; Alise poussa un nouveau cri mais accompagna le déplacement et garda son équilibre. Thymara, toute honte bue, tomba à quatre pattes puis s'assit sur le fût de bois. « Baissez-vous ! cria-t-elle à Alise. Nous allons avancer à plat ventre jusqu'à ce que nous arrivions à une zone un peu plus stable.

— Je parviens à tenir mon équilibre, répondit la jeune femme, et, bien que sa voix tremblât légèrement, elle restait effectivement debout.

— Comme vous voulez, dit Thymara ; moi, j'y vais sur le ventre. » Sans doute ses nombreuses années d'expérience dans les arbres lui avaient-elles appris à ne pas prendre de risques inutiles. Elle courut à quatre pattes le long du tronc jusqu'à sa partie la plus large, là où les racines entremêlées se dressaient au-dessus du fleuve ; elle se releva en s'aidant des racines. Tatou l'avait précédée ; il lui jeta un regard en coin et dit : « Je vais te montrer par où je suis venu ; il y a des zones du radeau plus épaisses que d'autres.

— Merci », répondit-elle, et elle attendit qu'Alise la rejoignît ; la Terrilvillienne enroulait sa ceinture tout en avançant. Thymara se retourna vers Sintara et se sentit un peu coupable de se décharger de sa dragonne sur Sylve. La toute jeune fille se déplaçait avec assurance et indiquait à la grande créature ce qu'elle attendait d'elle. Thymara poussa un soupir de soulagement ; elle se débrouillait parfaitement.

« Sylve a réussi à récupérer un des canoës, dit Tatou par-dessus son épaule. C'est elle qui m'a sorti de l'eau.

— Quand je pense qu'au début nous la trouvions trop jeune et trop gamine pour une expédition comme la nôtre ! fit Thymara, et elle s'étonna quand Tatou éclata de rire.

— L'adversité nous force à nous dépasser, je pense. » Ils avaient atteint le premier des grands arbres ; Thymara s'arrêta pour y poser les mains. Que c'était bon ! Le tronc frémissait sous la puissance du courant, mais il dégageait néanmoins une plus grande impression de solidité que tout ce qu'elle avait touché depuis des heures. Elle mourait d'envie d'enfoncer les griffes dans l'écorce et de grimper, mais elle restait attachée à Alise.

« Il y en a un avec des branches basses là-bas, dit Tatou.

— Bon choix », répondit-elle. Sous les arbres, les débris étaient plus compacts ; ils dansaient sous ses pieds à chacun de ses pas, mais elle n'eut aucune difficulté à les franchir pour gagner l'arbre qu'indiquait Tatou. Comme elle commençait à se rassurer quant à sa survie, cent autres préoccupations se bousculèrent soudain dans son esprit, mais elle retint ses questions le temps de s'élever un peu dans l'arbre, d'y planter ses griffes et d'aider Alise à monter, tandis que Tatou la poussait par en dessous. La Terrilvillienne ne grimpait pas bien, mais, à eux deux, ils parvinrent à la hisser jusqu'à une branche solide et quasiment horizontale ; elle était assez large pour qu'elle pût s'y allonger, mais elle s'assit en tailleur et croisa les bras.

— Vous avez froid ? demanda Thymara.

— Non ; cette robe tient curieusement chaud. Mais j'ai le visage et les mains brûlés par l'eau du fleuve.

— Moi, mes écailles m'en ont isolée, je pense, du moins en partie », répondit Thymara, avant de s'étonner : pourquoi avait-elle dit cela tout haut ?

La Terrilvillienne acquiesça de la tête. « Je vous envie. Néanmoins, cette robe Ancienne paraît m'avoir protégée, mais je ne sais pas comment. J'ai été trempée mais j'ai séché très vite, et, là où la robe touche ma peau, je ne sens aucune irritation. »

Tatou haussa les épaules. « C'est fréquent que les objets fabriqués par les Anciens aient des effets inattendus, comme des carillons qui jouent des mélodies quand le vent souffle, des métaux qui émettent de la lumière quand on les touche, des bijoux qui sentent le parfum et dont l'odeur ne disparaît jamais. C'est de la magie, voilà tout. »

Thymara hocha la tête puis lui demanda : « Combien d'entre nous se trouvent ici ?

— La plupart. Tout le monde souffre de plaies et de bosses ; Kase a une méchante entaille à la cuisse, mais on dirait que l'eau la cautérise. Il a de la chance dans son malheur, parce qu'on n'a rien pour panser sa plaie. Ranculos a reçu un sérieux coup dans les côtes ; quand il souffle par le nez, du sang lui coule par les naseaux, mais il affirme qu'il se remettra si on lui fiche la paix, et Harrikine l'appuie ; il dit que

Ranculos ne veut des soins de personne. Boxteur, lui, a reçu un coup en pleine figure ; il a des cocards aux yeux et il y voit à peine. Tinder s'est fait mal à une aile, et Nortel a d'abord cru qu'elle était cassée, mais l'enflure a disparu et maintenant il peut la remuer, donc il ne doit s'agir que d'une méchante foulure. Tous ont eu leur part de blessures, mais au moins ils sont ici. »

Thymara le regarda sans rien dire. « Qu'y a-t-il d'autre ? » demanda Alise d'une voix tendue.

Il reprit son souffle. « Il manque Alum et Houarkenn. Le dragon d'Alum ne cesse pas de l'appeler, du coup on se dit qu'il est peut-être encore vivant. On a essayé d'interroger Arbuc, mais personne ne comprend ce qu'il dit ; on a l'impression de s'adresser à un enfant terrorisé. Il n'arrête pas de pousser des coups de trompe et de répéter qu'il veut qu'Alum vienne le sortir de l'eau. Le dragon rouge de Houarkenn, Baliper, ne dit rien ; il refuse de nous répondre. Veras, la dragonne de Jerd, a disparu, et Jerd pleure toutes les larmes de son corps depuis qu'on est arrivés ; elle dit qu'elle ne sent plus sa dragonne et qu'elle s'est sûrement noyée.

— Veras ? Mais nous l'avons vue ! Elle était bien vivante et elle nageait vigoureusement, mais le courant l'emportait vers l'aval.

— Ma foi, c'est quand même une bonne nouvelle. Tu devrais le lui dire. »

Au ton de Tatou, Thymara sentit qu'il avait pire encore à lui révéler. Elle retint son souffle, mais Alise demanda alors : « Que sont devenus Mataf et le capitaine Leftrin ?

— Certains d'entre nous ont vu le bateau juste après le passage de la vague ; elle l'a submergé, mais on l'a vu remonter à la surface, avec de l'eau blanche qui ruisselait de tous ses dalots. Il était donc à flot la dernière fois qu'on l'a aperçu, mais c'est tout ce qu'on sait ; on n'a retrouvé personne de l'équipage ni des chasseurs, alors on espère qu'ils étaient tous à bord et qu'ils s'en sont tirés grâce à Mataf.

— Si c'est le cas, ils viendront nous chercher ; le capitaine Leftrin se portera à notre secours. » Elle s'exprimait avec une si grande conviction que Thymara en eut presque de la peine pour elle ; si le capitaine ne venait pas, Alise aurait du mal à accepter qu'elle devait se débrouiller seule.

Elle regarda Tatou dans les yeux. « Et quoi d'autre ? demanda-t-elle sans détour.

— Le dragon argenté n'est pas là, ni Relpda, la petite reine cuivrée. »

Thymara soupira. « Je me demandais s'ils survivraient. Ils n'étaient pas très intelligents, et la cuivrée n'avait pas une bonne santé ; c'est peut-être une miséricorde qu'ils soient partis si vite. » Elle se tourna vers Tatou ; serait-il d'accord avec elle ? Mais il ne paraissait pas l'avoir écoutée. « Qui d'autre ? » demanda-t-elle.

Le monde parut se figer un instant, comme s'il se préparait au deuil. « Gringalette, et Kanaï. Ils ne sont pas ici, et personne ne les a vus après le passage de la vague.

— Mais je l'avais laissé avec toi ! » s'exclama-t-elle comme si la faute en incombait à Tatou ; il tressaillit, et elle comprit qu'il partageait ce sentiment.

« Je sais. On était en train de se disputer, et tout à coup l'eau nous a plaqués au sol. Je ne l'ai pas revu. »

Thymara s'accroupit sur la branche et attendit la douleur et les larmes. Elles ne vinrent pas, mais un engourdissement étrange monta de son ventre. Elle l'avait tué. Elle l'avait tué en se mettant tellement en colère contre lui qu'elle avait tourné le dos. « J'étais trop fâchée contre lui, avoua-t-elle à Tatou. Ce qu'il m'avait dit avait totalement terni l'image que j'avais de lui, et je ne voulais plus le connaître ni le laisser m'approcher. Et maintenant il n'est plus là.

— Terni ton image de lui ? » demanda Tatou avec circonspection.

— Je n'aurais jamais cru qu'il ferait ça. Je pensais qu'il valait mieux que ça », répondit-elle, gênée.

Elle s'aperçut trop tard que Tatou prenait ce jugement pour lui-même. « Peut-être que personne n'est tel que les autres le voient », fit-il sèchement, et il se leva et s'éloigna vers le tronc ; Thymara ne sut comment le rappeler.

Alise lui lança : « Il n'est absolument pas certain que Gringalette et lui soient morts ; il a pu regagner le *Mataf*. Le capitaine Leftrin nous le ramènera peut-être. »

Tatou la regarda par-dessus son épaule et dit d'une voix atone : « Je vais dire à Jerd que vous avez vu Veras ; ça la consolera peut-être un peu. Graffe tâche de lui remonter le moral, mais elle ne l'écoute pas.

— Bonne idée, répondit Alise. Dis-lui bien que, quand nous l'avons vue, elle nageait avec vigueur. »

Thymara ne tenta pas de le retenir. Qu'il aille réconforter Jerd ! Elle s'en moquait ; elle l'écartait de sa vie tout comme elle en avait écarté Kanaï. Elle ne les avait jamais vraiment connus ; mieux valait qu'elle gardât son cœur pour elle-même. Agissait-elle stupidement ? Était-elle obligée de se raccrocher à sa peine et à sa rancœur ? Pouvait-elle lâcher prise, pardonner à Tatou et renouer son amitié avec lui ? L'espace d'un instant, elle eut le sentiment que cette décision dépendait d'elle seule ; elle pouvait monter son attitude en épingle ou la considérer comme un simple fait. En s'y accrochant, elle se faisait du mal et elle lui faisait du mal. Avant de savoir ce qu'il avait fait avec Jerd, il était son ami ; seul avait changé le fait qu'elle savait.

« Mais je ne peux pas ne pas le savoir, se dit-elle à mi-voix. Et, maintenant que je le sais capable d'un tel acte, je me rends compte qu'il est différent de ce que je croyais.

— Vous allez bien ? demanda Alise. Vous avez dit quelque chose ?

— Non, je me parlais à moi-même, c'est tout. » Thymara se couvrit les yeux des mains ; elle était en sécurité et ses vêtements commençaient à sécher. Elle avait faim, mais la fatigue et la peine prenaient le pas sur son appétit ; cela pouvait attendre. « Je crois que je vais chercher un coin où dormir un peu.

— Ah ! » Alise paraissait déçue. « J'espérais que nous irions parler aux autres pour savoir ce qu'ils ont vu et ce qui leur est arrivé.

— Allez-y ; ça ne me dérange pas de rester seule.

— Mais… » Thymara comprit soudain ce qui la chagrinait : elle n'avait sans doute jamais escaladé un arbre et encore moins parcouru une forêt de branche en branche. Elle avait besoin de son aide mais refusait de la demander. La jeune fille fut soudain prise d'une grande envie de repos et de solitude ; la migraine commençait à lui marteler les tempes et elle aspirait à trouver un endroit tranquille où se cacher pour pleurer jusqu'à ce que le sommeil la prît. Kanaï errait dans ses pensées avec son sourire insouciant et sa bonne humeur. Disparu. Disparu deux fois pour elle en moins d'une nuit. Disparu à jamais, très probablement.

Son menton se mit soudain à trembler, et elle eût risqué de s'effondrer devant Alise si Sylve ne l'avait pas sauvée. La jeune fille escalada le tronc comme un écureuil, Harrikine sur les talons ; il grimpait à la façon d'un lézard, le ventre contre l'écorce, comme Thymara. Une fois sur la branche, il replia sa longue charpente mince et s'installa dos au tronc. Sylve s'essuya les mains sur son pantalon taché puis annonça : « Sintara est à flot et elle se repose ; Harrikine m'a aidée à glisser quelques grosses branches sous son poitrail ; on les a coincées contre des arbres, et le courant devrait les maintenir en position, mais on les a fixées avec des lianes pour plus de sûreté. Elle n'est pas à l'aise, mais elle ne se noiera pas, d'autant moins que l'eau a déjà commencé à baisser ; ça se voit aux marques que la crue a laissées sur les arbres.

— Merci. » La réponse paraissait insuffisante à Thymara, mais elle ne voyait rien de mieux à dire.

« De rien. Harrikine et moi, on commence à devenir doués ; je n'aurais jamais cru devoir apprendre à faire flotter un dragon. » Elle sourit, lança un regard à Thymara de ses yeux bordés de rouge, puis les détourna.

« Et Mercor et Ranculos ? » demanda Thymara. Elle ne voulut pas mentionner Kanaï ; partager sa douleur ne l'allégerait pas.

« Mercor est fatigué, mais il va bien, sinon. J'ai voulu savoir s'il avait le souvenir d'un événement semblable dans le passé ; une fois, m'a-t-il dit, un de ses ancêtres a commis la bêtise de voler autour d'une montagne sur le point d'exploser, il le savait, une grande montagne couverte de glaciers et de neige ; il voulait savoir ce qui se passerait quand le feu rencontrerait la glace. Quand l'éruption a eu lieu, la glace et la neige ont fondu instantanément et se sont mises à couler le long des flancs en se mêlant aux pierres et à la terre pour former une soupe épaisse. Il a dit que les torrents dévalaient les pentes à toute vitesse et presque jusqu'à perte de vue, et que c'est peut-être ce qui s'est passé très loin d'ici ; la vague résultante ne nous aurait atteints qu'aujourd'hui. »

Thymara se tut, s'efforçant d'imaginer un tel cataclysme. Elle secoua la tête ; ce qu'évoquait Sylve se situait sur une échelle qui dépassait largement ses capacités d'invention. Toute une montagne qui fondait et s'écoulait dans le paysage ? Était-ce possible ?

« Et ton dragon, Ranculos ? demanda-t-elle à Harrikine.

— Un tronc l'a heurté lorsque la vague a déferlé ; il est durement meurtri, mais au moins la peau n'est pas lésée, si bien que l'eau ne l'attaque pas. » C'était Sylve qui avait répondu, et Harrikine hocha la tête. Il s'était figé, et, ainsi immobile, il rappelait encore plus un lézard à Thymara, jusqu'à ses yeux ceints d'écailles semblables à des joyaux et qui ne cillaient pas.

« Tu as trouvé un canoë et tu as sauvé Tatou ?

— Par pur hasard. J'avais laissé ma gamelle dans le canoë ; le poisson était presque cuit, et je suis allée la chercher. J'ai embarqué et, alors que je fouillais mes affaires, la vague est arrivée. Je me suis accrochée aux bords et j'ai fini par me retrouver à la surface ; je n'ai plus eu alors qu'à écoper, mais l'eau avait emporté tout mon matériel. Je n'ai plus rien que ce que je porte. »

Thymara s'aperçut alors que c'était aussi son cas. Elle ne pensait pas que son moral pouvait tomber plus bas, mais elle constata le contraire.

« Est-ce qu'il reste quelque chose à quelqu'un ? » demanda-t-elle en songeant avec nostalgie à ses affaires de chasse, à sa couverture, et même à sa paire de chaussettes sèches. Elle avait tout perdu.

« On a retrouvé trois canoës, mais je crois qu'il n'y avait plus rien dedans, même pas les pagaies. Il va falloir bricoler quelque chose pour les remplacer. Graffe a encore sa boîte à amadou, mais ça ne sert pas à grand-chose pour le moment : où ferait-on du feu ? Ce qui m'inquiète, c'est cette nuit, quand les moustiques arriveront ; on ne va pas rire tous les jours tant que l'eau ne sera pas redescendue. Et encore : même alors, nos difficultés ne seront pas terminées.

— Le capitaine Leftrin viendra nous secourir, dit Alise ; cela fait, et une fois le niveau du fleuve revenu à la normale, nous poursuivrons notre route.

— Poursuivre notre route ? » fit Harrikine à mi-voix, comme s'il n'en croyait pas ses oreilles.

La Terrilvillienne parcourut des yeux son auditoire étonné puis éclata d'un petit rire. « Vous n'avez pas étudié l'histoire ? Nous sommes des Marchands : nous avançons quoi qu'il arrive. Et puis (elle haussa les épaules) que pouvons-nous faire d'autre ? »

Dix-neuvième jour de la Lune de la Prière

Sixième année de l'Alliance Indépendante des Marchands

De Detozi, Gardienne des Oiseaux, Trehaug, à Erek, Gardien des Oiseaux, Terrilville

Ci-joint un rapport du Conseil des Marchands de Cassaric à destination du Conseil des Marchands de Trehaug concernant le tremblement de terre, la pluie noire, la crue blanche et la disparition probable de l'expédition de Kelsingra, de l'équipage du Mataf et de tous les dragons.

Erek,

Nous n'avons jamais connu une crue comme celle qui vient de nous frapper. On déplore des morts dans les deux sites de fouilles, les nouveaux quais qu'on venait de construire à Cassaric ont été emportés, et des dizaines d'arbres du bord du fleuve ont été arrachées ; seule la chance a permis que nous ayons perdu si peu de maisons. Les ponts et la Salle des Marchands ont subi des dégâts considérables. Je pense que nous ne saurons jamais ce que sont devenus les dragons et leurs gardiens. Je n'ai reçu qu'hier votre message à propos d'un déplacement dans le désert des Pluies ; j'espère que vous n'étiez pas sur le fleuve. Si tout va bien, envoyez-moi, je vous en prie, un oiseau pour me le dire dès réception du présent message.

Detozi

6

Équipiers

De l'eau lui aspergea le visage, le tirant de son cauchemar. Il cracha en toussant. « Assez ! cria-t-il d'une voix étranglée, en s'efforçant de prendre un ton comminatoire. Sors de ma chambre ! Je me lève, j'arrive ! »

Malgré cela, il perçut encore de l'eau sur la figure. Cette fois, son imbécile de sœur allait recevoir une correction !

Il ouvrit les yeux et se retrouva au milieu d'un autre cauchemar, suspendu entre les mâchoires d'un dragon. La créature nageait au milieu d'un fleuve de blancheur, et le ciel présentait la lueur incertaine de l'aube. Sédric frôlait la surface de l'eau ; il sentait les crocs de la dragonne qui appuyaient légèrement sur sa poitrine et son dos ; ses bras et ses jambes ballaient dans l'eau. Le courant s'opposait aux efforts de la dragonne et la repoussait vers l'aval ; et elle était fatiguée. Elle nageait à la façon des chiens, en pataugeant des pattes avant. Sédric tourna la tête et constata que seules la tête et les épaules de la créature dépassaient de l'eau. La dragonne cuivrée était en train de couler ; et, quand ses forces l'abandonneraient et qu'elle sombrerait, il la suivrait.

« Que s'est-il passé ? » demanda-t-il d'une voix croassante.

Grande eau. La dragonne s'exprimait dans un gargouillement, mais les mots s'étaient formés dans l'esprit de Sédric. Elle lui imposa une image, celle d'une vague blanche pleine de rochers, d'arbres et de cadavres d'animaux ; devant lui, la surface du fleuve était parsemée de débris flottants. La dragonne nageait en suivant le courant, le long d'un radeau de lianes et de branches entremêlées d'où pointaient les pattes d'un ruminant mort ; le fleuve s'empara de ce tapis et le dispersa.

« Que sont devenus les autres ? » La grande créature ne répondit pas. Sédric se trouvait si près de la surface du fleuve qu'il n'y voyait guère ; il y avait de l'eau partout. Était-ce possible ? Il tourna lentement la tête d'un côté puis de l'autre : pas de *Mataf*, pas de canoës, pas de gardiens, pas de dragons ; rien que lui, la dragonne cuivrée, le large fleuve blanc et la forêt au loin.

Il s'efforça de se rappeler les moments précédant la catastrophe. Il avait quitté le bateau, il s'était entretenu avec Thymara, puis il était parti en quête de la dragonne avec l'intention de résoudre la situation, il ne savait encore comment. Ses souvenirs s'arrêtaient là. Il changea de position entre les mâchoires de la dragonne, ce qui éveilla des douleurs là où les crocs appuyaient sur lui. Ses jambes, dans le vide, étaient froides et engourdies, tout son visage le piquait ; il essaya de bouger les bras, y parvint, mais ce léger mouvement fit danser la tête de la dragonne. Elle se stabilisa et continua de nager, mais Sédric frôlait à présent la surface de l'eau, qui menaçait de s'engouffrer dans la gueule de la grande créature.

Il voulut se rendre compte de la distance qui les séparait de la berge, mais il ne la vit nulle part. D'un côté, il aperçut une rangée d'arbres qui pointaient hors de l'eau ; quand il tourna le regard de l'autre côté, il ne distingua que le fleuve. Depuis quand était-il si large ? Il battit des paupières pour éclaircir sa vision. Le jour montait, et son éclat se réfléchissait sur la surface blanche de l'eau. Il n'y avait nulle terre sous les arbres ; le fleuve était en crue.

Et la dragonne nageait avec le courant.

« Cuivrée », dit-il, tâchant d'attirer son attention. Elle continua obstinément de patauger.

Il fouilla ses souvenirs et retrouva son nom. « Relpda, dirige-toi vers la rive, ne reste pas au milieu du fleuve. Va vers les arbres, par là. » Il voulut tendre le doigt, mais le mouvement lui fit mal, et la dragonne tourna la tête, lui plongeant presque le visage dans l'eau ; elle continua de nager régulièrement avec le courant.

« Vas-tu m'écouter, satanée bestiole ? Va vers la rive ! C'est notre seul espoir ; porte-moi jusqu'aux arbres, et ensuite tu pourras faire ce que tu veux. Je n'ai pas envie de mourir dans ce fleuve. »

Il ne put se rendre compte si elle avait remarqué qu'il s'adressait à elle. Une, deux, une deux. Il se balançait au rythme de sa nage opiniâtre.

Parviendrait-il à gagner les arbres par ses propres moyens ? Il n'avait jamais été un nageur très résistant, mais la peur de se noyer lui donnerait peut-être des forces. Il plia les jambes pour mesurer leur état d'ankylose, ce qui lui valut une nouvelle trempette et lui révéla qu'il était glacé jusqu'aux os. Si la dragonne ne le conduisait pas jusqu'à la berge, il n'y parviendrait pas seul, et, vu la façon dont elle se mouvait, il commençait à se demander si elle-même y arriverait ; mais elle représentait sa seule chance de s'en sortir. Il devait absolument l'obliger à l'écouter.

Songeant à Thymara et à Alise, il leva une main pour toucher la mâchoire de Relpda, peau contre écaille ; il avait les mains sensibles, profondément ridées par l'immersion dans l'eau, et si rouges que, si elles se réchauffaient, elles le brûleraient sans doute. Mais il ne devait pas penser à cela pour le moment.

« Ma beauté… » dit-il en se sentant parfaitement ridicule. Aussitôt, il perçut une étincelle d'attention chaleureuse s'allumer dans son esprit. « Ravissante reine cuivrée, brillante comme une pièce d'or fraîchement frappée, aux yeux tournoyants et aux écailles scintillantes, écoute-moi, je t'en prie. »

Je t'entends.

« Oui, entends-moi. Tourne la tête. Vois-tu les arbres, là-bas, qui pointent de l'eau ? Merveilleuse, si tu me transportes jusqu'à eux, nous pourrons nous reposer tous les deux ; je pourrai te panser et peut-être te trouver à manger ; je sais que tu as faim. Je le sens. » Et il se rendit compte que c'était vrai et troublant. S'il laissait ses pensées s'approcher encore de la dragonne, il percevait aussi sa fatigue croissante. Non, il devait rester à l'écart ! « Allons-y, que tu puisses prendre le repos dont tu as si grand besoin et que j'aie le plaisir de nettoyer la boue qui te couvre la figure. »

Il manquait d'entraînement. En dehors de lui dire qu'elle était belle, il ignorait quels compliments satisferaient la dragonne. Il se tut et attendit une réponse ; elle tourna la tête, regarda les arbres et continua de nager. Ils ne se dirigeaient pas droit vers la rive, mais à présent ils arriveraient à l'atteindre par l'oblique.

« Comme tu es intelligente, ravissante reine cuivrée ! Si jolie, si belle, si brillante et si cuivrée ! Va vers les arbres, jolie dragonne maligne. »

Il perçut à nouveau un contact plein de chaleur et en éprouva une curieuse émotion. Les douleurs qui le tenaillaient parurent s'atténuer. Apparemment, le fait qu'il employât des mots simples et sans grâce ne gênait pas la dragonne. Il continua de la complimenter, et elle réagit en se dirigeant plus franchement vers le bord du fleuve et en nageant plus vigoureusement. L'espace d'un instant, il sentit ce que lui coûtait cet effort, et il eut presque honte de le lui demander. « Mais, si je ne le fais pas, nous mourrons tous les deux », murmura-t-il, et il perçut un vague acquiescement de la part de la dragonne.

Comme ils se rapprochaient des arbres, son cœur se serra. Le lit du fleuve s'était élargi, et l'on ne voyait nulle berge sous leurs frondaisons, nulle étendue de terre, même boueuse, rien que des rangées d'arbres impénétrables, aux troncs comme les barreaux d'une cage destinée à contenir Relpda dans le fleuve. À l'ombre de la voûte des branches, l'eau formait un lac paisible qui s'étendait à l'infini dans la pénombre.

Une zone cependant lui offrait quelque espoir ; dans une alcôve formée par des arbres en cercle, un courant de retour avait accumulé des branches brisées, des morceaux de bois et même des troncs de belle taille qui s'étaient entassés pour constituer une sorte de radeau épais. Cela n'était guère tentant, mais, une fois sur place, il pourrait se hisser hors de l'eau et peut-être se sécher avant la tombée de la nuit.

Il ne pouvait guère aspirer à mieux ; pas de repas chaud, pas de boisson revigorante, pas de vêtements secs et propres, pas même une paillasse grossière pour s'allonger. Rien ne l'attendait que les strictes nécessités de la survie.

Et la dragonne aurait encore moins que lui, sans doute. Les troncs et les branches entremêlés fourniraient à l'humain un sol relativement stable sur lequel s'installer, mais Relpda ne pouvait en espérer autant. Elle nageait de toutes ses forces à présent, mais en vain ; il n'y avait pas d'espoir pour elle et guère davantage pour lui.

Pas sauve-moi ?

« On va essayer. J'ignore comment, mais on va essayer. »

Pendant un long moment, il sentit la dragonne absente de son esprit, et il prit conscience de sa peau qui le brûlait, des crocs de Relpda qui le meurtrissaient. Ses muscles hurlaient de douleur, et le froid l'engourdissait et le piquait en même temps. Puis la dragonne revint, imposant sa chaleur et repoussant l'accablement de Sédric.

Peux te sauver, dit-elle.

Son affection l'enveloppa. *Pourquoi ?* se demanda-t-il. Pourquoi voulait-elle le protéger ?

Moins seule. Comprends mieux le monde. Me parles. Sa chaleur l'entoura.

Sédric se tut un instant. Depuis toujours, il sentait que les gens l'aimaient : ses parents, Hest – du moins le croyait-il –, Alise. Il connaissait l'amour et en acceptait l'existence ; mais jamais il ne l'avait perçu comme une sensation physique qui émanait d'une autre créature, le réchauffait et le réconfortait. C'était incroyable ! Lentement, une pensée lui vint.

Le sens-tu quand je pense à toi ?

Quelquefois. La réponse était circonspecte. *Je sais que pas vrai, parfois. Mais mots gentils, mots jolis, bons même si c'est pas vrai. Comme penser à nourriture quand faim.*

La honte submergea soudain Sédric. Il prit une lente inspiration et ouvrit sa reconnaissance à la dragonne, laissa s'écouler de lui ses remerciements pour son pardon après lui avoir soutiré son sang, de l'avoir sauvé, de continuer à se battre pour lui alors qu'il ne pouvait même pas lui promettre un havre de sécurité.

Comme s'il avait versé de l'huile sur un feu, l'affection et l'estime de Relpda bondirent, il sentit son corps se réchauffer, et tout à coup elle se mit à nager plus énergiquement encore. Ils parviendraient peut-être à survivre ensemble.

Pour la première fois depuis de nombreuses années, il ferma les yeux et formula tout bas une prière fervente à Sâ.

« Prends ton repas et grimpe là-haut. Garde les yeux ouverts, dit Leftrin à Davvie. Je veux que tu restes sur le toit du rouf à surveiller les environs ; observe l'eau, cherche quelqu'un qui s'accrocherait à un débris flottant, examine les arbres et entre leurs branches. N'arrête pas de chercher, et souffle sans cesse dans cette trompe ; trois coups longs puis une pause et tu tends l'oreille.

— Oui, capitaine, fit le jeune garçon d'une voix défaillante.

— Tu y arriveras », intervint Carson derrière lui, et il lui donna sur l'épaule une petite tape qui le poussa en même temps en avant. Le garçon prit deux morceaux de pain, sa chope de thé et quitta le rouf.

« C'est un bon gars ; je sais qu'il est fatigué », dit Leftrin, en partie pour s'excuser de traiter Davvie aussi rudement et en guise de remerciement de pouvoir l'employer ainsi.

« Il veut les retrouver autant que n'importe qui à bord de ce bateau ; il continuera de chercher aussi longtemps qu'il pourra. » Carson hésita puis se jeta à l'eau : « Et Mataf ? Peut-il nous aider ? »

Leftrin savait qu'il voulait seulement se rendre utile, mais c'était un vieil ami, non un membre de l'équipage, et il y avait des sujets qui ne s'abordaient qu'au sein de cette famille, dont même les vieux amis étaient exclus. « On tire tout le parti possible de la gabare, Carson ; pour faire mieux, il faudrait qu'il lui pousse des ailes et qu'elle survole le fleuve. On peut difficilement attendre ça d'un bateau, tu ne crois pas ?

— Bien sûr. » L'autre hocha la tête, signe qu'il comprenait et ne chercherait pas à en savoir plus ; sa déférence agaça Leftrin presque autant que ses questions. Il savait qu'il avait le tempérament vif ; la douleur lui déchirait le cœur alors même qu'il se raccrochait à un espoir bien mince et poursuivait ses recherches sans y croire. *Alise ! Alise, ma chérie ! Pourquoi nous être retenus si c'était pour nous perdre ainsi ?*

Sa détresse ne s'adressait pas qu'à la jeune femme, même si, Sâ le savait, ce sujet l'accablait et l'empêchait de raisonner clairement ; tous les jeunes, sans exception, manquaient à l'appel. Les dragons avaient disparu. Et Sédric ! S'il retrouvait Alise pour lui apprendre qu'il avait perdu Sédric, que penserait-elle de lui ? Et, avec les dragons, c'étaient aussi ses rêves qui s'effaçaient. Il savait à quel point elle tenait aux dragons et à leurs gardiens ; il avait tout raté, absolument tout. Ces recherches ne déboucheraient sur rien de bon.

« Leftrin ! »

Il sursauta et vit, à l'expression de Carson, que celui-ci s'efforçait de lui parler depuis un moment. « Désolé, je manque de sommeil », dit-il d'un ton bourru.

Le chasseur hocha la tête, compatissant, et se frotta les yeux, qu'il avait lui-même injectés de sang. « Je sais ; on est tous fatigués, et on a une sacrée veine que ce soit notre seul malheur. Tu es un peu amoché, et Eider a peut-être quelques côtes fêlées, mais dans l'ensemble on s'en est sortis indemnes ; et on sait tous qu'on pourra se reposer plus tard. Pour l'instant, voici ce que je propose : mon canoë est sur le *Mataf ;* par chance, j'avais pris l'habitude de le hisser à bord et de le fixer solidement tous les soirs. Je vais prendre la trompe de réserve du bateau et partir de mon côté ; je descendrai le fleuve aussi vite que possible sur une certaine distance puis je m'approcherai de la rive et chercherai sous les arbres. Tu me suivras, mais à ton rythme. De temps en temps, je lancerai trois longs coups de trompe, comme Davvie, pour t'indiquer où je suis et t'annoncer que je poursuis mes recherches. Si l'un de nous trouve quelque chose, il enverra trois coups brefs pour appeler l'autre. »

Leftrin l'écoutait, la mine sombre. Il savait de quoi Carson parlait : de cadavres. Il chercherait des cadavres et des survivants en si mauvais état qu'ils étaient incapables d'appeler leurs sauveteurs à l'aide. C'était logique. Mataf s'était déplacé très lentement, d'abord vers l'amont jusqu'à l'emplacement approximatif où la vague avait frappé puis vers l'aval, pour scruter à la fois le fleuve et la ligne des berges. La petite embarcation de Carson pouvait profiter du courant pour se rendre rapidement là où ils avaient entamé les recherches et continuer à examiner les hauts-fonds.

« Tu as besoin de quelqu'un pour t'accompagner ? »

Carson secoua la tête. « Je préfère laisser Davvie ici, en sécurité, avec toi. J'irai seul ; le canoë n'est pas grand, et, si je trouve quelqu'un, je tiens à pouvoir le ramener tout de suite.

— Trois coups brefs, c'est que nous aurons découvert quelque chose ; même s'il ne s'agit que d'un corps ? »

Carson réfléchit puis fit « non » de la tête. « On ne peut plus rien pour les morts ; pas la peine d'appeler l'autre au risque de passer à côté d'un survivant. Il me faudra du pétrole et une marmite ; si on ne se rejoint pas avant la tombée du soir, je m'arrêterai, j'allumerai du feu dans la marmite et je passerai la nuit sur place ; le feu me tiendra chaud et servira de signal pour qui pourra le voir. Et, si je trouve un survivant avant qu'il fasse complètement noir, je peux me servir de la trompe et du feu pour vous guider jusqu'à moi. »

Leftrin acquiesça. « Emporte une bonne réserve de rations et d'eau. Si tu tombes sur des survivants, ils risquent d'être en mauvais état ; tu en auras besoin.

— Je sais.

— Eh bien, bonne chance.

— Sâ te protège. »

Ces mots, dans la bouche du chasseur, assombrirent encore l'humeur du capitaine. « Sâ te protège », répondit-il, et l'homme s'éloigna. « Je t'en supplie, trouve-la », fit Leftrin à mi-voix, et il remonta sur le pont pour surveiller lui aussi le fleuve.

Comme il rejoignait ses hommes, il sentit leur compassion à son égard. Souarge, Belline, Hennesie et le grand Eider se taisaient et détournaient le regard, comme honteux de ne pouvoir lui donner ce qu'il désirait. Skelli s'approcha de lui et lui prit la main ; il la regarda et vit un instant sa nièce au lieu du mousse quand elle leva les yeux vers lui. Elle pressa légèrement sa main calleuse ; sa bouche triste et son petit signe de la tête lui montrèrent qu'elle partageait son inquiétude. Là-dessus, elle retourna à son poste de guet. *Je n'aurais pas pu rêver mieux comme équipage*, songea-t-il, la gorge serrée. Sans discuter, ils l'avaient suivi dans cette expédition sur le fleuve en territoire inconnu, d'abord parce qu'ils étaient ainsi, curieux, aventureux et confiants dans leurs capacités, mais surtout parce qu'ils étaient prêts à les accompagner partout, Mataf et lui. Il régnait sur leurs existences, et, parfois, cette pensée l'intimidait.

Pourquoi avait-il répondu de façon évasive à Carson ? Pourquoi cette peine ? Le chasseur n'était pas idiot et il avait dû percer rapidement à jour les mystères que faisait l'équipage : il savait que le bateau était vivant et intelligent ; d'ailleurs, s'il nourrissait des doutes à ce sujet, la façon dont Mataf avait sauvé Leftrin la nuit précédente avait dû les dissiper. Quand il avait crié, la gabare s'était dirigée droit sur lui, et, malgré le courant, était restée sur place en attendant que le capitaine fût remonté à son bord, en sécurité.

Enveloppé dans sa couverture, mais dégoulinant encore et grelottant, il s'était rendu dans la coquerie. « Alise va bien ? » avait-il demandé, et l'expression de son équipage lui avait donné la réponse.

Il n'avait pas fermé l'œil depuis lors, et il ne dormirait pas tant qu'il ne l'aurait pas retrouvée.

Le radeau de débris flottants était à la fois trop dense et pas assez solide.

Relpda y avait conduit Sédric ; une fois là, elle s'y était enfoncée comme une cuiller dans une soupe épaisse. Bouts de bois, ronces emmêlées, branches feuillues, longs troncs morts, arbres récemment arrachés et touffes d'herbe s'étaient ouverts devant elle pour se refermer aussitôt derrière elle. Poussant du poitrail, elle avait dû juger le tapis flottant assez résistant ou assez proche, car elle y avait lâché Sédric. Il avait chu en travers de deux troncs et avait commencé à glisser entre eux ; il s'était débattu frénétiquement, malgré ses membres ankylosés, et avait fini par remonter sur le tronc le plus épais. Accroché là, il l'avait senti danser dans le courant, et, pire, se déplacer et menacer de se désolidariser du radeau sous les efforts éperdus de la dragonne pour y prendre pied à son tour.

« Ça ne supportera pas ton poids, Relpda. Arrête, tu es en train de tout mettre en pièces ! Tu ne peux pas monter là-dessus, ce ne sont que des bouts de bois et de roseaux qui flottent sur l'eau. » Il s'était écarté d'elle pour gagner une zone du radeau que les mouvements de la dragonne affectaient moins violemment. Il sentait son affolement croissant auquel s'ajoutaient sa fatigue et son désespoir ; elle était épuisée, et il songea avec un sentiment de culpabilité que, si elle l'avait abandonné, elle disposerait à présent d'une réserve d'énergie bien supérieure. Encore une fois, il se demanda pourquoi elle l'avait sauvé à ses propres dépens.

Puis il se demanda pourquoi lui-même ne faisait rien pour la sauver.

Il existait une réponse immédiate et honteuse à cette question : une fois Relpda noyée, elle cesserait à jamais de pénétrer dans sa tête, et il serait seul maître de ses pensées. Quand il rentrerait à Terrilville, il pourrait reprendre son existence d'antan et…

Il repoussa son égoïsme. Il ne retournerait jamais à Terrilville ; il se tenait sur un radeau de débris qui flottait sur un fleuve acide. Il examina ses bras, qui le brûlaient : la peau à vif ressemblait à de la viande crue ; quant au reste de sa personne, il était trop lâche pour oser y jeter un coup d'œil. Il frissonna de froid ; il croisa les bras sur sa poitrine pour se réchauffer et réfléchit à la situation incompréhensible qui était la sienne. Tout ce dont il dépendait pour survivre dans ce pays hostile avait disparu : bateau, équipage, chasseurs, provisions. Alise était sans doute déjà morte, et son cadavre flottait quelque part sur le fleuve. Le chagrin l'assaillit soudain, mais il s'efforça de le repousser ; il devait garder les idées claires ou il risquait de la rejoindre.

Qu'allait-il faire ? Il n'avait pas d'outils, rien pour allumer un feu, pas de quoi s'abriter, rien à manger, et aucune compétence pour se procurer tout ce qui précédait. Il regarda la dragonne cuivrée. Il lui avait dit la vérité : il ignorait comment la sauver. Si elle mourait, le courant l'emporterait, et alors il mourrait sûrement à son tour, sans doute de mort lente, et tout seul, sans moyen de se déplacer.

La dragonne représentait sa seule chance de s'en sortir, sa seule alliée. Elle avait risqué sa vie pour lui et ne lui avait pas demandé grand-chose en échange.

Relpda poussa un petit coup de trompe, et il la regarda. Elle s'était encore enfoncée dans le radeau flottant, avait passé une patte avant sur un tronc massif et s'efforçait d'y accrocher l'autre, mais elle se trouvait à l'extrémité la plus mince d'un arbre mort, et son poids le submergeait ; il menaçait de glisser sous sa patte pour jaillir en l'air, et la dragonne se trouvait en grand danger de couler.

« Attends, Relpda ; il faut te placer au milieu du tronc. Tiens bon, j'arrive. » Il examina sa situation en tâchant de voir comment y remédier. Un dragon en train de sombrer, du bois qui flotte… Son poids à l'autre bout du tronc suffirait-il à le maintenir en place tandis qu'elle y agrippait sa deuxième patte ?

Naturellement, elle ne l'écouta pas et continua de pousser de petits coups de trompe tout en s'évertuant à s'accrocher au tronc. Ses mouvements frénétiques défaisaient le tapis de débris, dont des morceaux s'éloignaient, emportés par le courant.

Il se concentra sur elle. « Belle dragonne, laisse-moi t'aider. Reste tranquille un moment ; reste tranquille. Je vais bloquer le tronc ; j'arrive, ravissante créature, reine des reines. Il ne faut pas détruire le radeau de débris ; il risquerait de t'emporter loin de moi. Bouge le moins possible pendant que je réfléchis à ce que je dois faire. »

Il perçut un contact chaleureux puis un petit message. *Me servir ?* Et elle cessa de lutter. C'était pitoyable de voir avec quelle promptitude elle s'en remettait à lui. La peau irritée par ses vêtements collants, il entreprit maladroitement de se déplacer d'un tronc à l'autre ; aucun n'était stable, et souvent il n'avait qu'un instant pour décider où poser le pied avant que son support commençât à s'enfoncer. Néanmoins, il atteignit les racines emmêlées de l'arbre auquel se retenait Relpda et s'en saisit. Le tronc était assez long, et lui-même se trouvait assez loin de la dragonne pour, jugeait-il, que son poids, bien que faible, suffît à soulever la grande créature. Il se mit à escalader la masse des racines pour voir si l'autre extrémité remonterait, et il comprit soudain son erreur : il devait abaisser l'autre extrémité du tronc pour la glisser sous la dragonne, non la soulever. Il regretta de n'avoir pas plus d'expérience dans ce domaine ; il n'avait jamais travaillé de ses mains, et il en tirait fierté naguère ; seuls son esprit et son éducation lui avaient valu sa situation privilégiée. Mais s'il n'apprenait pas très vite à se débrouiller, sa dragonne allait mourir.

« Relpda, ma splendide reine cuivrée, ne bouge surtout pas. Je vais tenter de soulever le tronc de mon côté pour le glisser sous ton poitrail. Quand il remontera, il te relèvera peut-être un peu. »

Son plan se révéla peu efficace : chaque fois qu'il tâchait de pousser l'extrémité du tronc vers le haut, ce sur quoi il se tenait s'enfonçait. En une occasion, il faillit perdre l'équilibre, au risque de se retrouver sous le radeau flottant. Il parvint à enfoncer légèrement l'arbre sous le poitrail de la dragonne, mais, quand il finit par renoncer, la position de Relpda ne s'était guère améliorée ; lorsqu'elle cessait de battre des pattes arrière, elle coulait, mais son échine et sa tête restaient au-dessus de la surface. Ses yeux étaient braqués sur Sédric, et il y plongea le regard. C'étaient deux bassins d'un liquide bleu sombre qui tournoyait sur un fond de cuivre et qui lui évoquait les couleurs changeantes de son sang dans la fiole de verre. Un brusque sentiment de culpabilité l'accabla ; comment avait-il pu commettre un acte aussi monstrueux ?

Fatiguée, meugla-t-elle. Le son frappa ses oreilles, et une sensation d'épuisement submergea l'esprit de Sédric, dont les genoux fléchirent. Il se raidit et s'efforça de renvoyer à la dragonne chaleur et encouragement.

« Je sais, ma reine, ma ravissante, mais il ne faut pas renoncer. Je fais de mon mieux, et je te promets que je vais t'aider. » Malgré sa lassitude, il passa en revue les possibilités qui s'offraient à lui et les rejeta les unes après les autres. Enfoncer des morceaux de bois plus petits sous elle ? Non, ils ne tiendraient pas en place, et lui-même risquerait de tomber à l'eau.

Elle déplaça sa patte avant pour trouver une meilleure prise, et le tronc auquel elle se retenait se souleva, retomba dans une gerbe d'éclaboussures, et elle faillit le lâcher ; des débris se désolidarisèrent du radeau et s'éloignèrent, happés par le courant. « Ne bouge pas, magnifique créature, ou le tronc auquel tu t'accroches risque de se séparer des autres. Reste le plus immobile possible pendant que je réfléchis. »

La vague d'affection qui l'inonda apaisa ses inquiétudes ; un instant, il rougit de plaisir, et il perçut une émotion poindre en lui, comme de l'amour, puis, aussi vite qu'elle était venue, elle s'effaça. Il serra les poings. Comment Alise appelait-elle ce phénomène ? Le charme ; le charme des dragons. C'était très agréable, capiteux et vivant ; il faillit chercher à retrouver ce sentiment pour s'y abandonner, mais à cet instant la dragonne s'agita, et une fois de plus il fut sur le point de tomber à l'eau. Non, il devait rester à distance et conserver les idées claires s'il voulait l'aider. Un autre motif, plus sombre, pour demeurer séparé de la dragonne lui vint à l'esprit : s'il lui permettait de partager ses pensées de façon trop profonde et qu'elle vînt à se noyer… Un frisson d'horreur le parcourut à cette perspective.

Il regarda la dragonne, puis le ciel pour estimer l'heure, et enfin les arbres alentour ; c'était parmi eux qu'ils avaient leur meilleure chance de survivre. Cela demanderait un rude travail, mais, s'il parvenait à disposer les débris de façon à ce que le courant poussât les troncs les plus gros contre les arbres, puis à convaincre Relpda de se placer devant eux, elle trouverait peut-être une position plus sûre. Il se tourna vers elle, attendit qu'elle lui rendît son regard, puis s'efforça de lui imposer l'image qu'il avait à l'esprit. « Ravissante reine, je vais bouger les bouts de bois pour t'arranger un endroit plus sûr. Ne bouge pas tant que je n'ai pas fini. Reste ici et fais-moi confiance ; peux-tu faire ça ? »

Glisse.

« Je me dépêche ; ne renonce pas.

— Je veux bien être pendu ! » s'exclama quelqu'un d'un ton à la fois étonné et amusé.

Sédric se retourna d'un bloc, rempli de joie d'entendre une voix humaine. Il glissa, reprit son équilibre puis plissa les yeux pour percer la pénombre qui régnait sous les arbres.

« Par ici, en haut. » L'homme s'exprimait dans un croassement rauque.

Sédric leva les yeux et vit un homme qui descendait d'un arbre, s'accrochant aux reliefs de l'écorce et prenant appui du bout des pieds dans les anfractuosités du bois ; ce n'est qu'au moment où il fut devant lui que Sédric le reconnut. C'était le chasseur le plus âgé du groupe ; Jess, voilà, c'était son nom. Ils n'avaient jamais beaucoup parlé ensemble. Jess ne lui portait manifestement aucun intérêt, et il n'avait jamais expliqué à Sédric sa seule visite dans sa cabine. Il avait une mine à faire peur, le visage couvert de bleus et de coups, mais il était vivant, c'était un humain, et Sédric se sentit soudain moins seul.

Et, il en prit brusquement conscience, c'était un homme qui savait comment se procurer à manger et à boire, qui pouvait l'aider à survivre. Sâ avait répondu à ses prières, finalement.

« Comment êtes-vous arrivé ici ? demanda-t-il en guise de salut. Je me croyais le seul à m'en être tiré. » Il se dirigea aussitôt vers le nouveau venu.

« Par voie d'eau », répondit Jess en éclatant de rire. Il avait la voix sèche et râpeuse. « Et je partageais jusqu'à maintenant votre optimisme. On dirait que le petit tremblement de terre d'il y a quelques jours nous avait réservé une deuxième surprise.

— Ce genre de phénomène se produit-il souvent ? » Sédric commençait déjà à sentir la colère le prendre à l'idée qu'on ne l'eût pas prévenu.

Glisse ! L'angoisse imprégnait l'appel grondant de la dragonne et la pensée qui l'accompagnait.

« L'eau qui change, oui, mais une crue comme celle-là, non. C'est une nouveauté pour moi, mais pas totalement une mauvaise affaire.

— Comment ça ? »

Jess eut un sourire malicieux. « Ma foi, non seulement le destin nous a sauvés, mais il nous a réunis avec tout ce qu'il faut pour une association très profitable. D'abord, quand j'ai enfin réussi à remonter à la surface, j'ai trouvé un canoë pris dans le même courant que moi ; pas le mien, malheureusement, mais un qui appartenait à quelqu'un d'assez futé pour arrimer convenablement ses affaires. » Une quinte de toux rauque le prit puis il s'efforça de s'éclaircir la gorge. « Il contient des couvertures, du matériel de pêche, de quoi faire du feu et une casserole. C'est sans doute celui de Graffe, mais je mettrais ma main à couper qu'il n'en aura plus jamais besoin. La vague a frappé si violemment et de façon tellement inattendue que j'ai du mal à croire que quiconque ait survécu. J'en viendrais presque à croire à la destinée ; les dieux nous ont peut-être placés l'un près de l'autre pour voir si nous étions intelligents – parce que, si vous êtes malin, on a tout ce qu'il faut pour nous créer une existence très confortable. »

Tandis qu'il tenait ce discours d'une voix croassante, Jess avait quitté son arbre et pris pied sur un tronc flottant qui se mit à danser sous son poids. Malgré sa forte carrure, il le parcourut d'un pas gracieux ; il portait au creux du bras plusieurs fruits rouges et ronds. Sédric ne les connaissait pas, mais, à leur vue, sa faim et sa soif se réveillèrent, rugissants.

« Avez-vous de l'eau ? » demanda-t-il en s'avançant prudemment vers l'homme sur le radeau de débris. Jess ne répondit pas. Sédric eut l'impression qu'arrivé au bout du tronc il descendait dans l'eau, avant de comprendre que son canoë était amarré derrière le grand arbre couché dans le fleuve. Jess disparut un instant, et, quand il se redressa, il n'avait plus de fruits entre les mains ; à l'évidence, il les avait rangés dans son embarcation. Une inquiétude sourde monta dans le ventre de Sédric. La situation lui paraissait claire : le chasseur avait grimpé dans l'arbre, mangé des fruits, et ce qu'il avait rapporté était son surplus qu'il comptait garder de côté, pour lui. Il devait bien se rendre compte de la gravité de la situation de Sédric, et pourtant il restait là, dans son canoë, dans ses vêtements secs, avec ses fruits, sans lui proposer de l'aider.

Jess s'accouda sur le tronc et regarda Sédric ; celui-ci s'arrêta, tâchant de comprendre ce qui se passait. Comme il ne disait rien, le chasseur pencha la tête et dit d'une voix sifflante : « Je remarque que vous n'annoncez pas ce que vous apporterez à notre association. »

Sédric le regarda, ahuri. Ils étaient seuls sur un radeau flottant, au milieu de la forêt, à des semaines de toute civilisation, et ce zozo cherchait à lui extorquer de l'argent ? Ça ne tenait pas debout ! Derrière lui, il entendit la dragonne se débattre, perçut une onde d'angoisse, puis la sentit se calmer en se rendant compte que le tronc se trouvait en partie sous elle. *Faim.* En songeant à se restaurer, il avait stimulé l'appétit de Relpda, à moins que ce ne fût le contraire ; il n'en savait rien. Il n'arrivait plus à faire le partage entre elle et lui. *Peur.* La pensée lui parvint sans que la dragonne eût émis un son. *Prudence.* Sentait-elle quelque chose qui lui échappait ?

Il s'efforça de ramener ses pensées sur la question extravagante de l'homme. « Qu'attendez-vous de moi ? Regardez-moi : je n'ai rien à vous donner, du moins pas ici ; sans doute, si nous pouvions par miracle retourner à Terrilville… » Il n'acheva pas sa phrase ; mieux valait ne pas apprendre à son interlocuteur que, même revenu à Terrilville, il ne gagnerait rien. Il s'imagina devant Hest, lui avouant qu'il avait perdu Alise et, avec elle, tout espoir pour son époux d'obtenir un héritier propre à assurer sa descendance ; il n'osait pas songer à ce que ses parents penseraient de lui, et, pire, ceux d'Alise. Il faisait office de protecteur pour elle ; quel protecteur survivait alors que sa protégée mourait ? S'il rentrait seul à Terrilville, il n'aurait plus de travail et plus de soutien de sa famille. Il n'avait rien à proposer à ce pirate.

« Rien ici ? Mais j'ai l'impression, moi, que vous avez tout ce qu'il faut. Faut-il vous l'énoncer, ou croyez-vous toujours que vous pouvez tout garder pour vous ? »

Le chasseur se baissa de nouveau, puis se releva, un sac à la main. « Parce que, de mon point de vue, mon vieux, si vous décidez de jouer les avares, je crois que vous allez mourir, tout simplement. » Il ouvrit le sac, fouilla un instant puis sourit avec un plaisir évident. « Maintenant, je suis sûr que c'était le canoë de Graffe. Regardez : un poignard et une pierre à affûter, le tout parfaitement emballé. La lame pourrait être plus grosse, mais elle fera le boulot quand même. » Il déballa les deux objets et entreprit de frotter le couteau sur la pierre en un lent mouvement, comme s'ils avaient tout leur temps.

Sédric s'était figé. Que voulait cet homme ? Fallait-il voir le poignard brillant comme une menace ? Que voulait-il dire par « tout ce qu'il faut » ? S'agissait-il d'une proposition sexuelle ? Mais il n'avait manifesté jusque-là que du dédain pour lui ! Néanmoins, il ne serait pas le premier à le mépriser publiquement et à le désirer en privé. Il reprit son souffle. Il avait faim, il avait soif, et l'inquiétude incessante de la dragonne lui usait les nerfs et implorait son attention. Qu'accepterait-il de donner à Jess pour assurer sa survie ? Que pouvait-il lui donner pour obtenir son aide afin de sauver Relpda.

Tout ce qu'il veut.

Cette pensée lui fit froid dans le dos, mais il la retint. « Dites-moi ce que vous voulez », fit-il d'un ton plus brusque qu'il n'en avait l'intention.

Jess cessa d'aiguiser son poignard et leva les yeux vers lui, l'air étonné. Sédric se redressa, croisa les bras sur sa poitrine et soutint son regard. Le chasseur pencha la tête puis partit d'un rire rauque. « Non, pas ça ; ça ne m'intéresse pas du tout. Vous êtes idiot ou vous êtes entêté ? »

Il attendit la réponse de Sédric ; comme ce dernier se taisait, il hocha la tête avec un sourire glacial, mit la main dans sa chemise, en sortit une bourse et l'ouvrit. Tout en tirant les cordons, il dit : « Leftrin a commis la bêtise de me croire stupide. Je sais ce qui s'est passé : il a vu l'occasion de gagner de l'argent, et il a cru qu'en venant avec tout son équipage il pourrait accaparer l'affaire et prendre une plus grosse part du gâteau ; eh bien, ça ne marche pas comme ça ; on ne laisse pas Jess Torkef en dehors du coup. » De la bourse, il tira un objet de la taille de sa paume, rouge écarlate et rubis ; il le prit entre son pouce et son index et le tourna pour le faire scintiller au soleil. « Ça vous rappelle quelque chose ? » demanda-t-il d'un ton moqueur, puis il éclata de rire quand l'incrédulité puis la colère s'affichèrent sur les traits de Sédric.

C'était l'écaille du dragon rouge que Kanaï avait donnée à Alise ; celle-ci l'avait confiée à Sédric en le priant d'en exécuter un dessin détaillé. Puis elle avait oublié qu'elle la lui avait remise, et il l'avait ajoutée à son trésor. « C'est à moi, dit-il sans détour. Vous avez volé cette écaille dans ma cabine. »

L'autre sourit. « Question intéressante : peut-on voler un voleur ? » Il fit à nouveau tourner l'écaille pour la faire briller. « Il y a plusieurs jours que je l'ai.

Si elle vous manquait, vous avez bien dissimulé votre inquiétude ; mais, à mon avis, vous ne saviez même pas qu'elle avait disparu. Vous n'êtes pas aussi doué que vous le croyez pour cacher vos affaires. J'ai trouvé surtout un bric-à-brac répugnant, mais il y avait ceci au milieu, et je l'ai pris – pour le mettre en sûreté, évidemment –, afin de ne pas revenir de cette expédition de fous les mains vides. Apparemment, j'ai bien fait ; tout le reste de ce que vous possédiez est sans doute au fond du fleuve, à l'heure qu'il est. »

Sédric n'avait toujours rien dit. Sans se presser, le chasseur rangea l'écaille de dragon dans la bourse qu'il referma et remit sous sa chemise. « Bon, eh bien, chacun sait ce que veut l'autre, on dirait ; il est temps d'envisager une alliance. Leftrin devait participer à mon accord avec Sinad Arich, et aplanir les difficultés, mais il n'a pas voulu. Peu importe ; il est mort, et ça se passe maintenant entre nous deux. Vous avez donc le choix : soit vous prenez sa place dans le marché, et on partage, ou vous refusez.

— Leftrin avait un accord avec vous ? » Sédric s'efforçait de rassembler tous les détails en un tout cohérent. Quel genre d'accord ? Celui de dépouiller ses passagers ?

Fatiguée, fit la dragonne d'un ton implorant dans son esprit. *Danger*.

Chut ; laisse-moi réfléchir. La lourde tête de la créature baissait peu à peu au bout de son long cou ; Sédric évalua la situation et conclut que, s'il n'agissait pas, son mufle toucherait bientôt la surface de l'eau. Il lui fallait parer au plus pressé avant de débrouiller le reste ; il dit à Jess : « Laissons ça de côté pour le moment. Pouvez-vous me donner un coup de main pour la dragonne ? Elle est épuisée, et elle va se noyer si je ne trouve pas le moyen de la maintenir à la surface pour qu'elle se repose. »

Un sourire étira lentement les lèvres du chasseur. « Là, on commence à s'entendre, mon gars. Bien sûr que je vais vous… aider avec la dragonne. » Il leva son poignard et le fit étinceler au soleil.

« Je ne comprends pas », dit Sédric d'une voix tremblante. Puis la lumière se fit brusquement dans son esprit.

Jess indiqua la reine cuivrée du pouce. « Je parle d'elle. Elle a tout ce qu'il nous faut. Je vous aide à la tuer et à la découper en vitesse avant que le fleuve entraîne sa carcasse ; ensuite, on charge tout ce qu'on peut dans le canoë et on met le cap sur Trehaug. Je connais des gens là-bas prêts à faire un profit rapide sans chercher à savoir d'où vient l'argent ; je peux me rendre chez eux pendant la nuit et me procurer tout le nécessaire pour faire un voyage très confortable jusqu'à l'embouchure du fleuve, avec un équipage qui ne posera pas de questions. Réfléchissez ; tous les autres sont morts, et tout le monde vous croira mort aussi, ce qui signifie que vous n'aurez à partager avec personne. Il n'y aura pas de poursuite et pas de questions ; rien que deux étrangers très riches qui vivront une existence de luxe en Chalcède. »

Ce fut instinctif : Sédric barra ses pensées de l'esprit de la dragonne comme il eût plaqué les mains sur les yeux d'un enfant pour le protéger d'un spectacle trop violent. Il n'y parvint pas complètement, et il sentit son inquiétude monter : elle percevait son agitation sans en comprendre la raison. Elle regarda le chasseur et le reconnut. *À manger ?* fit-elle avec espoir.

« Non, pas à manger ; pas tout de suite », répondit Sédric tout haut, sans réfléchir.

Le chasseur partit d'un rire rauque. « Et voilà donc ce que vous apportez à notre association, mon petit ami : vous entendez ce qu'elle pense, et vous pouvez lui répondre. Moi, je les entends vaguement, mais je tâche de ne pas y faire attention. C'est plus facile de rester professionnel si on se tient à distance de ces bestioles, à mon avis. Encore que ça explique comment vous avez pu vous approcher assez pour vous procurer tout ce que vous avez obtenu la première fois. Vous m'avez impressionné, croyez-moi. Je passe des jours à chercher un moyen d'y arriver, et voilà qu'un petit gandin de Terrilville descend à terre et me coiffe au poteau !

— Je ne vois pas de quoi vous parlez », mentit Sédric. C'était un réflexe. Le chasseur n'avait pas fait mention du sang ; était-il au courant ? Cela avait-il encore quelque importance ? Cette conversation n'avait aucun sens ; il avait besoin de boire, de manger et de se reposer, et il devait savoir si Jess comptait l'aider ou non. Il s'efforça de ne pas avoir l'air aux abois. « Écoutez, aidez-moi pour la dragonne et donnez-moi quelques-uns de vos fruits ; j'ai besoin de me restaurer et de me reposer ; ensuite, nous pourrons discuter de la suite des événements. »

Jess le regarda de côté et répondit d'un ton froid : « Je ne vois pas l'intérêt de vous offrir à manger si vous n'avez pas l'intention de m'aider. Si vous mentez, c'est que vous comptez tout garder pour vous, même si je ne vois pas comment vous allez vous y prendre. Bon, je vais vous faciliter la vie. J'étais réveillé la nuit où vous avez fait votre coup, et je vous ai vu revenir couvert de sang ; j'ai d'abord pensé que vous vous étiez battu, mais je n'avais rien entendu alors que le son porte bien sur l'eau. Et puis, comme vous remontiez à bord, j'ai entrevu ce que vous transportiez. C'était rouge et brillant, comme on me l'avait décrit : du sang de dragon. Et, comme je vous l'ai dit, vous m'avez impressionné ; du coup, je vous ai suivi, et, peu après, je vous ai vu ressortir de votre cabine pour jeter vos frusques par-dessus bord. Là, j'ai été sûr de moi : vous aviez réussi à tirer du sang d'un dragon sans vous faire dévorer ni même surprendre. Et vous vous êtes montré très astucieux pour cacher votre trésor ; j'ai dû fouiller plusieurs fois votre chambre avant de le trouver. Donc, reconnaissons que nous sommes tous les deux des vauriens, et soyons francs l'un envers l'autre… ou du moins aussi francs que peuvent l'être des vauriens. Nous avons embarqué à bord du *Mataf* pour le même motif ; on m'avait aussi promis que le capitaine Leftrin me faciliterait la tâche, mais je crois que son béguin pour votre amie l'a retourné contre notre projet ; il espérait peut-être tout garder, la femme, les prélèvements de dragon à vendre en Chalcède, tout, à moins que ce ne soit vous qui lui ayez proposé un meilleur marché. Mais, selon notre accord, il devait m'aider, et, en échange, on devait le payer grassement pour sa peine ; très grassement. »

Il se tut et se baissa dans le canoë ; quand il se releva, il tenait à la main un rouleau de corde. Il le regarda un instant, les sourcils froncés, puis le déposa près du poignard.

« Au lieu de ça, ce fils de chien a voulu me tuer la nuit dernière. » Il se palpa délicatement la gorge, grommela, puis secoua la tête et continua de sortir ses outils. « Double ironie du sort : le raz-de-marée l'a empêché de m'étrangler, et j'espère bien qu'il m'a débarrassé de lui, ce crétin aveuglé par l'amour. Avec un peu de chance, il est mort, tandis que vous, la chance aidant aussi, vous êtes vivant. » Il leva une hachette, l'examina, les yeux plissés, puis la planta dans le tronc près de la corde.

« Pas terrible pour le boulot, comme matériel, mais il faut se contenter de ce qu'on a. Un peu comme notre capitaine : il est devenu trop gourmand, et il a tout perdu. S'il avait tenu sa part du marché, il aurait pu nager dans la richesse qui nous attend, et ce vieux bouc aurait pu avoir toutes les catins qu'il voulait. Mais bon, c'est autant de gagné pour nous ; on aura tout, fortune, pouvoir et toutes les femmes qu'on désirera, une fois revenus en Chalcède. » Il adressa un affreux coup d'œil égrillard à Sédric avec un sourire qui découvrit ses dents jaunes, et ajouta : « Ou tout ce qui vous fera plaisir. »

Il examina ses outils, hocha la tête, satisfait, et les déposa soigneusement les uns à côté des autres. « Donc, vous allez m'aider, ou bien vous faites l'entêté et vous essayez de tout garder pour vous ; si vous décidez de jouer à ça, je prendrai seul ce dont j'ai besoin. Ça ne sera pas aussi facile sans quelqu'un pour s'occuper du dragon, le calmer et l'amener discrètement vers le poignard ; mais je pourrai quand même récolter de quoi vivre dans l'opulence pour le restant de mes jours. » Il passa le pouce sur le fil de la lame, acquiesça de la tête puis regarda Sédric dans les yeux. « Alors, il est temps de vous décider. On s'y met ? »

Sédric avala sa salive ; il avait l'impression que la réalité se réorganisait autour de lui. Leftrin trempait dans le plan de cet individu pour se procurer et vendre des prélèvements de dragon ? Alors, c'est qu'il se servait d'Alise depuis le début ; il l'avait dupée, et Sédric n'avait rien vu des machinations qui se tramaient. Il eût dû s'en douter, pourtant ; il eût dû savoir qu'il n'était pas le seul à vouloir sauter sur l'occasion de s'enrichir. Il sentait qu'un motif insolite se cachait derrière l'apparente amourette du capitaine. Et maintenant ? Acceptait-il la proposition du chasseur ? Parviendrait-il à calmer la dragonne pour permettre à Jess de s'approcher d'elle et de lui porter un coup fatal ?

L'homme lui avait exposé la situation clairement : si Sédric participait à son plan, Jess l'aiderait à se rendre en Chalcède pour y vendre le produit de leurs larcins. Il n'aurait même pas besoin de passer par Terrilville. De Chalcède, il pourrait envoyer un message à Hest pour l'inviter à le rejoindre. Avec la fortune qui serait la leur, finis les faux-semblants ; ils pourraient vivre où bon leur semblerait, mener l'existence qui leur plairait. Sédric pourrait s'offrir tout ce dont il rêvait. Il avait déjà payé bien assez cher ; quel mal y aurait-il à enfin connaître un peu de bonheur ?

Jess l'observait ; il prit un ton plus persuasif, exempt de toute menace : « Cette bête va mourir, de toute manière. Regardez-la. Ce n'était déjà pas un spécimen de première qualité, et maintenant elle va se noyer. Autant avoir pitié d'elle, l'achever rapidement et nous payer de notre peine. » Il glissa le poignard dans sa ceinture, prit la foëne d'une main ferme, puis suspendit le rouleau de corde à son bras libre. « Dites-lui de ne pas se débattre, que je vais l'aider, fit-il à mi-voix. Pour l'instant, tout ce que je vous demande, c'est de la rassurer ; dites-lui que je dois passer la corde autour d'elle pour la maintenir à la surface. La corde n'est pas très longue ; il faudra que la dragonne se rapproche des arbres pour que je puisse l'amarrer. Après, il faudra travailler vite, avant que le cadavre coule. On prendra en priorité ce qui se conserve et rapporte le plus : crocs, griffes, écailles. Ça va être un boulot salissant, dur, et ça ne vous plaira pas ; mais ces quelques efforts vous rapporteront des masses d'argent. »

La reine cuivrée regardait les deux hommes avec inquiétude. Avec méfiance ? Que comprenait-elle de leurs échanges ? Sédric rejeta ses scrupules ; le chasseur avait affirmé qu'elle allait succomber de toute façon. Valait-il mieux la laisser mourir lentement puis sombrer au fond du fleuve pour nourrir les poissons ? Nul n'y gagnerait. Après tout ce qu'il avait souffert, n'avait-il droit à rien, même pas à un peu de bonheur ?

Ne méritait-il pas de cesser enfin de vivre derrière des masques ?

Il ne quitta pas la dragonne des yeux tandis que Jess s'approchait d'elle en crabe, et elle lui rendit son regard. Ses pupilles tourbillonnaient comme toujours, mais une obscurité semblait se mêler à leur bleu et à leur or. Il sentit qu'elle l'interrogeait, mais il ne comprit pas tout le sens de sa question ; cela signifiait-il qu'elle était en train de mourir ? Jess disait-il la vérité quand il affirmait que l'achever serait faire preuve de compassion ?

Elle s'accrochait de guingois à son tronc, une patte passée sur l'arbre. À l'orée de la forêt, le courant était relativement faible ; derrière elle, sous les frondaisons, l'eau calme scintillait dans la pénombre perpétuelle. Sédric observa en passant que, d'après les marques laissées sur les fûts, le niveau du fleuve commençait à baisser ; mais le processus était lent, sans doute trop pour sauver Relpda. Celle-ci donna une petite ruade des pattes arrière dans l'espoir de se hisser un peu plus haut sur son tronc ; elle s'épuisait à se tenir la tête dressée. Elle avait faim, elle avait soif, et elle était glacée. Les dragons sont des créatures de soleil torride et de sable brûlant ; l'eau froide sapait son énergie et ralentissait son cœur. Ce n'était pas un effet de son imagination : les yeux de Relpda tournoyaient plus lentement. Elle n'avait jamais été vigoureuse ni en bonne santé. Il la regarda, et il éprouva soudain une peine qui le prit par surprise ; il battit des paupières et la vit à travers une brume de larmes.

Tu m'abandonnes ?

Cette interprétation enfantine de sa réaction à leur séparation imminente lui déchira le cœur. Il voulut prendre une inspiration, mais elle resta bloquée dans sa gorge. *Petite reine cuivrée, quel dommage que tu ne saches pas voler !*

J'ai des ailes ! La dragonne leva la tête vers lui, puis, très lentement, elle dressa les ailes et les déploya en partie ; elles scintillèrent au soleil comme du métal martelé, et Sédric les découvrit plus grandes qu'il ne s'y attendait, et plus délicates. Leur structure arachnéenne se découpait sur leur membrane épaisse et leurs écailles plumeuses, et le soleil de l'après-midi y brillait comme à travers des vitraux.

« Elles sont magnifiques », dit-il d'un ton douloureux, et il la sentit se réjouir de son compliment.

« Magnifiques, c'est le mot ; et leur cuir dure plusieurs siècles, si ce qu'on raconte est vrai. Mais elles sont trop grandes pour qu'on les récupère ; elles seraient pourries avant qu'on arrive à l'embouchure du fleuve. » Jess s'approchait d'eux en suivant un arbre abattu ; les branches couvertes de feuilles le gênaient mais lui fournissaient aussi des prises pour se déplacer. Il fit soudain halte pour éclater de rire devant l'air mauvais de Sédric. « Ne me faites pas les gros yeux ; vous savez que j'ai raison. Empêchez-la de s'agiter ; à force de se débattre, elle a décompacté les débris et le radeau manque de solidité. Je n'ai pas envie qu'elle me jette à l'eau et que cette couverture se referme sur moi. » Avec des grognements d'effort, il reprit sa prudente progression le long du tronc flottant.

Il s'arrêta à une longueur de bras de la dragonne, le regard fixé sur elle, non sur Sédric ; il savait que ce dernier n'avait pas le choix : il devait l'aider. « Quand je me rapprocherai, dites-lui de tendre la tête vers moi ; je lui passerai la corde au cou et j'essaierai de la guider vers un gros arbre. Tant qu'elle reste à la surface et qu'elle ne cherche pas à m'échapper, je dois pouvoir l'amener là où je veux. »

Sédric savait qu'il ne pouvait pas sauver la dragonne ; elle allait mourir. Si Jess parvenait à ses fins, du moins connaîtrait-elle une mort rapide, et qui ne resterait pas inutile. L'un d'eux jouirait d'une existence décente. Le chasseur ne la laisserait pas souffrir, il l'avait promis.

Danger ? Relpda surveillait Jess qui approchait. Que percevait-elle de lui ?

Le chasseur était sur elle ; en équilibre sur la partie la plus épaisse du tronc, au niveau des racines boueuses qui l'achevaient, il secouait la corde pour la dérouler sans quitter la dragonne des yeux. Sédric remarqua qu'il n'avait pas lâché la foëne. Le regard de Jess se porta sur lui puis revint sur la dragonne pour examiner son cou et estimer la longueur de corde qu'il lui fallait. « Empêchez-la de bouger, dit-il à Sédric. Je n'ai pas beaucoup de corde. Une fois que je la lui aurai passée autour du cou, je devrai l'attacher au plus près de l'arbre ; mais ça lui tiendra la tête hors de l'eau, ensuite. »

Sédric n'y était pour rien ; il était présent mais ne pouvait empêcher le déroulement de la scène ; s'il tentait d'intervenir, Jess était capable de le tuer aussi.

Quel bien cela ferait-il à la dragonne ? Sa mort était inévitable. Il la regardait, sentant qu'il lui devait au moins d'assister à sa fin. *Je regrette*, pensa-t-il à l'adresse de la créature, et ne perçut en retour qu'un sentiment d'incompréhension.

« Très bien, je suis prêt. » Jess tenait devant lui une grande boucle de corde, la foëne coincée sous le bras. « Dites-lui de tendre le cou vers moi, lentement ; dites-lui que je vais l'aider. »

Sédric prit une longue inspiration, la gorge serrée. Accepte l'inéluctable, songea-t-il. « Relpda, fit-il doucement, écoute-moi ; écoute-moi attentivement. »

Dix-neuvième jour de la Lune de la Prière

Sixième année de l'Alliance Indépendante des Marchands

D'Erek, Gardien des Oiseaux, Terrilville, à Detozi, Gardienne des Oiseaux, Trehaug

Ci-joint un message du Marchand Wycof au second Jos Peerson de la vivenef Ophelia, qui doit bientôt faire halte à Trehaug, pour l'informer que son épouse a donné naissance à des jumelles ce jour.

Detozi,

Un cas de maladie chez mes parents me contraint à renoncer à toute idée de quitter Terrilville pour le présent. Mon père est gravement malade, et je crains que mes espoirs de visiter le désert des Pluies et de faire enfin votre connaissance ne soient ajournés. Je suis déçu.

Avez-vous déjà envisagé de votre côté de venir à Terrilville ? Je suis sûr que votre neveu serait ravi de vous voir.

Erek

7

Sauvetage

La nuit s'était révélée tout aussi inconfortable que Thymara l'avait craint. Les gardiens avaient construit ensemble une sorte de plate-forme en superposant des troncs selon des angles alternés, et ils avaient arraché les branches feuillues pour adoucir le contact du bois. Le « radeau » ainsi fabriqué n'était pas solide mais ils avaient pu s'y entasser et s'apitoyer sur leur sort pendant que les moustiques et les cousins les dévoraient. Comme il n'y avait nul endroit plat, Thymara s'était allongée en équilibre sur un des plus gros troncs ; elle avait songé à s'installer dans les arbres mais avait fini par décider de rester près des dragons et de ses camarades. Chaque fois qu'elle commençait à s'endormir, le dragon d'Alum poussait un coup de trompe accablé et la réveillait, et, trop souvent, des larmes s'ensuivaient ; les petits bruits qu'elle entendait sur le radeau lui disaient qu'elle n'était pas seule à nourrir des peurs. À l'approche du matin, le chagrin, les bruits, les bourdonnements, les piqûres des insectes, les moignons de branches, rien de tout cela n'avait pu la tenir éveillée plus longtemps. Au-delà des cauchemars et du chagrin, elle s'était enfoncée dans un profond sommeil dont elle avait émergé glacée, ankylosée et trempée par la rosée.

La crue retombait lentement. La marque laissée par l'eau sur les arbres environnants lui arrivait désormais à l'épaule. Près d'elle, Alise dormait à poings fermés, roulée en boule, Tatou juste derrière elle, respirant lourdement. Elle observa que Jerd dormait au creux de Graffe ; l'espace d'un instant, elle leur envia la chaleur qu'ils partageaient, puis elle chassa cette pensée de son esprit. Ce n'était pas pour elle. Boxteur et Nortel, assis au bord du radeau, bavardaient à mi-voix en contemplant la forêt inondée. Les dragons, ramassés sur leurs troncs, paraissaient mal à l'aise, en équilibre précaire, mais ils dormaient profondément : le froid de l'eau et l'ombre épaisse des arbres les avaient plongés dans une grande léthargie. Ils ne se réveilleraient sans doute pas avant la mi-matinée, voire plus tard.

Thymara poussa Sylve du coude et murmura : « Je vais voir si je peux trouver de quoi manger », puis elle se fraya un chemin parmi ses camarades endormis. D'un tronc à l'autre, elle traversa le radeau de débris pour atteindre l'arbre le plus gros de la zone ; il ne présentait pas de branche à portée de main, mais les griffes de la jeune fille lui permirent de l'escalader sans difficulté. Comme il était étrange de se sentir aussi heureuse de grimper à nouveau aux arbres ! Et quel sentiment de sécurité ! Elle avait faim, elle avait soif, elle était couverte de piqûres d'insectes, mais les arbres avaient toujours été ses amis et ses protecteurs.

Elle n'eut pas loin à aller avant que la forêt la récompensât de ses efforts : elle trouva une liane-trompette et but le nectar des fleurs sans éprouver plus qu'un léger sentiment de culpabilité. Elle n'avait aucun moyen de transporter la petite goulée que chaque fleur proposait. Non, autant se désaltérer tout de suite, refaire ses forces et espérer trouver un récipient pour rapporter de quoi boire à ses amis. Il n'y avait pas de quoi étancher tout à fait sa soif, mais au moins elle n'avait plus l'impression d'avoir un morceau de cuir à la place de la langue. Quand elle eut vidé toutes les fleurs, elle reprit son escalade.

L'exercice tirait sur ses bras et ses épaules d'une manière dont elle avait perdu l'habitude, et bientôt sa blessure dans le dos se remit à suppurer ; elle lui faisait moins mal, mais elle sentait la peau se tendre chaque fois qu'elle cherchait à atteindre une prise. Le fluide lui picotait le dos et l'empêchait de se concentrer sur ses mouvements, mais elle n'y pouvait rien. À deux reprises, elle repéra des oiseaux qu'elle eût abattus sans mal si elle avait disposé d'un arc, et, une fois, elle se laissa tomber en hâte sur une branche plus basse avant de changer d'arbre quand elle rencontra un grand serpent constricteur qui leva la tête et l'observa d'un œil intéressé. À cet instant, elle se félicita d'avoir préféré le radeau pour dormir.

Elle cherchait une bonne branche horizontale pour passer dans un arbre voisin quand elle croisa Nortel.

Il était assis sur la branche qu'elle avait choisie, et, à la façon dont il la salua, il avait dû la voir depuis un moment et suivre sa progression le long du tronc.

« Tu as trouvé quelque chose à manger ? fit-il.

— Pas encore. J'ai pu me désaltérer à une liane-trompette, mais je n'ai pas encore mis la main sur des fruits ni des baies. »

Il hocha lentement la tête puis demanda : « Tu es seule ? »

Elle haussa les épaules en s'interrogeant : pourquoi sa question la mettait-elle mal à l'aise ? « Oui ; les autres dormaient.

— Pas moi.

— Oui, mais tu bavardais avec Boxteur. Et j'aime bien être seule pour la chasse ou la cueillette ; j'ai toujours préféré ça. » Elle fit encore un pas vers lui, mais il ne manifesta pas qu'il voulût lui céder le passage. La branche était assez large pour qu'il pût s'écarter, mais il demeurait assis, les yeux levés vers elle. Thymara ne connaissait pas bien Nortel, et elle ne s'était jamais rendu compte qu'il avait les yeux verts ; il avait moins d'écailles que les autres garçons, et les rares qui soulignaient ses yeux étaient très fines. Quand il battait des paupières, ses cils accrochaient le soleil et jetaient des éclats argentés.

Au bout d'un long moment, il dit : « Je regrette, pour Kanaï ; je sais que vous étiez proches, tous les deux. »

Elle détourna le regard. Elle s'efforçait de ne pas songer à Kanaï ni à Gringalette, et de ne pas se demander s'ils avaient péri rapidement ou s'ils s'étaient débattus longtemps dans l'eau. « Il me manquera, répondit-elle d'une voix soudain étranglée. Mais aujourd'hui, c'est aujourd'hui, et il faut que je voie ce que je peux trouver à manger. Tu peux me laisser passer, s'il te plaît ?

— Ah ! Oui, bien sûr. » Au lieu de se déplacer sur le côté, il se leva. Il était plus grand que Thymara. Il se mit de flanc et fit signe à la jeune fille de s'avancer en crabe. Elle hésita. Y avait-il un défi dans la posture de Nortel ou bien était-elle le jouet de son imagination ?

Non, elle était stupide. Elle passa devant lui en biais, face à lui. Comme elle le frôlait, il se déplaça légèrement, et elle enfonça les griffes des orteils dans l'écorce en poussant un feulement effrayé. Nortel la saisit aussitôt par les bras et la tint face à lui ; il avait une poigne solide, et Thymara se trouvait trop près de lui à son goût. « Tu ne risques pas de tomber, avec moi, lui promit-il, la mine grave, ses yeux verts plantés dans ceux de Thymara.

— Je n'allais pas tomber. Lâche-moi. »

Il n'en fit rien. Figés comme en un tableau, ils se regardaient. S'ils commençaient à se battre, l'un ou l'autre finirait certainement pas tomber. Nortel avait un sourire chaleureux et un regard engageant.

« Je vais me fâcher ; lâche-moi. »

Les yeux du jeune homme perdirent toute chaleur, et il obéit, mais il laissa ses mains descendre le long des bras de Thymara avant de les retirer. Elle s'écarta d'un bond en résistant à l'envie de lui donner une petite poussée au passage.

« Je ne voulais pas te fâcher, dit-il. C'est que… enfin, Kanaï n'est plus là, et je sais que tu es seule maintenant, comme moi.

— J'ai toujours été seule », répliqua-t-elle, furieuse, et elle s'éloigna à grands pas en se disant qu'elle ne s'enfuyait pas : elle mettait de la distance entre elle et Nortel, un point c'est tout. Parvenue au tronc suivant, elle l'escalada plus vite qu'un lézard sans chercher à savoir s'il la suivait des yeux et en tâchant d'atteindre la voûte de la forêt, là où le soleil plus présent augmentait les chances de trouver des fruits.

La chance lui sourit : elle découvrit un plant de feuille-de-pain qui parasitait un arbre à empreintes. Les feuilles jaunes et charnues n'avaient guère de goût, mais elles étaient nourrissantes et gorgées d'une humidité qui les rendait croquantes. Elle prit un moment pour manger son content, puis détacha plusieurs lianes feuillues de la plante, et en tressa une sorte de couronne qu'elle se passa autour du cou et laissa pendre dans son dos.

Elle redescendit et, en chemin, aperçut un poirier-aigre quelques arbres plus loin et se dirigea vers lui. Les fruits étaient blets et un peu ridés, mais ses amis ne feraient sans doute pas les difficiles. Sans autre moyen de les transporter, elle en remplit le devant de sa chemise puis reprit sa route plus lentement, en tâchant d'éviter d'écraser les poires aigres. Revenue à l'arbre près du fleuve, elle regagna le radeau flottant et constata avec surprise que nombre des gardiens dormaient encore. Tatou, lui, était réveillé, et, avec Graffe, il s'efforçait d'allumer un petit feu près des racines d'un des plus gros troncs ; une mince volute de fumée montait dans l'air du matin. En approchant, elle vit Sylve et Harrikine accroupis au bord du radeau ; la jeune fille tendit un long bâton dans l'eau et ramena quelque chose. Ce ne fut qu'une fois près d'eux que Thymara comprit : elle tirait des poissons morts du fleuve. Son compagnon les nettoyait en leur ouvrant le ventre d'une griffe et en les vidant avant de les ajouter au tas près de lui.

« Où sont les dragons ? » leur lança Thymara, inquiète.

Sylve se tourna vers elle et lui adressa un sourire las. « Te voilà ! Je croyais avoir rêvé que tu me disais aller chasser, mais, une fois bien réveillée, je ne t'ai plus vue nulle part. La coulée acide a tué plein de poissons et d'autres créatures. Les dragons sont partis vers l'amont : ils ont découvert un retour de courant rempli de charognes et ils se gobergent. Je suis contente qu'ils aient trouvé à manger ; ils sont épuisés d'avoir dû tant nager, mais au moins ils n'auront plus faim. Même Mercor commençait à montrer des signes de mauvaise humeur, et j'ai bien cru que quelques-uns des grands mâles allaient se bagarrer ce matin.

— Sintara les a accompagnés ?

— Ils y sont tous allés, en se surveillant les uns les autres pour être sûrs d'avoir leur part. Qu'as-tu rapporté ?

— Du pain-de-feuille et des poires aigres ; j'en ai rempli ma chemise : je ne savais pas comment les rapporter autrement. »

Sylve éclata de rire. « On sera ravis de les prendre, peu importe la façon dont tu les as transportés ! Graffe et Tatou essaient d'allumer un feu suffisant pour faire cuire le poisson ; s'ils n'y arrivent pas, on devra se contenter de manger cru.

— C'est mieux que rien, en effet. »

Harrikine n'avait rien dit : il n'était guère bavard. La première fois que Thymara l'avait vu, il lui avait fait penser à un lézard ; long et mince, il était beaucoup plus âgé que Sylve, mais elle paraissait apprécier sa compagnie. Thymara n'avait jamais remarqué qu'il avait des griffes lui aussi avant de le voir s'en servir. Il leva les yeux du poisson qu'il vidait, vit le regard de la jeune fille posé sur ses mains, et hocha la tête.

Le silence tomba sur le petit groupe et donna des réponses à des questions qui n'en avaient pas. Nul ne parlait de Kanaï, et, au loin, elle entendit le dragon d'Alum pousser un long cri d'angoisse ; Arbuc appelait toujours son gardien disparu. Baliper, le dragon rouge de Houarkenn, gardait un silence accablé. Les soigneurs survivants étaient toujours échoués sur un radeau de débris flottants ; rien n'avait changé. Distraitement, Thymara se demanda ce qu'ils deviendraient si les dragons les abandonnaient. Cela risquait-il de se produire ? Les grandes créatures avaient-elles encore besoin d'eux ? Et si elles décidaient de poursuivre leur voyage sans eux ?

Elle vit Tatou se diriger vers elle et se demanda si elle avait aussi mauvaise mine que lui. Il avait la peau rouge, brûlée par l'eau acide, et ses cheveux se dressaient sur sa tête en touffes hirsutes ; le fleuve avait aussi attaqué ses vêtements, parsemant de taches décolorées sa chemise et son pantalon déjà usés. Il avait l'air hagard, mais il parvint à se plaquer un sourire sur les lèvres. « Qu'apportes-tu ? demanda-t-il.

— Le petit déjeuner : pain-de-feuille et poires aigres. Apparemment, vous avez réussi à allumer un feu pour le poisson. »

Il jeta un regard à la petite flambée dont s'occupait Graffe. Jerd était venue le rejoindre ; elle s'appuyait à lui tandis qu'il cassait de petites racines sèches et les déposait dans les flammes. « Ça n'a pas été sans mal, et on craignait qu'il prenne trop bien, se propage au reste des débris et nous oblige à nous enfuir. Ce n'est pas qu'on soit tellement en sécurité ici, mais au moins on est au sec.

— Et le niveau de la crue baisse. Mais, s'il le faut, on pourra toujours se réfugier dans les arbres. Tiens, tends ta chemise. »

Tatou tira les pans de sa chemise vers l'avant pour former un calfat, et Thymara plongea la main dans sa propre chemise pour en tirer les poires qu'elle portait contre son ventre. Les fruits plissés n'étaient en rien apparentés aux vraies poires, mais la jeune fille avait entendu dire qu'ils avaient un goût similaire. Une fois le transfert effectué, elle suivit Tatou qui retournait près du feu. Elle craignait une atmosphère de gêne, des réflexions ou des moqueries, mais Jerd se borna à se détourner d'elle quand Graffe dit simplement : « Merci. Tu penses en trouver encore ?

— Celles-ci sont trop mûres, mais je dois pouvoir sans doute en cueillir d'autres ; et, là où un feuille-de-pain pousse, il n'est généralement pas le seul.

— C'est bon à savoir. Tant que notre situation ne sera pas plus claire, il faudra rationner tout ce qu'on trouvera à manger.

— Il y a plein de poissons morts qui flottent dans le fleuve, dit Sylve. Le courant les pousse contre les débris. » Elle et Harrikine portaient un chapelet de poissons suspendus à une branche mince par les ouïes. « Ils ne seront plus bons d'ici un jour ou deux, fit Harrikine à mi-voix. L'acide de l'eau a déjà commencé à les amollir ; on ferait bien de se contenter de manger la chair sans toucher à la peau. »

Thymara se débarrassa de sa couronne de lianes et entreprit d'en arracher les feuilles. Tatou avait déjà réparti les fruits en plusieurs tas et se mit à en faire autant avec les feuilles. Chaque gardien bénéficierait d'un petit déjeuner relativement copieux en plus du poisson ; il était encore trop tôt pour s'inquiéter du dîner.

Graffe suivait apparemment la même ligne de pensée. « Nous devrions garder des vivres pour plus tard.

— Ou, au contraire, donner sa part à chacun en lui disant que ça doit lui tenir la journée, rétorqua Tatou.

— Tout le monde n'aura pas l'auto-discipline nécessaire. » Leur échange n'avait pas l'air d'une dispute ; Thymara avait plutôt l'impression qu'ils poursuivaient une discussion entamée plus tôt.

« Je crois qu'aucun de nous n'a l'autorité nécessaire pour rationner les vivres, dit Tatou.

— Même si c'est nous qui les fournissons ? répondit Graffe.

— Thymara ! »

La jeune fille tourna la tête en entendant la voix d'Alise. La Terrilvillienne s'avançait maladroitement sur un des troncs, et Thymara fronça le nez en la regardant : elle avait le visage piqueté de cloques, et ses cheveux roux n'étaient plus qu'une masse embrouillée qui pendait dans son dos. Auparavant, Alise se montrait toujours propre et tirée à quatre épingles. « Où étiez-vous ? demanda-t-elle d'une voix tendue alors qu'il lui restait encore un tronc à franchir.

— Je cherchais de la nourriture.

— Toute seule ? N'est-ce pas dangereux ?

— En général, non. Je pars presque toujours seule à la chasse ou à la cueillette.

— Mais les animaux sauvages ? » Alise paraissait sincèrement inquiète pour elle.

« Là où je me déplace, en haut des arbres, je fais partie des plus grandes créatures. Tant que je fais attention aux gros serpents, aux chats des branches et aux petites bestioles venimeuses, je ne risque rien. » Elle songea à Nortel. Non, inutile de mentionner cet incident.

« Les animaux sauvages ne sont pas les seuls dangers de la forêt », remarqua Graffe, la mine sombre.

Thymara lui jeta un regard agacé. « Je me balade dans les arbres depuis toujours, Graffe, et d'habitude beaucoup plus haut dans la voûte qu'aujourd'hui. Je ne risque pas de tomber.

— Il ne pensait pas à une chute, fit Tatou à mi-voix.

— Alors que quelqu'un dise clairement à quoi il pense », répliqua Thymara d'un ton acerbe. Elle avait l'impression qu'ils parlaient d'elle mais échangeaient exprès des mots vides de sens.

Graffe regarda Alise puis détourna les yeux. « Plus tard, peut-être », dit-il, et Thymara vit la jeune femme se hérisser. L'expression et la réponse du jeune homme la désignaient comme une étrangère qu'il fallait tenir à l'écart des affaires des gardiens. Thymara ignorait ce qui le tracassait, mais elle avait envie de s'opposer par principe à ses avis de mâle plus âgé qu'elle. D'après l'expression de Jerd, il l'avait irritée elle aussi ; elle lança à Thymara un regard venimeux, mais celle-ci ne put trouver en elle-même assez de froideur pour lui en vouloir. La douleur due à la disparition de son dragon ravageait la jeune fille, et ses larmes avaient laissé des sillons rouge vif sur ses joues. Cédant à une impulsion, elle s'adressa directement à elle.

« Je regrette, pour Veras ; j'espère qu'elle arrivera à revenir jusqu'à nous. Il n'existe déjà que peu de dragons femelles.

— Exactement », dit Graffe comme si cela prouvait quelque chose.

Jerd regarda Thymara, pesa ce qu'elle venait de dire et la jugea sincère. « Je ne la sens plus, du moins pas clairement. Mais je n'ai pas non plus une impression d'absence totale. J'ai peur qu'elle soit blessée, ou peut-être seulement désorientée et incapable de trouver son chemin.

— Tout ira bien, Jerd, fit Graffe d'un ton apaisant. Ne te mets pas martel en tête ; tu n'en as vraiment pas besoin en ce moment. »

Cette fois, Thymara se joignit à Jerd pour lui décocher un regard furieux.

« Je songe seulement à ton bien-être, dit-il, sur la défensive.

— Eh bien, moi, je songe à ma dragonne, répliqua-t-elle.

— Il faudrait peut-être mettre le poisson à cuire avant que le feu ne baisse trop », intervint Sylve, et la rapidité avec laquelle on fixa les poissons sur des broches avant de les placer au-dessus de la flambée attesta de la gêne dans laquelle la querelle imminente plongeait chacun.

« T'es-tu renseignée auprès des autres dragons pour savoir s'ils sentent sa présence ? » demanda Sylve à Jerd tandis qu'elles commençaient à transférer les poissons et autres aliments cuits du feu au radeau. Boxteur avait trouvé des polypores et de la mousse-d'oignon, ajouts bienvenus à un repas autrement insipide.

Jerd secoua la tête en silence.

« Mais vous devriez, ma chère ! » Alise lui sourit. « C'est à Sintara et à Mercor que vous devriez vous adresser en priorité ; voulez-vous que je demande à Sintara ? »

Elle s'exprimait avec tant d'innocence, d'espoir et de bonne volonté que Thymara ravala sa colère. « Vous croyez que c'est une bonne idée ?

— Naturellement. Pourquoi refuserait-elle ?

— Ma foi, parce que c'est Sintara, répondit Thymara, et Sylve éclata de rire.

— Je sais ce que tu veux dire. Chaque fois que je crois comprendre Mercor et obtenir de lui un service, il me rappelle qu'il est un dragon et non mon jouet. Mais je pense qu'il pourrait nous aider. »

Jerd hésita un moment puis fit dans un murmure : « Tu veux bien lui demander, alors ? Je n'ai pas pensé à me renseigner auprès des autres dragons ; il me semblait que je sentirais si elle était morte ou vivante ; je devrais le savoir sans aide.

— Tu es donc si proche de Veras ? » Thymara s'efforça d'effacer toute jalousie de son ton.

« Je le croyais, répondit Jerd à mi-voix. Je le croyais. »

Alise parcourut du regard le cercle des gardiens. Elle tenait dans ses mains deux larges feuilles charnues surmontées d'un morceau de poisson mal cuit, lui-même couronné d'un bout de champignon et d'une touffe de verdure hirsute, et elle avait posé sur sa cuisse, en équilibre, un des fruits que Thymara nommait « poire aigre ». On lui avait donné la même part qu'à un gardien ; elle avait dormi à leurs côtés, elle partageait à présent leurs vivres, mais elle savait que, malgré ses efforts, elle ne faisait pas partie de leur communauté. Thymara lui faisait moins sentir leur différence que les autres, mais elle s'adressait toujours à elle avec une déférence qui la tenait à distance. Elle sentait aussi que Graffe lui en voulait, mais, si elle avait dû en expliquer la raison, la seule qui lui fût venue à l'esprit eût été qu'elle n'était pas née dans le désert des Pluies. Elle en éprouvait un terrible sentiment de solitude.

Et son impression d'inutilité n'arrangeait rien.

Elle enviait à ses compagnons la promptitude avec laquelle ils paraissaient s'être adaptés à la situation puis y avoir fait face. Ils avaient modifié leurs habitudes et réagi pour se remettre de la catastrophe si vite qu'elle avait à côté d'eux un sentiment de grand âge et de rigidité. Et comme ils parlaient peu de ce qu'ils avaient perdu ! Jerd pleurait, mais elle ne s'emportait pas contre le sort. Les gardiens manifestaient un calme presque anormal ; s'agissait-il de la réaction de gens qui ont toujours vécu sous la menace d'un désastre imminent ? Les tremblements de terre n'avaient rien d'exceptionnel pour eux, pas plus que pour la population de Terrilville, mais il était de notoriété publique que les séismes du désert des Pluies étaient beaucoup plus dangereux. Beaucoup d'habitants de cette région travaillaient sous terre à exhumer des objets fabriqués par les Anciens des salles et des couloirs des cités ensevelies. Les secousses sismiques provoquaient parfois des affaissements et des effondrements ; les gardiens étaient-ils immunisés dès l'enfance contre la perte d'êtres proches ?

Elle regrettait leur retenue. Elle avait envie de hurler à la lune, de trembler, de tempêter, de pleurer à chaudes larmes, de tomber en miettes ; elle voulait parler du *Mataf* et du capitaine Leftrin, demander s'ils pensaient que le bateau avait survécu, s'ils croyaient que le capitaine allait venir à leur secours, comme si parler de sauvetage devait forcer la main à la réalité ! Elle eût éprouvé un étrange réconfort à discuter à l'infini de ces sujets ; mais comment le pouvait-elle face à ces jeunes gens qui affrontaient la tragédie avec tant de simplicité ?

Du bout des doigts, elle défit le poisson fumant et le mangea accompagné de morceaux de champignon et de filaments de mousse-d'oignon, laquelle avait effectivement le goût d'oignon ; cela fait, elle mangea aussi l'« assiette » sur laquelle on lui avait servi son repas. L'appellation « pain-de-feuille » était mensongère : la feuille était épaisse, féculente, croquante, mais indéniablement végétale au goût. Quand elle l'eut achevée, elle avait encore faim. La poire aigre étancha néanmoins une partie de sa soif : malgré sa peau fripée, le fruit était juteux ; elle le dévora jusqu'au trognon en regrettant de n'en avoir pas d'autre.

Pourtant, alors qu'elle se restaurait, ses pensées étaient ailleurs. Leftrin allait-il bien ? Le *Mataf* avait-il résisté à la vague ? Le pauvre Sédric devait mourir d'inquiétude pour elle. Les occupants du bateau recherchaient-ils les gardiens et leurs dragons ? Elle voulait le croire, si fort qu'elle prit soudain conscience qu'elle n'avait rien fait pour améliorer leur situation. Le capitaine Leftrin et le *Mataf* viendraient à leur secours ; elle en était convaincue depuis que Sintara l'avait tirée de l'eau.

« Quand le fleuve sera redescendu, croyez-vous que nous retrouverons un terrain solide là où nous sommes ? » demanda-t-elle à Thymara.

Celle-ci avala ce qu'elle avait dans la bouche et réfléchit. « Le niveau baisse, mais, pour la terre ferme, on ne le saura qu'à la fin de la décrue. Même s'il y en a, ce sera de la boue pendant un bon moment. Les inondations arrivent vite dans le désert des Pluies, mais elles s'évacuent lentement parce que la terre est déjà saturée d'eau. On ne pourra pas marcher dessus, si c'est à ça que vous pensez, en tout cas pas sur de grandes distances.

— Qu'allons-nous faire alors ?

— Pour l'instant ? Ceux d'entre nous qui sont capables de cueillir des fruits ou de chasser s'en occuperont ; les autres feront ce qu'ils pourront pour améliorer le confort du radeau. Et, quand l'eau commencera à baisser, nous verrons ce qu'il y a d'autre à faire.

— Les dragons voudront-ils poursuivre le voyage ?

— Ça m'étonnerait qu'ils aient envie de rester ici », intervint Tatou, et Alise se rendit compte qu'il n'était pas le seul à écouter leur conversation. La plupart des soigneurs alentour la suivaient aussi. « Il n'y a rien pour eux dans le coin. Ils voudront repartir si c'est possible, avec ou sans nous.

— Ils peuvent survivre, sans nous ? » C'était Boxteur qui avait posé la question.

« Pas facilement, pas bien, mais la plupart du temps ce sont eux qui ouvrent le chemin et qui trouvent les coins où bivouaquer le soir ; ils ont appris à chasser un peu, et ils sont plus forts et plus résistants qu'au départ. Ils auraient du mal, mais cette expédition n'est pas une partie de plaisir pour eux, de toute façon.

Mais je n'ai pas dit qu'ils décideraient de leur plein gré de continuer sans nous. »

Tatou s'interrompit. Alise attendit qu'il reprît, mais ce fut Thymara qui enchaîna : « Mais, si on ne peut pas les suivre, si on n'a aucun moyen de les accompagner, ils n'auront pas le choix. Ils manqueront bientôt de nourriture ici ; ils seront obligés de nous abandonner.

— Ne pourraient-ils pas nous porter ? demanda Alise. Sintara nous a sauvées, Thymara et moi, et nous a déposées à l'abri. Elle a eu du mal à nager avec nous sur le dos, mais dans les hauts-fonds, là où ils cheminent d'habitude…

— Non, ils refuseraient, déclara Graffe.

— Ce serait compromettre leur dignité, enchaîna Thymara à mi-voix. Sintara nous a sauvées, mais, pour elle, ce n'est pas la même chose que nous transporter comme une bête de somme.

— Mercor accepterait peut-être de me prendre sur son dos, intervint Sylve, mais il n'est pas comme les autres ; il est plus gentil avec moi que ses semblables avec leurs gardiens. J'ai parfois l'impression que c'est le doyen du groupe, alors qu'il est sorti de sa gangue le même jour, je le sais.

— Cela tient peut-être à ses souvenirs plus nombreux, dit Alise. Je trouve qu'il possède une grande sagesse.

— Peut-être, répondit Sylve, et, pour la première fois, elle adressa un sourire timide à la jeune femme.

— Si les dragons continuent sans nous, qu'est-ce qu'on va devenir ? » fit soudain Nortel. Il s'était placé à côté de Thymara ; il paraissait ne s'intéresser qu'à la discussion, mais sa proximité mettait quand même la jeune fille mal à l'aise.

« On se débrouillera comme on pourra, répondit Tatou, ici ou là, où on pourra s'installer.

— C'est un peu de cette façon qu'a été fondé Trehaug, observa Graffe. Les premiers habitants du désert des Pluies y ont été abandonnés par les bateaux qui devaient les aider à trouver un site convenable pour établir une colonie. Évidemment, ils étaient plus nombreux que nous, mais la situation reste la même.

— Ne voudrez-vous pas tenter de regagner Trehaug ? demanda Alise. Vous disposez de trois canoës. » Cela lui paraissait la ligne de conduite la plus évidente à adopter si jamais les dragons partaient sans eux ; ce serait un voyage difficile, dans la boue des marécages ou entre les arbres de la forêt, mais au moins la sécurité les attendrait au bout du trajet.

« Non, murmura Graffe, même si nous avions assez de canoës pour nous transporter tous et assez de pagaies pour les diriger.

— Moi non plus », renchérit Jerd. Après un bref silence, elle ajouta, la gorge serrée : « Je ne pourrais pas. »

Graffe lui prit la main, et elle détourna la tête pour contempler la surface de l'eau. Alise remarqua sans le faire exprès que certains gardiens observaient les deux jeunes gens sans s'en cacher tandis que d'autres regardaient ailleurs. À l'évidence, Jerd et Graffe formaient un couple, et, tout aussi manifestement, cela en dérangeait certains. Thymara les surveillait, les yeux mi-clos, sans rien laisser voir de ses pensées.

« C'est une décision qu'il ne faudra pas prendre avant un bon bout de temps, déclara Tatou. Je m'inquiète plus de ce qu'on va faire aujourd'hui et ce soir.

— Je vais chercher à manger, dit Thymara ; je suis douée pour ça.

— Je t'accompagne pour t'aider à porter ce que tu trouveras », fit Tatou. Plusieurs jeunes gens le regardèrent puis détournèrent les yeux ; Nortel contempla le sol, la mine sombre, Boxteur prit l'air songeur, et Graffe ouvrit la bouche comme pour dire quelque chose puis se ravisa. Enfin, il déclara : « Bonne idée », mais Alise eut la certitude que ce n'était pas les mots qu'il avait eu l'intention de prononcer.

« Est-ce qu'on pourra faire du feu ce soir ? demanda Sylve. La fumée repoussera peut-être les insectes, et la lumière permettrait de nous repérer plus facilement.

— Je peux vous aider, intervint aussitôt Alise. Nous pourrions fabriquer un petit radeau, comme celui où nous dormons, mais en plus réduit, et y loger le feu pour éviter qu'il ne se propage jusqu'à nous. Nous pourrions l'attacher à notre radeau avec ça. » Elle se baissa pour ramasser une des lianes de feuille-de-pain à présent dénudée. « Il en faudrait davantage, évidemment.

— On en rapportera », dit Tatou.

Lecter ajouta : « Harrikine et moi, on peut plonger pour chercher de la boue ; si on trouve le moyen de la remonter, on en couvrira la plate-forme du feu ; elle durera plus longtemps.

— Mais l'eau est terriblement acide ! » s'exclama Alise en songeant à leurs yeux ; les deux jeunes gens étaient tellement couverts d'écailles que leur peau ne craindrait pas grand-chose.

— Non, ce n'est pas si méchant. » Lecter haussa ses épaules couvertes de piques. « Le niveau d'acide baisse sans arrêt. Ça se passe comme ça après un tremblement de terre : une grosse coulée acide puis retour à la normale ou presque. »

La normale ou presque suffisait à brûler la peau d'Alise, mais elle acquiesça de la tête. « Construire une plate-forme, la badigeonner de boue, ramasser du bois aussi sec que possible, et fabriquer un cordage pour empêcher le radeau de s'éloigner, ça représente un travail considérable à effectuer avant la nuit.

— Oui, mais on n'a pas le choix, répondit Boxteur.

— Thymara, tu as besoin d'un coup de main pour la cueillette ? » Nortel jeta la question comme un défi.

« Si j'ai besoin d'aide, j'ai Tatou, répliqua-t-elle.

— Je grimpe mieux que lui.

— C'est ce que tu crois, rétorqua aussitôt Tatou. Je suffis amplement pour l'aider. »

Thymara regarda les deux jeunes gens et son visage s'assombrit. Un instant, ses écailles parurent se détacher plus nettement sur sa peau, puis elle déclara sans ambages : « La vérité, c'est que je ne pense pas avoir besoin de l'un ou de l'autre. Mais Tatou peut m'accompagner s'il en a envie. Je pars tout de suite, tant qu'il y a de la lumière. »

Elle se leva d'un mouvement souple et s'éloigna à grandes enjambées vers la forêt, sans se retourner. Aux yeux d'Alise, elle paraissait danser sur les troncs flottants qui la séparaient des arbres les plus proches. Parvenue au premier, elle s'y éleva aussi vivement qu'un lézard ; Tatou la suivit, et, tandis qu'il cherchait des prises sur l'écorce rugueuse, Alise eut l'impression qu'il devait fournir un grand effort pour rivaliser de vitesse avec la jeune fille.

Comme Nortel se levait à son tour, Graffe dit : « Nortel, on aurait besoin de toi ici pour construire le radeau pour le feu. »

L'autre se figea et répondit sèchement : « J'ai l'intention d'aller chercher de quoi manger.

— Eh bien, veille à ne rien chercher d'autre. On forme un groupe très réduit, Nortel ; il faut à tout prix éviter les querelles entre nous.

— Dis-le à Tatou », répondit-il, et il s'en alla. Il choisit un autre arbre pour gagner les frondaisons, mais Alise craignit soudain pour Thymara et regretta de ne pouvoir la suivre. Quelque chose avait changé dans les relations, mais elle ignorait quoi. Elle regarda Graffe, mais il ne leva pas les yeux vers elle et dit : « Aujourd'hui, le ciel est dégagé, et la nuit sera sans doute claire, mais on ne sait pas ce qui nous attend demain. On est déjà assez mal installés, pas la peine de nous retrouver trempés en plus ; voyons si on peut bricoler un abri. »

Alise avait le sentiment d'être plongée dans les affaires privées d'une famille qu'elle ne connaissait pas bien. Il y avait des courants qu'elle n'avait pas soupçonnés, et elle se demanda soudain quelle position elle occupait en tant qu'intruse. Il n'y avait que Thymara qu'elle avait l'impression de connaître. Elle jeta un regard à Sylve, qui l'avait au moins gratifiée d'un sourire. Comme si elle avait senti les yeux de la jeune femme posés sur elle, Sylve se tourna vers elle et murmura : « Allons construire la plate-forme pour le feu. »

« Dites-lui de tendre la tête vers moi ! » ordonna sèchement Jess. En équilibre au bout du tronc, il tenait ouvert son nœud coulant de fortune. « Je ne peux pas lui passer la corde autour du cou si elle ne s'approche pas davantage. »

Le tronc sur lequel se tenait Sédric roula légèrement sous ses pieds, et le vertige le saisit un instant. Il regarda le nœud coulant et s'efforça de prendre une décision ; brusquement, il secoua la tête et parvint à émerger de l'étrange état de flottement dans lequel la dragonne savait le mettre. Il fallait mettre un terme à cette affaire ; Relpda morte, son esprit retrouverait son intimité, et il aurait une fortune en poche. Il pourrait vivre avec Hest – s'il voulait encore de Hest après cette aventure.

Cette dernière réflexion le laissa ébahi. Bien sûr qu'il voulait de lui ! Il avait toujours aimé Hest ; n'était-ce pas pour lui et pour l'amour qu'il éprouvait à son endroit qu'il s'était lancé dans cette expédition ? Il s'éclaircit la gorge. L'amour qu'il avait éprouvé…

« Relpda. »

Elle tourna son regard tourbillonnant vers lui.

D'une secousse, Jess agrandit le nœud coulant. Sédric voyait à présent ce qu'il comptait faire : prendre la dragonne au cou, l'accrocher à un arbre et la tuer. Ce ne serait ni facile ni joli ; avant qu'elle ne succombât, elle saurait que Sédric l'avait trahie ; il sentirait sa peine, sa colère et son reproche en même temps que la douleur de sa mort. Elle lui avait sauvé la vie, et, en guise de remerciement, il allait faire fortune sur sa mort.

C'était un prix trop élevé ; Hest ne le valait pas.

Il resta saisi par cette brusque prise de conscience, mais il n'avait pas le temps de l'examiner de plus près.

Il tendit son esprit et son cœur vers la dragonne. *Relpda, écarte-toi de Jess. Ne le laisse pas s'approcher de toi ; il veut te tuer !* Il n'osait pas s'adresser à elle à voix haute.

Tuer ? Inquiétude et perplexité. Elle n'avait pas compris. Épuisée, elle s'agrippait à son tronc, les yeux levés vers son bourreau ; ses iris se mirent à tournoyer plus vite, mais elle ne tenta pas de reculer. C'était trop pour elle ; il avait cherché à lui fournir trop d'informations à la fois. Il fallait de la simplicité – et un peu de courage !

« Va-t'en, Relpda ! Sauve-toi ! Ne le laisse pas t'approcher. Danger ! Jess danger ! »

Danger ? Le chasseur apporte à manger. Partir ? Trop fatiguée.

Sédric avait abattu ses cartes devant Jess, et cela ne suffisait pas encore à sauver la dragonne. Avec un rictus qui lui dénudait les dents, le chasseur se tourna vers lui. « Sale petit gandin ! J'allais l'achever rapidement, mais tu as tout gâché ! Maintenant, vous allez payer tous les deux. »

Il était vif ; il lâcha sa corde et prit son harpon à deux mains. L'arme, de petite taille, ne pouvait sûrement pas faire de mal à Relpda, n'est-ce pas ? Par pitié, Sâ ! « Relpda, va-t'en ! Sauve-toi vite ! »

Sédric s'était déjà mis en mouvement, mais il savait qu'il arriverait trop tard. Il s'empara d'un bâton qui flottait dans l'eau et le jeta à Jess, mais le rata de loin. Le chasseur éclata de rire, puis ramena sa foëne en arrière et la planta dans la dragonne.

Une douleur fulgurante frappa Sédric à l'épaule, et son bras gauche perdit toute sensibilité. Il trébucha puis tomba, une de ses jambes passant entre les morceaux de bois flottants, mais il évita de couler en se rattrapant frénétiquement à un tronc. Il se mordit la langue, et, curieusement, cette nouvelle souffrance chassa la première. Le tronc s'enfonça sous son poids, mais il parvint à s'y agripper d'une jambe, et il réussit à s'extraire de l'eau en jetant des regards éperdus alentour. Tout se passait trop vite.

Relpda poussa un coup de trompe strident ; le harpon pointait de son corps, et un sang rouge vif recouvrait son épaule écailleuse. Les ailes à demi ouvertes, elle les agita faiblement dans des gerbes d'eau en s'évertuant à se retenir au tronc glissant. Le chasseur était tombé dans le fleuve ; elle avait dû le percuter avec une aile. Tant mieux. Mais il avait déjà trouvé une prise sur un arbre abattu et commençait à se hisser ; dans un instant, il serait de nouveau debout.

Sédric se savait incapable de se battre contre lui : il était trop grand, trop vigoureux, trop expérimenté. *Une arme, une arme !* La hachette ! La hachette près du canoë !

Sédric se lança dans une course éperdue vers l'embarcation sur les troncs qui dansaient en tous sens. N'eût été la terreur qui l'étreignait, il eût franchi les débris à quatre pattes, mais, face à une mort imminente, il courait et bondissait comme un chat échaudé, franchissant à toute allure les arbres abattus qui s'enfonçaient et roulaient, sautant follement de l'un à l'autre. Jess parut deviner aussitôt son intention ; il remonta sur le radeau en crachant et en jurant, et se rua en bonds furieux sur la surface mouvante des débris. À deux reprises il glissa entre des troncs et se hissa de nouveau sur le radeau, et pourtant il parvint à s'interposer soudain entre Sédric et le canoë, un poignard dans sa main droite dégouttante. Les cheveux ruisselant sur ses joues brûlées par l'acide, il dit : « Je vais t'éventrer, balancer tes tripes sur les bois qui flottent et te laisser crever là ! »

Je regrette. Pitié, ne me tuez pas. Je veux vivre, c'est tout. Je ne pouvais pas vous laisser la tuer. Il passa en revue cent arguments et les rejeta aussitôt.

Sauve-toi ! Sauve-toi ! mugit la dragonne, excellente idée, dans la droite ligne de l'intention de Sédric, mais qu'il n'osait pas mettre en pratique de peur de tourner le dos à l'homme. S'il devait mourir, ce ne serait pas avec un couteau entre les omoplates. Il entendit un grand bruit d'éclaboussure derrière lui : Relpda venait de perdre sa prise instable sur le tronc qui la soutenait et de s'enfoncer sous l'eau. *Froid, mouillé, noir, pas d'air.* Sédric se figea un instant.

Jess fondit sur lui, le poignard en avant, et ce fut ce bond à partir du tronc flottant qui provoqua le mouvement de côté de Sédric. Poignard, main et agresseur passèrent près de lui sans rencontrer la résistance attendue, et, par réflexe, il posa la main sur le dos du chasseur et, d'une poussée, accéléra son déplacement. Son adversaire quitta le tronc et se retrouva sur le radeau de débris ; l'espace d'un instant, la masse d'herbe et de bois enchevêtrés soutint son poids, puis il s'enfonça brusquement avec un cri de rage. Il écarta les bras et les étendit sur le mélange de branches, de brindilles et de mottes de mousse ; il réussit ainsi à se maintenir à la surface et se mit à invectiver Sédric, incapable de remonter.

En deux enjambées, Sédric fut dans le canoë. Il s'attendait à le trouver stable sous ses pieds, mais l'embarcation s'enfonça avec une embardée, et il tomba, les genoux les premiers, le torse sur le banc de nage qui lui endolorit les côtes. Enfin, il était en sécurité. Où était la hachette ? Et Relpda ? « Où es-tu, dragonne ? » cria-t-il. Il se redressa sur les genoux et parcourut les alentours du regard. À sa grande horreur, il s'aperçut qu'il ne la percevait plus ; et Jess avait disparu lui aussi. Était-il en train de se noyer sous le matelas de débris ? Sédric avait peine à le prendre en pitié.

Soudain, comme un esprit de l'eau vengeur, Jess jaillit des profondeurs à côté du canoë ; il s'agrippa au flanc, et l'embarcation pencha brusquement. Sédric poussa un cri de terreur, affolé à l'idée de retomber dans l'eau brûlante, mais l'homme se hissa par-dessus bord. Aussitôt, Sédric s'efforça de quitter le canoë, mais Jess le plaqua aux jambes, et il s'effondra lourdement, le ventre en travers du bord, le torse sur le tronc auquel l'embarcation était amarrée. Le chasseur le saisit par le dos de la chemise et par les cheveux, le ramena durement dans le canoë puis le frappa violemment au visage.

En dehors de quelques bagarres de gamins, Sédric n'avait jamais participé à un vrai combat. Parfois, Hest le rudoyait quand il était d'humeur à donner à leurs rapports un axe plus brutal et à imposer sa domination. Au début, ces jeux brusques excitaient Sédric, mais, depuis un an environ, Hest paraissait les réserver aux occasions où son compagnon lui avait déplu dans d'autres domaines ; certaines fois, le plaisir de sentir la force de Hest s'était mué en crainte que son amant ne lui infligeât de vraies blessures dans le déchaînement de ses jeux carnassiers. Pire, Hest semblait se délecter d'éveiller cette peur chez lui ; une fois, il avait étranglé Sédric au point de lui faire presque perdre connaissance, ce qui ne l'avait pas empêché de poursuivre ses efforts pour atteindre son propre plaisir, et c'est seulement quand il avait roulé à bas de son amant que ce dernier avait pu reprendre son souffle. Des points noirs devant les yeux, il avait demandé d'une voix suffoquée : « Pourquoi ?

— Pour voir ce que ça fait, évidemment. Cesse de te plaindre ; tu n'as rien ; tu as seulement une petite blessure d'amour-propre. »

Hest s'était levé et l'avait planté là ; et Sédric avait accepté son jugement : il ne souffrait de rien, en réalité. Le souvenir éclata dans son esprit, et, avec lui, la décision qu'il avait enfouie peu après : *Plus jamais. Bats-toi.*

Mais l'attaque de Jess dépassait de loin tout ce que Hest avait pu lui faire. Le coup au visage qu'il avait reçu l'avait choqué moralement autant que physiquement ; dans la poigne de son agresseur, il tâchait de trouver la force de lever les bras et de serrer les poings. Soudain, l'homme éclata de rire, et le son de sa voix infusa à Sédric une vigueur affolée, et il lança son poing aussi violemment qu'il le put dans le torse de Jess, sous le plexus ; l'air s'échappa des poumons du chasseur, qui tomba sur les fesses au fond de l'embarcation.

Le temps d'une respiration, Sédric se trouva sur le chasseur et le roua de coups, mais, à demi assommé, il n'y mettait nulle puissance. Jess se releva, ses bras se refermèrent sur son adversaire, puis, sans plus d'effort que s'il étreignait un enfant, il roula sur lui et l'immobilisa sous son poids. Alors ses larges mains emprisonnèrent la gorge de Sédric, qui s'efforça en vain de s'agripper aux poignets épais du chasseur, mouillés, froids et couverts d'écailles glissantes. L'homme le poussa au fond du canoë, dans l'eau croupie, tandis que le banc lui mordait le bas du dos. Sédric donnait de grands coups de pied mais sans rien rencontrer ; il voulut griffer le visage de son agresseur, mais l'autre paraissait insensible à la douleur.

Finalement, Sédric renonça à tenter d'attaquer Jess et même à se défendre ; il voulait seulement s'enfuir. Il chercha à tâtons les flancs du canoë ; il en trouva un et essaya de s'en servir comme prise pour se tirer de sous le chasseur, mais les mains de l'homme étaient serrées sur sa gorge, et son poids l'empêchait de bouger.

Jamais il ne s'était senti aussi démuni.

Du moins depuis le jour où Hest l'avait bloqué sur le lit et avait déclaré en riant : « C'est moi qui décide, aujourd'hui. Ça va te plaire ; ça te plaît toujours. »

Mais cela ne lui plaisait pas toujours. Et soudain toute la colère qu'il avait pu ressentir contre Hest et son absence d'égard pour son plaisir, son attitude moqueuse quand il le dominait, cette colère l'envahit à l'instant où sa main tomba par hasard sur le manche de la hachette.

L'outil était planté dans le tronc sec et dur qui flottait à côté de l'embarcation, mais Sédric possédait la force de la rage et du désespoir, et il la décrocha d'un geste spasmodique. La chance seule voulut que, comme la hachette sautait brusquement du bois, le côté arrondi du fer heurtât violemment l'arrière du crâne de Jess.

Le choc étourdit le chasseur mais ne l'assomma pas ; sa poigne se relâcha, et, au travers d'une brume rouge, Sédric le vit tourner la tête de côté comme en quête d'un assaillant imprévu. *Bats-toi ! Bats-toi !* Les pensées furieuses de la dragonne donnèrent de la vigueur à Sédric ; il abattit de nouveau la hachette, maladroitement mais avec force et précision. Cette fois, elle frappa le chasseur à la mâchoire, le rejetant de côté avec un craquement sonore ; Jess poussa un hurlement suraigu. Sédric reprit péniblement sa respiration. Le chasseur essayait de parler, mais les oreilles du Terrilvillien bourdonnaient, et le coup à la mâchoire donnait à Jess une diction incompréhensible. Tout à coup, Sédric s'entendit lancer dans un croassement : « Je vais te tuer ! Je vais te tuer ! »

Je vais tuer pour toi. La pensée rebondit vers lui avec un écho reptilien.

Un dernier coup sans grande force frappa le chasseur entre les yeux, et l'homme tomba enfin assommé. Sédric lâcha la lourde hachette qui chut au fond du canoë, puis il repoussa Jess qui s'écroula mollement, à moitié par-dessus le flanc de l'embarcation ; il ne resta inconscient qu'un court moment. « Espèce de sal… ! » croassa-t-il. Il ramena son bras en arrière, et Sédric vit un poing énorme filer vers lui.

À cet instant, un mouvement puissant souleva le bateau, et la tête et les épaules de Relpda jaillirent des débris pour surplomber les deux hommes. *Manger le chasseur !* lança-t-elle, et elle courba le cou. Sédric n'avait jamais vraiment vu l'intérieur de la gueule d'un dragon. Elle ouvrit démesurément les mâchoires, et il distingua les énormes muscles déglutisseurs qui bordaient sa gorge, ainsi que les rangées de crocs aigus et incurvés. La bouche béante s'abattit sur la tête et les épaules du chasseur comme le sac d'un braconnier sur un lapin. Sédric aperçut les yeux de Jess, si agrandis que tout le pourtour de l'iris était bordé de blanc, et puis Relpda referma les mâchoires.

Il y eut un bruit, mélange d'os tranché et de chair broyée, puis Relpda redressa le cou et pointa le mufle vers le ciel ; elle secoua la tête par deux fois tout en avalant.

La partie inférieure du corps de Jess tomba dans le canoë, sanglante, près de Sédric ; celui-ci, dans un réflexe d'horreur, repoussa d'un coup de pied le bassin qui chut par-dessus bord, suivi par les jambes. Avec un glapissement de protestation, Relpda plongea pour les récupérer, et la vague qu'elle souleva fit danser l'embarcation. L'eau et le sang se mêlèrent au fond du petit bateau, allant et venant sur la hachette.

Sédric se pencha par-dessus bord et suivit la dragonne des yeux. « Ce n'est pas vrai », fit-il d'une voix pâteuse. Il porta le dos de sa main à sa bouche puis l'écarta ; elle était couverte de sang. Il regarda la hachette immergée dans l'eau du fond ; là aussi, des volutes rouges s'en échappaient et se mélangeaient à l'eau. On y voyait également des cheveux, ceux de Jess. « Je l'ai tué », dit-il tout haut ; les mots sonnèrent bizarrement à ses oreilles.

Délicieux.

*

L'après-midi se déroula sans incident. Thymara et Tatou ne parlaient guère ; elle n'avait pas grand-chose à dire, et Tatou réservait son souffle pour ne pas se laisser distancer, la jeune fille y veillait particulièrement.

La façon dont ses sentiments à l'égard de son compagnon variaient la dérangeait plus que ce qu'elle éprouvait. Au milieu des autres, elle avait moins de mal à se convaincre que rien n'avait changé entre Tatou et elle ; cela signifiait-il que rien n'avait changé, en effet ? Était-elle fâchée contre lui ou non ? Et, si oui, pourquoi ? Parfois, elle se rendait compte qu'elle n'avait aucune raison fondée de lui en vouloir. Ils n'avaient passé aucun accord, il n'avait enfreint nulle promesse ; il était aussi libre qu'elle de suivre ses désirs. Elle était parfaitement capable d'observer la situation d'un œil froid. Il avait couché avec Jerd ? Eh bien, cela le regardait, pas elle ; et maintenant que Jerd était avec Graffe, cela la regardait encore moins.

Mais la douleur perçait alors soudain, et Thymara se sentait à nouveau trompée et indignée. Il aurait pu au moins la prévenir plus tôt ! Si Kanaï était au courant, c'est que ce n'était pas une affaire si privée que ça ! Pourquoi la lui avait-il cachée si longtemps ? Du coup, elle se sentait stupide et naïve. *C'est mon amour-propre*, songea-t-elle. *C'est lui qui souffre, pas mon cœur. Je ne suis pas amoureuse de Tatou ; je ne le veux pas rien que pour moi, et je ne veux pas qu'il me regarde comme sa propriété. Nous sommes seulement amis, des amis qui se connaissent depuis longtemps. Il m'a caché un secret, et je me suis sentie bête*. Son amour-propre, rien de plus.

C'était peut-être vrai, mais ce n'était pas l'impression qu'elle avait.

Aiguillonnée par l'émotion, elle grimpait plus vite et plus haut dans les arbres que d'habitude, ce qui obligeait Tatou à se démener pour la suivre. Elle trouvait de quoi manger, et, le temps qu'il la rattrapât, elle avait déjà tout cueilli. Le garçon s'était servi de sa chemise pour fabriquer un sac, et, dès qu'il la rejoignait, elle y fourrait ce qu'elle avait ramassé et reprenait son chemin. Leurs conversations se limitaient à parler de ce qu'ils avaient déjà récolté et de ce qu'ils devaient chercher ensuite. Thymara le voyait, Tatou se rendait compte qu'ils ne discutaient pas vraiment, mais il avait l'air de s'en satisfaire.

Quand il fit trop sombre pour y voir sous les arbres, ils retournèrent au matelas de débris flottants où le groupe avait trouvé refuge ; sur le fleuve, le soleil qui se couchait au loin projetait encore un peu de lumière. Les gardiens avaient réussi à dresser un petit abri sur le radeau et à fabriquer une seconde plate-forme pour le feu, dont l'éclat ambré réchauffait le cœur. Comme Alise l'avait proposé, on l'avait amarré au radeau principal de façon à pouvoir l'écarter rapidement si les flammes se propageaient. Pour le moment, la lumière et la chaleur bienvenues remontaient le moral à toutes et tous. Boxteur et Kase entretenaient la flambée, dénudaient des branches de leurs feuilles, qu'ils jetaient dans le feu afin de créer un brouillard de fumée destiné à repousser les insectes. Thymara n'était pas sûre de préférer se faire piquer les yeux par la fumée plutôt que la peau par les insectes, mais elle était trop lasse pour discuter.

Les dragons étaient revenus pour la nuit, et la jeune fille se sentait un peu rassurée de voir leurs énormes silhouettes appuyées aux arbres qui leur interdisaient l'entrée de la forêt inondée. Ils commençaient à devenir habiles à s'emparer de gros morceaux de bois et à les glisser sous leur poitrail pour mieux flotter. Étaient-ils revenus parce que les humains leur manquaient ou seulement parce qu'ils savaient que les gardiens les aideraient à se maintenir à flot pour la nuit ? Sylve et Harrikine avaient apparemment inventé une technique pour bloquer plusieurs troncs sous chaque dragon ; les grandes créatures n'étaient pas ravies de leurs conditions d'hébergement, mais cela valait mieux que rester à patauger dans le fleuve jusqu'à l'aube. Les poissons tués par l'acide s'étaient révélés à la fois une bénédiction et un désagrément pour elles : elles avaient festoyé à satiété, mais leur ventre distendu les gênait, surtout quand elles l'appuyaient sur un tronc d'arbre.

« Ils en ont assez de rester dans l'eau ; ils en ont vraiment assez. Certains se plaignent que leurs griffes s'amollissent », dit Sylve, assise à côté de Thymara pendant le repas du soir. À la grande surprise de la jeune fille, il y avait de la viande en plus des fruits et des feuilles que Tatou et elle avaient rapportés : un cochon de fleuve égaré, à demi noyé et assommé de fatigue, avait grimpé sur le radeau, et Lecter l'avait abattu d'un coup de gourdin. L'animal n'était pas grand, mais il était gras et avait un goût délicieux.

Graffe, passant derrière elles en allant s'asseoir, dit : « Ils perdent leur temps à se plaindre ; personne n'y peut rien. »

Thymara leva les yeux au ciel, et sa voisine se courba sur son assiette pour dissimuler un sourire. « Je suis sûre que ça va passionner les dragons, cette réflexion », fit Thymara à voix basse, et elles rirent tout bas. La jeune fille releva les yeux à temps pour voir Graffe lui lancer un regard noir ; elle le lui rendit sans sourciller puis se remit à manger. Elle n'avait aucun respect pour lui, et elle refusait de s'aplatir devant lui.

L'abri que les gardiens avaient construit était exigu, et le sol accidenté malgré une épaisseur de branches feuillues. Le bon côté de la situation, c'était que chacun avait un peu plus chaud grâce à la promiscuité, mais cela entraînait aussi l'impossibilité de changer de position sans déranger deux personnes. On avait décidé de monter la garde auprès du feu afin de l'alimenter en bois ainsi qu'en feuilles pour lui faire dégager de la fumée. « Les flammes pour signaler notre position au cas où on chercherait à nous retrouver, la fumée pour éloigner les insectes », avait expliqué Graffe de façon tout à fait superflue.

La tâche se révélait plus délicate que ne l'avait pensé Thymara. Une couche de feuilles et de boue tassées s'interposait entre le feu et le bois qui formait la plate-forme flottante. Quand vint le tour de la jeune fille de s'en occuper, Sylve la réveilla et lui montra comment alimenter le feu sans le laisser consumer le radeau sur lequel il reposait, puis elle la laissa assise au bord du radeau principal avec une réserve de branches feuillues et un tas de bois sec.

Avec un soupir, Thymara prit son tour de garde. Elle avait mal au dos, mais la douleur était différente de celle de ses courbatures. Elle ne s'était pas ménagée ce jour-là, pas plus que Tatou, et elle ne pouvait s'en prendre qu'à elle-même de sa fatigue ; mais elle ne supportait plus sa blessure près de la colonne vertébrale ni les élancements sourds qu'elle endurait sans arrêt.

La nuit s'acheminait vers ses heures les plus silencieuses. Les oiseaux du soir avaient cessé de chanter, de chasser les moucherons, et s'étaient installés pour dormir. Même le bourdonnement des insectes piqueurs paraissait se calmer. Thymara contemplait le reflet du feu sur l'eau : de temps en temps, un poisson curieux passait telle une ombre lente au ras de la surface miroitante, mais, hormis cela, tout était immobile. Le fleuve clapotait paisiblement contre les troncs d'arbres comme si la rage meurtrière qui l'avait pris un jour et demi plus tôt n'avait jamais existé. Les dragons endormis ressemblaient à d'étranges navires, la tête courbée et la moitié du corps immergée. La jeune fille s'efforçait d'apprécier la paix de la nuit sans se perdre dans ses pensées, mais son esprit ne cessait de faire des allers et retours entre Kanaï, la dragonne argentée, et Alum et Houarkenn. Trois gardiens avaient disparu et sans doute péri, ainsi que trois dragons, tous femelles. C'était un coup dur. Veras n'était toujours pas revenue ; Mercor avait dit à Sylve qu'il ne l'avait pas senti mourir, mais que cela ne garantissait pas qu'elle eût survécu. Cette déclaration avait plongé Jerd dans les affres de l'incertitude, et elle s'était mise à pleurer de plus belle.

« Il faut que je te parle. »

Thymara sursauta puis s'en voulut de sa réaction. Graffe s'était approché d'elle par-derrière, sans bruit, et elle n'avait même pas senti le radeau bouger. Ce n'était pas un accident : il voulait la surprendre. Elle leva les yeux vers lui et répondit, impassible : « Vraiment ?

— Oui. Pour le bien de tous. J'ai besoin de quelques réponses, et je ne suis pas le seul. » Il s'accroupit près d'elle, trop près au goût de la jeune fille. « Je vais aller droit au but : c'est Tatou ?

— Qu'est-ce qui est Tatou ? » La question l'agaçait et elle ne chercha pas à le cacher. S'il voulait jouer les mystérieux et les empressés, elle pouvait jouer les obtuses.

Le visage écailleux de Graffe, composition de méplats, se durcit. Il avait les lèvres si minces que la jeune fille ne savait pas s'il crispait les mâchoires ou non ; elle le supposait. Il se rapprocha encore et déclara d'une voix grondante : « Écoute, personne n'a compris pourquoi tu avais choisi Kanaï, mais j'ai dit aux autres que ça n'avait pas d'importance. Tu avais fait ton choix, et il fallait le respecter. Quelques-uns ont voulu s'opposer à ta décision, mais je le leur ai interdit ; tu devrais m'en remercier. J'ai respecté ton premier choix et j'ai maintenu la paix autour de toi. Mais Kanaï n'est plus là, et, dans l'intérêt général, plus vite la question sera réglée, mieux ça vaudra. Alors choisis et dis-le clairement.

— Je ne sais pas de quoi tu parles, et je crois que je préfère l'ignorer. C'est mon tour de garde et je remplis ma mission. Va-t'en. » Elle s'était exprimée d'un ton sec, tenaillée entre la colère et la peur. Graffe lui apparaissait comme une présence inévitable ce soir, une force qu'elle devait affronter et qu'elle ne saurait sans doute pas vaincre. Soit les propos de Graffe étaient obscurs, soit elle les comprenait trop bien ; elle ne voulait pas savoir quelle était la bonne solution.

Mais il refusa de la laisser dans le noir. « Ne fais pas semblant, fit-il durement, tu n'es pas douée pour ça. Tu m'as entendu mettre Nortel en garde tout à l'heure. Si tu as choisi Tatou, très bien, tu l'as choisi ; annonce ton choix à tout le monde et il n'y aura pas de problème, j'y veillerai. Ce n'est pas Tatou que j'aurais désigné pour toi, mais, même ici et maintenant où règnent de nouvelles règles, je respecte certaines de nos plus anciennes traditions. J'ai été élevé surtout par ma mère, et elle observait les coutumes d'autrefois, celles des débuts de la colonisation du désert des Pluies ; à l'époque, les Marchands convenaient qu'une femme pouvait occuper une position égale à celle de son mari et prendre ses propres décisions. Si je suis vivant aujourd'hui, c'est par une décision de ma mère ; elle m'a gardé et elle a exigé que les autres respectent son droit. Il me paraît donc sage que les femmes aient voix au chapitre dans la conduite de leur existence, et je veux bien respecter ça – et demander aux autres d'en faire autant.

— Et qui t'a fait roi ? » lança-t-elle. Elle avait peur à présent. Avait-elle été aveugle à cela aussi ? Les autres l'acceptaient-ils comme chef, et plus encore, comme quelqu'un qui pouvait décréter les règles qui dirigeaient leur vie ?

« J'ai pris le commandement quand il est devenu évident que personne d'autre n'était à la hauteur. Il faut bien que quelqu'un se charge de prendre les décisions, Thymara ; si on veut survivre, on ne peut pas aller tranquillement le nez au vent sans faire attention où on met les pieds. » Au grand agacement de Thymara, il prit un morceau de bois et le mit au feu ; il s'enflamma aussitôt. Avec son bâton, elle rétorqua en l'éjectant des flammes ; il tomba dans le fleuve, où il siffla puis surnagea près du radeau. Graffe comprit le message.

« Très bien, tu peux me défier – enfin, tu peux essayer. Mais tu ne peux pas défier la vie ni le sort. Le sort nous a donné un équilibre instable ; même avec trois hommes en moins, le rapport gardiens-gardiennes reste faussé. Tu veux que les hommes se battent pour toi ? Tu veux voir nos camarades se blesser mutuellement, se lancer dans des vendettas interminables pour te donner l'impression de valoir quelque chose ? » Il se tourna vers elle, les yeux sombres et indéchiffrables dans la nuit. « Ou bien tu attends de te faire violer ? Ça t'excite, ce genre de perspective ?

— Non, ce n'est pas ce que je veux ! C'est méprisable !

— Alors il faut choisir ton prochain partenaire, et tout de suite, avant que tous les mâles n'entrent en rivalité pour toi. Nous formons un groupe réduit, et nous ne pouvons pas nous payer le luxe que des garçons se fassent mal pour tes beaux yeux, pas plus qu'on ne peut laisser quiconque te forcer la main ;

j'imagine très bien où ça pourrait conduire. Choisis-toi un compagnon, et qu'on en finisse.

— Jerd n'a pas choisi, elle ; elle couche avec qui elle veut. » Elle s'était servie de la seule arme qu'elle eût sous la main. « Tu ne le savais pas ?

— Je ne le sais que trop bien ! répliqua-t-il avec un rictus de colère. Pourquoi crois-tu que j'ai dû intervenir pour la prendre en charge ? Elle faisait n'importe quoi et dressait les hommes les uns contre les autres ! Un œil au beurre noir par-ci, une ecchymose par-là, ça commençait à devenir intenable, alors je l'ai prise pour moi, pour empêcher les disputes. Ce n'était pas mon premier choix, si tu veux m'entendre le dire ; elle n'est pas aussi intelligente que toi, ni aussi douée pour la survie. Je t'ai déclaré mon intérêt dès le début, mais tu m'as préféré ce crétin de Kanaï ; j'ai pris sur moi pour accepter ta décision, même si je la jugeais mauvaise. Mais il n'est plus là, et je suis avec Jerd, pour le meilleur ou pour le pire, du moins jusqu'à son accouchement, parce que c'est le seul moyen que j'avais d'empêcher les autres de se battre pour elle ; dans ces conditions, je peux difficilement te prendre aussi, alors, avant que les rivalités ne virent à la violence, tu ferais bien de faire ton choix et de t'y tenir. »

Thymara avait le vertige. Un accouchement ? Jerd était enceinte ? Mais elle avait choisi le moment et le lieu les pires ! À quoi pensait-elle donc ? Dans la foulée, elle se dit furieusement : Et à quoi pensaient donc les garçons ? L'un ou l'autre avait-il seulement songé qu'il risquait de donner le jour à un enfant ? Ou bien, comme pour Kanaï et Tatou, Jerd s'était-elle simplement laissé faire, et eux, en avaient-ils seulement profité ? La colère submergeait Thymara.

« Qui est le père de l'enfant de Jerd ?

— Ça n'a pas grande importance, je crois. Je dirai qu'il est de moi, et ça suffira.

— Tu t'appropries déjà beaucoup trop de choses, je trouve. Tu t'es peut-être proclamé roi ou chef, Graffe, mais pas grâce à moi. Je te le dis tout net : je n'accepte pas ton autorité sur moi ; et je ne vais certainement pas "choisir" un de tes "mâles" uniquement pour empêcher les autres de se battre. S'ils sont assez bêtes pour se taper dessus pour quelque chose qui ne leur appartient pas, grand bien leur fasse. »

Elle faillit se lever et s'en aller, mais son tour de garde n'était pas fini, et elle avait la responsabilité de surveiller le feu. Elle regarda Graffe dans les yeux. « Va-t'en ; laisse-moi tranquille. »

Il secoua la tête. « Tu aimerais que ce soit aussi simple, mais tu te trompes. Réveille-toi, Thymara ; si tu ne prends pas de protecteur et si je n'approuve pas ton choix, qui te protégera ? On est seuls ici, et maintenant plus que jamais. Il y a quatre femmes et sept hommes ; Jerd est avec moi, et Sylve a jeté son dévolu sur Harrikine. Si tu crois…

— *Quatre* femmes ? J'ai bien entendu ? Tu inclus Alise dans tes projets délirants ?

— Elle est ici et c'est une femme, donc je l'inclus. Ce n'est pas moi qui l'ai décidé : c'est simplement la réalité. Je lui laisserai un peu de temps pour s'y adapter avant de lui expliquer la situation. La réalité, c'est ça, Thymara : on est tous coincés ici ensemble, et, comme les premiers colons, il faudra apprendre à vivre dans cette forêt. C'est ici que naîtront nos enfants et qu'ils grandiront. Ce petit groupe de gens qui dorment derrière nous, ce sont les graines d'où émergera une nouvelle colonie.

— Tu es dingue.

— Mais non. La différence entre nous, c'est que tu es très jeune et que tu crois que "les règles" ont encore un sens là où il n'y a ni loi ni châtiment pour les faire appliquer. Elles ne veulent plus rien dire. Si tu ne choisis pas quelqu'un en annonçant clairement ta décision, quelqu'un choisira pour toi, ou plusieurs le feront, et tu reviendras finalement à celui qui aura gagné le droit de te prendre, ou bien tu serviras à plusieurs à la fois. J'aime autant ne pas voir le résultat de ton attitude.

— Je ne choisis personne. »

Il se leva lentement en secouant la tête. « Je ne crois pas que ce soit possible, Thymara. » Il se détourna puis revint vers elle et reprit d'un ton dédaigneux : « Tatou est peut-être le meilleur parti pour toi ; tu peux sans doute le faire mariner et le mener par le bout du nez en attendant que l'envie te prenne de te glisser dans son lit. Mais ce n'est pas lui que je choisirais pour toi, et voici pourquoi, sans détour : il est trop grand ; s'il te met enceinte, l'enfant sera trop gros et tu auras du mal à accoucher. Je sais, tu m'as dit que tu n'écouterais pas mes conseils, mais je te suggère de regarder du côté de Nortel. C'est l'un des nôtres, comme ne le sera jamais Tatou, et il est plus compatible avec ta taille. Tu n'es pas obligée de rester avec lui pour toujours ; tu finiras peut-être par prendre un autre compagnon, voire plusieurs au cours de ta vie. »

Il s'éloigna puis s'arrêta et regarda de nouveau la jeune fille ; l'espace d'un instant, il eut presque l'air compatissant. « Ne crois pas que je t'impose quoi que ce soit ; il se trouve seulement que je vois les gens et les situations tels qu'ils sont. Pendant que toi et les autres, vous chantiez des chansons et vous échangiez des histoires autour du feu, je discutais avec Jess ; ça, c'était quelqu'un qui savait beaucoup de choses et qui avait des idées, et je regrette qu'il soit mort. Il m'a ouvert les yeux sur tout un tas de choses, y compris le fonctionnement du monde. Je sais, tu me trouves prétentieux, Thymara, mais, la vérité, c'est que je veux qu'on survive tous. Je ne peux pas te forcer ; je peux seulement t'avertir que tu as l'occasion de faire un choix, et que, si tu attends trop, ne serait-ce que quelques jours, cette possibilité risque de t'être ôtée. Une fois que les garçons se seront battus pour toi et que l'un d'eux t'aura prise, il sera trop tard pour affirmer que tu as le droit de choisir ton compagnon, et tu devras vivre avec ce que tu auras.

— Tu es monstrueux ! s'exclama-t-elle à voix basse.

— C'est la vie qui est monstrueuse, répliqua-t-il, imperturbable. Je m'efforçais d'atténuer cet aspect-là, de te faire comprendre que tu dois choisir tant que tu en as la possibilité. »

Se déplaçant avec grâce et sans bruit sur les troncs mouvants, il retourna dans l'abri. Toute paix avait déserté la nuit. Jerd savait-elle ce que Graffe disait sur elle ? C'était Thymara qu'il préférait ; à cette idée, un frisson, et pas des plus agréables, la parcourut. Elle se rappela qu'elle avait commencé par le trouver attirant, et qu'elle s'était sentie flattée d'avoir l'attention d'un homme plus âgé ; mais, déjà, il parlait de « changer les règles », et sa prétention à honorer la tradition du désert des Pluies selon laquelle les femmes pouvaient décider elles-mêmes de leur avenir sonnait faux à ses oreilles.

« Personne ne me forcera à rien, dit-elle tout haut. S'ils veulent se battre entre eux, c'est eux que ça regarde, pas moi. S'ils croient pouvoir me posséder comme ça, ils vont s'apercevoir qu'ils se trompent. »

Elle ne se rendit compte de la présence de Sintara à l'orée de ses pensées qu'au moment où la dragonne répondit d'un ton ensommeillé : *Enfin tu réfléchis comme une reine. Il y a peut-être encore de l'espoir pour toi.*

VINGT ET UNIÈME JOUR DE LA LUNE DE LA PRIÈRE

Sixième année de l'Alliance Indépendante des Marchands

De Detozi, Gardienne des Oiseaux, Trehaug, à Erek, Gardien des Oiseaux, Terrilville

Ci-jointe, de la part du Conseil des Marchands du désert des Pluies de Cassaric et du Conseil des Marchands du désert des Pluies de Trehaug, une liste des victimes confirmées des tremblements de terre, crue et effondrements calamiteux dans les cités excavatrices, ladite liste devant être placardée dans la Salle des Marchands de Terrilville et inscrite aux Archives des Marchands de la cité.

Erek,

Cette liste est longue. Quand vous la recevrez, veuillez prendre le temps de vous asseoir avec mon neveu Reyall pour lui apprendre avec délicatesse que notre famille a subi des pertes : deux de ses cousins travaillaient aux fouilles au moment de l'inondation, et on n'en a retrouvé nulle trace.

Il jouait avec ces garçons quand il était enfant. Cette nouvelle risque de le choquer, et notre famille souhaite, si possible, que vous lui accordiez un congé pour rentrer chez nous et partager notre deuil. Je sais qu'il vous est difficile de vous passer de votre apprenti, mais, si vous pouvez accéder à cette requête, vous aurez ma reconnaissance éternelle.

Detozi

8

Trompes

Les dragons réveillèrent Alise. Leurs coups de trompe la tirèrent en sursaut de son sommeil ; autour d'elle, dans l'abri surpeuplé, les gardiens se dressaient sur leurs genoux. Le radeau bougea, et une vague de vertige submergea la jeune femme ; elle serra les dents. Les nuits à bord du *Mataf* lui manquaient, quand la gabare était échouée et que le monde restait ferme sous ses pieds ; et Leftrin aussi lui manquait, plus qu'elle n'osait y songer.

Les dragons lancèrent de nouveaux coups de trompe, non à l'unisson, mais en une réponse désordonnée à un son qu'elle n'avait pas perçu. Elle reconnut le clairon de Sintara et l'ample beuglement de Mercor ; l'appel de Dente était un cri aigu et prolongé tandis que celui du dragon lavande de Nortel évoquait la vibration d'une corde d'arc. « Que se passe-t-il ? » s'enquit Alise, mais seule lui revint sa question répétée par une dizaine de voix différentes. Plusieurs personnes se bousculèrent pour sortir en même temps de l'abri, plongeant la Terrilvillienne dans l'obscurité et faisant danser le radeau. Elle resta où elle était et regarda le ciel bleu à travers le toit de branches tressées en se demandant quel nouveau désastre allait s'abattre sur eux.

Quand elle put rejoindre les autres à l'extérieur, tous les dragons étaient réveillés. Au milieu de leurs appels surexcités, dans une petite trouée de silence, elle entendit à la fois un long coup de trompe et le cri d'un autre dragon. « Veras ! C'est Veras ! » hurla Jerd ; elle s'élança sur les troncs assemblés vers la frange instable du radeau de débris, et Graffe partit derrière elle ; il la saisit par l'épaule pour l'empêcher de tomber à l'eau à l'approche de sa dragonne. Dans le sillage de Veras, lançant à intervalles réguliers trois brefs coups de corne, suivait un des chasseurs du *Mataf.* À sa vue, le cœur d'Alise fit un bond puis se serra soudain : c'était Carson, l'ami de Leftrin, mais ce n'était pas Leftrin lui-même, et elle ne voyait la gabare nulle part.

Une pluie de questions assaillit l'homme et le dragon à leur arrivée. Sans chercher à y répondre, Carson posa sa trompe et mit toute son énergie à pagayer plus fort. Quand il fut assez près pour lancer une amarre aux gardiens, Veras s'était déjà enfoncée dans les débris épais et laissait une Jerd en larmes la caresser. Alise s'avança parmi les gardiens pour entendre les nouvelles qu'apportait le chasseur.

« Êtes-vous tous présents, et sains et saufs ? » fut sa première question. Graffe secoua la tête, et Carson prit une expression déçue.

« Le *Mataf* et le capitaine Leftrin sont cachés par le dernier coude du fleuve ; on devrait les voir apparaître d'un instant à l'autre. Dès qu'il arrivera, il vous prendra à bord et vous fournira un repas chaud. Pour les dragons, on ne peut pas grand-chose pour le moment, mais le niveau de l'eau baisse depuis l'aube. D'ici ce soir, j'espère qu'il y aura quelques hauts-fonds où ils pourront prendre pied et se reposer. »

Lecter avait tiré le cordage et fixé le canoë au radeau pendant que le chasseur parlait ; celui-ci rejoignit les gardiens d'un bond adroit et regarda les jeunes gens assemblés, avec un sourire ravi ; mais, à mesure qu'il passait en revue les visages qui l'entouraient, l'espoir mourut lentement sur ses traits. « Qui manque ? demanda-t-il.

— Qui est à bord du *Mataf* ? » rétorqua Graffe.

Carson eut l'air agacé mais répondit néanmoins. « Le capitaine Leftrin et l'équipage au complet s'en sont tirés sans dommage. Grand Eider s'est un peu amoché les côtes, mais personne n'a rien de cassé autant qu'on puisse en juger. Davvie aussi est à bord. On a perdu l'autre chasseur, sauf si Jess est avec vous ; et Sédric ? Il est ici ?

— Sédric ! » s'écria Alise d'une voix étranglée. Il avait disparu ? Elle l'avait toujours cru en sécurité à bord de la gabare : il était dans sa cabine quand elle était partie. Comment avait-il pu disparaître, hormis si la vague avait violemment malmené le bateau ? L'eau avait-elle arraché sa cabine, avait-il été noyé dans son lit ? La terrible nouvelle de l'absence de Sédric se heurtait de front avec le bonheur de savoir que

Leftrin était vivant et qu'il allait bientôt arriver pour la secourir. Aucune de ces deux émotions ne lui permettait de ressentir l'autre pleinement, et elle se trouvait prise au piège entre les deux avec un sentiment de déloyauté et une sensation d'engourdissement. Elle contourna le groupe de gardiens pour s'arrêter devant Carson. Quand il la vit, un sourire illumina son visage.

« Alise ! Vous êtes ici ! Eh bien, voilà qui va soulager le capitaine de sa plus grande peur. » Un espoir circonspect apparut dans son expression. « Et Sédric ? Il est avec vous ? »

Elle secoua la tête tandis que Carson contournait Graffe pour se diriger vers elle. Elle retrouva sa voix, mais sans guère de souffle. « Je le croyais sur le *Mataf.* » Un terrible sentiment de culpabilité lui fit tourner la tête. Elle l'avait obligé à l'accompagner, et maintenant il avait disparu ; il était mort. Sédric n'était pas bon nageur ni bon grimpeur. Il était mort. Inconcevable ; impossible. *Ne t'attarde pas là-dessus ; ne laisse pas cette nouvelle devenir trop réelle.* Elle s'éclaircit la gorge et dit sans réfléchir : « Maintenant que Veras est revenue, il ne nous manque plus que la dragonne cuivrée, l'argentée et Gringalette. Pour les gardiens, nous n'avons rien vu de Kanaï, Alum ni Houarkenn. En avez-vous retrouvé de votre côté ? »

Le silence tomba, puis, comme Carson secouait lentement la tête, un concert de plaintes basses et de soupirs accueillit cette annonce qui niait leurs espoirs. « Alors, ils sont morts », dit Alise tout haut, et ces mots avaient un son définitif qui l'accabla ; elle avait l'impression de rendre une sentence.

« Je compte bien continuer à les chercher. » La voix du chasseur la ramena à la réalité. Les gardiens parlaient entre eux, s'efforçant de s'habituer à ce qu'ils venaient d'apprendre. Veras s'était jointe aux autres dragons ; Jerd, Sylve et Harrikine lui montraient comment se servir des troncs pour mieux flotter et se reposer.

« Je l'ai découverte bloquée entre des arbres », expliqua Carson à Alise. Il avait suivi le regard de la jeune femme. « Elle s'était glissée là quand elle n'avait plus pu nager, et ça lui a sans doute sauvé la vie ; mais, quand l'eau a commencé à redescendre, elle s'est retrouvée prise au piège. Elle aurait probablement pu s'en dépêtrer une fois qu'elle aurait perdu un peu de poids à force de jeûner, mais je suis content qu'elle n'ait pas dû en arriver là. »

Alise se tourna vers lui. « Vous voulez dire que les autres connaissent peut-être des situations similaires ? Qu'ils sont coincés quelque part mais vivants ?

— C'est ce que je veux croire. Excusez-moi. » Il lui tourna le dos, porta sa trompe à ses lèvres et en tira trois sonneries brèves mais assourdissantes ; cette fois, au loin, elle entendit une corne qui répondait. Il revint vers elle avec un sourire et haussa la voix afin que tous sur le radeau pussent l'entendre. « C'est le *Mataf*. On va vous embarquer sur la gabare le plus vite possible. Vous avez eu une bonne idée, avec ces troncs pour aider les dragons à flotter ; on pourra peut-être consolider ces bouées avec des cordages du *Mataf*. Si le niveau du fleuve continue à baisser, ils n'en auront sans doute pas besoin encore très longtemps. On n'a toujours pas retrouvé Jess, et je vais poursuivre mes recherches au lieu de chasser ; je vous conseille donc vivement de récolter tout ce que vous pourrez ; vous allez devoir vous débrouiller pour vous nourrir pendant quelques jours en attendant que nous puissions reprendre la chasse. »

Graffe était venu se placer derrière Carson. Alise lui trouvait l'air agacé, et elle se demanda ce qui le dérangeait dans le fait d'être secouru. Quand il parla, il s'exprima d'un ton de reproche.

« Si vous avez fini de bavarder avec Carson, j'ai des informations importantes à lui communiquer, s'il veut bien m'accorder son attention. La vague qui nous a frappés a laissé la plupart d'entre nous dans les arbres, par ici ; j'ai rassemblé tous ceux que j'ai pu trouver, et les dragons ont échangé des appels jusqu'à ce qu'ils puissent se réunir. On a réussi à subvenir à nos besoins jusqu'ici ; je désignerai quelques gardiens pour aller chercher de quoi manger pour ce soir ; ils rapporteront surtout des fruits et des plantes comestibles. Par bonheur, j'ai gardé la tête froide, et on a pu récupérer trois des canoës ; mais il manque les pagaies : la vague a tout fait voler, et on a perdu presque toutes nos affaires. On aura du mal à procurer de la viande ou du poisson aux dragons. »

Carson hocha lentement la tête. « Dommage. On peut tailler de nouvelles pagaies dans du bois, mais ça prendra du temps, et il sera quasi impossible de remplacer le matériel disparu. On peut aussi essayer de bricoler des harpons, même si ce ne sont que des bâtons taillés en pointe. Enfin, au moins, vous êtes tous vivants. »

Graffe plissa les yeux, et Alise comprit que ce n'était pas la réaction qu'il attendait de la part du chasseur. « Sauver des vies m'a paru plus important que sauver le matériel, répondit-il avec raideur. J'ai fait ce que j'ai pu. »

Il espérait recevoir les louanges du chasseur, Alise s'en rendit compte soudain, et passer pour le sauveur des gardiens. « Naturellement, votre aide nous a été très précieuse, à Thymara et moi, quand Sintara nous a amenées ici », intervint-elle en s'efforçant d'apaiser son amour-propre meurtri, mais il lui décocha un regard qui équivalait à une gifle. Alise songea aussitôt à Hest qui s'exaspérait, même en présence de tiers, si elle prenait la parole lors de ce qu'il considérait comme « une conversation entre hommes », et sa sympathie pour Graffe s'évapora. D'un ton plus acerbe, elle reprit : « C'est Thymara qui a surtout subvenu à nos besoins ; je vais lui proposer de l'accompagner. »

Et elle s'éloigna, surprise par l'intensité de sa colère. *Ce n'est pas Hest*, songea-t-elle avec fureur, et elle vit alors d'où provenait son émotion. Très bientôt, l'homme dont elle était tombée amoureuse serait de nouveau près d'elle.

Et son mari s'interposait toujours entre elle et lui.

Trois coups de trompe brefs !

La première fois qu'il les avait entendus, il n'avait pas osé espérer. Le son se propage étrangement dans les marécages du désert des Pluies. Il y avait plusieurs heures que Leftrin n'avait plus vu Carson, après qu'il avait disparu dans un des coudes de l'immense fleuve ; et puis Mataf avait été encore retardé quand Davvie avait repéré ce que le capitaine redoutait le plus : un corps pris dans les débris le long de la forêt.

C'était Houarkenn, et il n'avait pas péri noyé mais choqué contre les troncs flottants. Avec délicatesse, on avait remonté le jeune gardien à bord, enveloppé dans de la toile puis étendu sur le pont. Chaque fois que Leftrin passait devant lui, il y voyait un présage sinistre de la suite. Combien d'autres dépouilles alourdiraient-elles le tillac de Mataf avant la fin du jour ?

C'est donc avec circonspection qu'il avait accueilli les trois coups de trompe, lorsqu'il les avait perçus clairement la première fois. Il avait ordonné à Davvie de répondre, puis à Mataf de hâter l'allure. Comme la gabare accélérait, il avait songé que les trois coups de corne pouvaient signifier n'importe quoi : Carson avait pu découvrir aussi bien de nouveaux cadavres que des survivants ; mais, quand le bateau avait passé le coude du fleuve pour parvenir en vue du petit camp et de son feu brasillant, son cœur avait bondi. Les yeux plissés, il avait examiné les minuscules silhouettes à l'ombre des arbres gigantesques en s'efforçant de les identifier.

Plus vite qu'il n'en avait le droit, il l'avait reconnue : il ne pouvait se méprendre sur le reflet du soleil sur cette magnifique chevelure rousse. Il avait poussé un rugissement de joie et senti en réponse une accélération de son bateau. « Doucement, Mataf ! On y sera bien assez tôt ! » avait braillé Souarge, et la gabare avait ralenti à contrecœur ; même une vivenef n'était pas à l'abri des dangers du fleuve, et ce n'était pas le moment de rencontrer un écueil submergé ou un arbre arraché.

Leftrin se rongea les ongles tout le temps qu'il fallut attendre patiemment que Carson entamât le lent transfert des gardiens du radeau à la gabare. Il n'avait pas osé laisser Mataf s'avancer dans les débris : les remous du bateau risquaient de détruire l'unité fragile de la masse flottante et de précipiter les jeunes gens dans l'eau froide. Non ; même s'il mourait d'envie de franchir d'un bond la distance qui les séparait, il était resté ferme sur le pont, et il avait murmuré quelques imprécations en constatant que les premiers passagers de Carson étaient Graffe, Jerd et Sylve.

Malgré sa déception, il avait réussi à les accueillir chaleureusement. Les trois jeunes gens avaient l'air un peu hagards, mais les filles se jetèrent dans ses bras et le remercièrent de les avoir retrouvées. Il les envoya dans la coquerie prendre de la soupe de poisson pour se réchauffer. « Remplissez-vous l'estomac, ça vous remettra les idées en place ! Pour la toilette, partagez-vous un seau d'eau et une toile ; tant qu'il n'aura pas plu ou que le niveau du fleuve ne permettra pas de creuser un puits de sable, il va falloir économiser l'eau. Allez, en avant ! »

Et elles s'étaient éloignées, dociles et reconnaissantes, tandis que Leftrin regardait Carson qui retournait chercher d'autres passagers.

« Capitaine. » La voix guindée de Graffe le détourna désagréablement de son observation.

« Quoi ? fit-il, et, percevant l'impatience qui teintait sa voix, il ajouta : Tu dois être aussi fatigué et affamé que les autres ; si tu allais te chercher de la soupe ?

— Tout de suite, répondit le jeune homme d'un ton brusque. Mais d'abord, il faut décider de ce qui va se passer ensuite. Trois gardiens et autant de dragons manquent à l'appel ; nous devons discuter pour savoir si nous continuons ou si nous abandonnons les recherches. »

Leftrin lui décocha un regard acéré. « Je vais te simplifier la tâche et te dire ce que j'ai prévu, mon gars. D'abord, je regrette, mais seuls deux gardiens manquent encore ; on a sorti le corps de Houarkenn du fleuve il y a quelques heures à peine ; et ensuite on poursuivra les recherches encore une journée au moins, peut-être deux. Une fois les autres gardiens à bord de Mataf, Carson repartira voir s'il trouve quelqu'un d'autre ; soit on attendra ici avec les dragons, soit on laissera quelques soigneurs avec les dragons et on suivra Carson plus lentement. Ça dépendra du fleuve ; le niveau descend rapidement ; je ne sais pas ce qui a lâché en amont, mais c'est fini.

— Capitaine, à mon avis, il n'y a guère d'intérêt à retarder la reprise de l'expédition. Vous ne feriez que perdre du temps et gaspiller une eau précieuse. Ce que vous m'apprenez de Houarkenn m'attriste, mais ça confirme ce que je crains depuis que nous avons réussi à nous tirer du fleuve : je pense que les autres sont morts. Et j'ai l'impression que…

— Ton impression, tu la gardes pour la coquerie, mon gars. À bord du *Mataf*, le seul avis qui compte, c'est celui du capitaine, et, surprise ! c'est moi. Allons, va manger et pique un roupillon ; tu te rappelleras mieux qui je suis, qui tu es, et le fait que tu te trouves sur le pont de *mon* bateau. »

Il s'était adressé à Graffe avec beaucoup plus de retenue qu'à un membre de son équipage qui se fût oublié au point de parler sur ce ton à son capitaine ; en outre, il avait vu Alise embarquer dans le canoë de Carson, et il voulait la voir monter à bord de la gabare sans rien pour le distraire.

Le jeune homme se raidit et lui jeta un regard noir. Bah, il s'en remettrait ; et, dans le cas contraire, il recevrait une nasarde un peu plus corsée la prochaine fois. Leftrin ne le vit pas s'éloigner : il avait les yeux rivés sur le canoë que Carson dirigeait vers lui en travers du courant.

Renonçant à jouer la comédie, il quitta le toit du rouf et regagna promptement le pont. Il s'arrêta près du bastingage et attendit Alise avec un sourire niais. Quand l'embarcation fut bord à bord avec la gabare et que la jeune femme leva les yeux vers lui, ses yeux gris au milieu de son pauvre visage brûlé par l'eau, il eut mal pour elle. « Oh, Alise ! » Il ne trouva rien d'autre à dire. Les cheveux roux de la jeune femme tombaient en masse hirsute dans son dos. Elle portait toujours la robe cuivre qu'il lui avait donnée ; Sâ bénisse les Anciens ! Il se pencha sur la lisse et, dès qu'il le put, posa doucement les mains sur les poignets d'Alise qui grimpait l'échelle.

Et, une fois qu'il l'eût aidée à monter sur le pont, il ne la lâcha pas : il la prit dans ses bras et la tint délicatement contre lui, conscient de la sensibilité de sa peau à vif. « Jamais, plus jamais je ne vous laisserai vous éloigner de moi comme ça, Alise. Je remercie Sâ que vous soyez saine et sauve. Je ne vous laisserai plus me quitter, et je me fiche du qu'en dira-t-on.

— Capitaine Leftrin », dit-elle à mi-voix, et elle posa son front sur sa joue. Fut-ce un accident ? Imagina-t-il l'effleurement rapide des lèvres de la jeune femme sur sa gorge ? Un frisson suivi d'une bouffée de chaleur le parcourut, et il demeura parfaitement immobile, comme si un oiseau rare lui avait fait l'honneur de se poser sur son épaule. Elle s'écarta légèrement de lui et le regarda dans les yeux. « Quel bonheur d'être auprès de vous, en sécurité ! Je savais que vous viendriez nous sauver ; j'en étais sûre ! »

Qu'eût-elle pu dire de plus touchant ? Ces mots le ravirent tant qu'il se sentit très bête et très viril à la fois ; avec un sourire carnassier, il la serra contre lui encore un instant, puis, sans laisser le temps à la jeune femme de le prier de la relâcher, il la libéra. Jamais il n'eût souhaité qu'elle se crût prisonnière.

Les mots qu'elle prononça ensuite le ramenèrent aussitôt sur terre. « Sait-on ce qu'est devenu Sédric ? La vague l'a-t-elle jeté par-dessus bord ?

— Je regrette, Alise, mais je n'en sais rien. Je le croyais dans sa cabine. J'étais descendu à terre pour…

vérifier quelque chose, et c'est là que la vague a frappé. » Leftrin devait réfléchir à toute allure. Nul ne savait qu'il avait rendez-vous avec Jess, nul ne connaissait son lien avec le chasseur. Au fond de lui, il était certain de l'avoir tué : il l'avait tant roué de coups que l'homme n'avait pas pu survivre à son séjour dans l'eau ; il l'avait tué, et il n'arrivait pas à en éprouver de regret. Pour autant, il ne tenait pas du tout à ce que cela se sût ; c'était son secret, et il l'emporterait dans la tombe. « C'est par pur hasard que le *Mataf* m'a découvert dans le noir et m'a remonté à bord. » Encore un mensonge. Ne méritait-elle pas mieux de sa part ? Mais il continua de dévider sa fable. « Sédric était peut-être sur le pont, et la vague a pu le précipiter dans le fleuve ; à moins qu'il n'ait été à terre. Tout ce que je sais, c'est que, quand je l'ai cherché, je ne l'ai pas trouvé – et vous non plus.

— Et c'est ma faute : c'est moi qui l'ai entraîné dans cette aventure. » Elle s'exprimait à mi-voix mais d'un ton ferme, comme si elle devait confesser une mauvaise action.

« Je ne vois pas ça comme ça, fit Leftrin.

— Moi, si. »

Il perçut un si grand sentiment de culpabilité dans la voix d'Alise qu'il eut peur. « Voyons, Alise, cette façon de penser ne vous mènera nulle part. Nous le cherchons, et nous continuerons ; pas question de baisser les bras. Dès qu'on aura décidé ce qu'on fait des dragons, on établira nos plans pour la poursuite des recherches. Nous vous avons retrouvée, non ? Eh bien, on retrouvera Sédric aussi.

— Capitaine ? » C'était Davvie.

— Qu'y a-t-il, petit ?

— Les gardiens qui embarquent crèvent de faim et de soif ; quelle quantité d'eau et de vivres je leur fournis ? »

La triste réalité de la question lui rappela qu'il était capitaine autant qu'homme. Il adressa un regard d'excuse à la jeune femme et se détourna d'elle en disant : « Je dois m'occuper des survivants ; mais on continuera à chercher Sédric, je vous le promets. »

Elle remarqua qu'il n'avait pas promis de retrouver Sédric ; il ne le pouvait pas. Le soulagement qu'elle avait éprouvé en voyant les secours arriver, sa joie d'être devant Leftrin et de le savoir sain et sauf, tout cela était passé en quelques battements de cœur. Joie et soulagement lui paraissaient bien égoïstes face aux questions qu'elle se posait sur Sédric : où était-il ? Et dans quel état ? Était-il mort ? Agonisant, accroché à un tronc flottant dans le fleuve ? Bien vivant, mais seul et perdu dans le désert des Pluies ? Il était incapable de se débrouiller dans une situation pareille. L'espace d'un instant, elle le vit à ses côtés, pimpant, l'esprit vif, souriant et attentionné. Son ami – son ami qu'elle avait obligé à quitter tout ce qu'il aimait, tout ce à quoi il tenait, pour l'entraîner dans cette jungle où régnait la brutalité. Et il en était mort.

Elle se fraya un chemin parmi les gardiens jusqu'à sa cabine et s'y enferma avec bonheur. Elle devrait de nouveau affronter cette foule bien assez tôt ; pour le moment, elle avait besoin de prendre quelques instants pour se retrouver. Par habitude, elle se déshabilla ; la longue robe Ancienne paraissait absolument intacte. Elle la secoua : une brume de poussière en tomba. Le tissu ne portait nulle trace de boue ni d'accrocs. Alise le fit circuler sur sa main, et il s'écoula comme une cascade de cuivre fondu. Quelle merveille ! Une femme mariée ne pouvait accepter un présent aussi somptueux d'un homme qui n'était pas son époux. Surprise par cette idée, elle la rejeta impitoyablement.

La robe avait rapidement séché une fois hors de l'eau, et elle avait tenu chaud à Alise pendant les rudes nuits qui avaient suivi. Et, par quelque miracle, là où elle touchait sa peau, la brûlure de l'acide était beaucoup moins profonde. Prenant soudain conscience de son apparence, Alise porta les mains à son visage puis toucha sa chevelure hirsute ; elle avait la peau sèche et râpeuse, les cheveux comme une masse de foin. Dans la pénombre, elle examina ses mains : la peau rouge, les ongles cassés, abîmés. Elle éprouva un double sentiment de honte, non seulement d'avoir l'air aussi épouvantable, mais d'y accorder de l'importance dans de pareilles circonstances.

Malgré son impression d'être une écervelée, elle prit une lotion parfumée pour les mains et s'en servit pour apaiser les brûlures de son visage, puis elle enfila ses vêtements à présent usés et passa quelque temps à défaire les nœuds de sa tignasse. Soudain une nouvelle vague de désespoir la submergea. Elle avait réussi à s'oublier dans les gestes habituels de la toilette, mais, maintenant qu'elle avait fini, la douleur et les remords redressaient la tête en rugissant. Un bref instant, elle songea à se rendre à la coquerie pour prendre une tasse de thé chaud et un morceau de pain du bord. Quel bonheur de boire du thé après tant de jours où elle avait dû s'en passer !

Sédric, lui, n'en avait pas.

C'était une pensée absurde, mais elle lui fit monter les larmes aux yeux. Un tremblement la parcourut puis s'apaisa. « Je ne veux pas y songer », s'avoua-t-elle tout haut. Quand elle s'était retrouvée perdue au milieu du fleuve, elle s'était forcée à croire que Sédric était en sécurité à bord du bateau avec Leftrin, alors que rien ne lui permettait de supposer que le capitaine ou le *Mataf* avait survécu. Elle s'était caché sa propre peur, et, maintenant qu'elle devait l'affronter, elle continuait à l'enfouir, à la dissimuler derrière ses mains crevassées, ses cheveux cassants et sa tasse de thé.

Quittant sa cabine, elle se dirigea promptement vers celle de Sédric. Quasiment tous les gardiens avaient embarqué à présent ; elle les entendait bavarder dans la coquerie. Elle rencontra Davvie, le neveu de Carson, qui contemplait le fleuve d'un air désolé, le contourna et poursuivit son chemin en le laissant à ses réflexions. Skelli parlait avec Lecter, tous deux le visage marqué par le chagrin. Alise observa un instant la jeune fille ; elle l'entendit poser une question à son interlocuteur sur Alum, et l'autre secoua la tête, faisant frémir les piques qui pointaient de sa mâchoire. Alise passa discrètement.

Elle frappa à la porte de Sédric, et maudit aussitôt son étourderie. Elle ouvrit, entra, et referma l'huis derrière elle.

L'absence avait-elle aiguisé ses sens ? Rien ne lui paraissait normal dans la pièce, qui sentait la sueur et le linge sale ; les couvertures en pagaille sur le lit formaient comme le nid d'une bête, et le sol était jonché de vêtements. Ce désordre ne ressemblait pas du tout à Sédric, et encore moins cette saleté. Les remords assaillirent la jeune femme avec une intensité redoublée ; Sédric avait souffert d'un profond abattement pendant des jours, depuis son intoxication alimentaire. Pourquoi l'avait-elle laissé seul, même s'il se montrait froid et désagréable avec elle ? Comment avait-elle pu entrer chez lui sans se rendre compte de la pente qu'il dégringolait ? Elle eût dû mettre de l'ordre chez lui, tâcher de lui faire une cabine aussi claire et rangée que possible. Les signes de son accablement étaient visibles partout, et, l'espace d'un instant d'horreur, elle se demanda s'il ne s'était pas suicidé.

Consciente de l'absurdité de son geste, expression trop tardive de compassion, elle ramassa ses habits sales et les plia soigneusement pour les emporter à la lessive. Elle aéra le lit et le refit, comme une promesse à elle-même – promesse ridicule, elle le savait – qu'à son retour Sédric serait soulagé de retrouver une pièce propre. Elle prit la masse informe qui servait d'oreiller et la secoua pour la regonfler.

Elle vit quelque chose en tomber ; elle se baissa et, dans la pénombre, chercha à tâtons jusqu'à ce que sa main touchât une chaînette. Elle la saisit et la leva à la lumière : un médaillon en pendait, luisant d'un éclat doré qui jetait des scintillements malgré l'obscurité. Elle ne l'avait jamais remarqué au cou de Sédric, et, dès l'instant où elle l'avait vu choir de l'oreiller où il était caché, elle avait compris qu'il s'agissait d'un bijou intime. Elle sourit alors qu'elle avait le cœur crevé ; elle n'avait jamais soupçonné qu'il eût une bonne amie ni qu'elle lui eût offert un médaillon. L'estomac soudain noué, elle comprit sa répugnance à quitter Terrilville et sa souffrance à rester absent si longtemps. Pourquoi n'avait-il rien dit à Alise ? Il eût pu se confier à elle, et elle eût compris son besoin urgent de rentrer chez lui. Sa mélancolie de la dernière semaine apparut soudain sous un jour nouveau à la jeune femme : il était amoureux et loin de celle qu'il aimait. De sa main libre, elle saisit le médaillon.

Elle n'avait pas l'intention de l'ouvrir ; elle n'était pas de ces indiscrètes qui espionnent leur entourage ; mais, comme sa main se refermait sur le bijou, le loquet sauta et l'objet s'ouvrit. Avec une exclamation atterrée, elle vit qu'une mèche de cheveux noirs et luisants s'échappait de sa prison dorée ; elle ouvrit davantage le médaillon pour y replacer le contenu puis se figea : au fond du bijou, elle avait reconnu des traits familiers. L'artiste qui avait peint la miniature connaissait très bien le modèle, pour saisir son expression à l'instant où il s'apprêtait à rire, ses yeux verts étrécis, ses lèvres finement ciselées étirées de telle façon qu'elles découvraient à peine ses dents blanches. C'était l'œuvre d'un peintre talentueux. Elle regarda Hest qui lui rendait son regard. Qu'est-ce que cela voulait dire ? Qu'est-ce que cela pouvait bien vouloir dire ?

Elle s'assit lentement sur la couchette. Les doigts tremblants, elle repoussa dans le médaillon la mèche noire liée par un fil d'or, et elle dut s'y reprendre à trois reprises avant de parvenir à refermer le couvercle, et alors le mystère ne fit que s'épaissir, car, gravé sur le métal, elle lut un mot. « Toujours », murmura-t-elle.

Elle resta longtemps assise tandis que, par le hublot, le soleil de l'après-midi mourait lentement. Il ne pouvait y avoir qu'une seule explication : Hest avait commandé le médaillon puis l'avait confié à Sédric afin qu'il le remît à son épouse. Mais pourquoi ?

Toujours. Que signifiait ce mot pour elle, venant de Hest ? Avait-il craint de la perdre ? Tenait-il à elle, finalement, d'une façon bizarre qu'il était incapable de lui avouer en face ? Était-ce le message que devait délivrer ce bijou ? Ou bien fallait-il y voir une menace, celle que Hest garderait « toujours » son emprise sur elle ? Où qu'elle allât, si loin qu'elle s'enfuît ou si longtemps qu'elle demeurât absente, il tenait sa laisse. Toujours. Toujours. Elle examina le médaillon au creux de sa paume, puis, délicatement, elle remonta la chaînette et l'enroula en une flaque dorée autour du bijou. Elle referma les doigts sur lui, fourra la main dans l'oreiller et l'y redéposa. Enfin, elle remit avec soin l'oreiller en place.

Elle parcourut du regard la pièce exiguë où elle avait enfermé Sédric, sombre, étriquée, encombrée, sans rien de semblable à son appartement personnel chez Hest. Il aimait les hauts plafonds et les grandes fenêtres ouvertes à la brise ; son bureau et ses étagères étaient un modèle d'ordre et d'organisation ; les domestiques de Hest renouvelaient quotidiennement les fleurs dans la pièce, ils savaient qu'il aimait le parfum du bois-de-pomme brûlant dans sa petite cheminée, le thé bouillant servi sur un plateau émaillé, ainsi que les bougies odorantes le soir, et le vin chaud. Elle l'avait dépouillé de tout cela et l'avait condamné à cette existence réduite. « Sédric, je te revaudrai ça, je te le promets. Fais seulement en sorte d'être vivant là où je puis te retrouver. Je t'ai mal traité, mon ami, mais je te jure que je ne le voulais pas. Je te le jure. »

Elle se dressa sur la pointe des pieds pour ouvrir le petit hublot et laisser entrer l'air du soir. Dès qu'il y aurait assez d'eau pour la toilette, elle veillerait à ce que ses vêtements fussent lavés et rangés dans sa garde-robe. Elle ne pouvait faire davantage, et elle refusait de songer à la futilité d'une promesse faite à un mort. Il fallait qu'il soit vivant et qu'on le retrouve ; cela s'arrêtait là.

« C'est absolument impossible, dit Thymara, catégorique.

— Nous ne vous demandons pas votre permission, rétorqua Sintara. C'est son droit.

— Nous ne dévorons pas nos morts », fit Tatou avec raideur.

Le soir était tombé, et, au grand soulagement de tous, le fleuve était redescendu à un niveau quasi normal ; les dragons étaient encore plongés dans l'eau jusqu'au ventre, mais à présent ils pouvaient se tenir debout sur le fond, malgré la nouvelle couche de vase et de limon qui le tapissait. L'équipage avait mené la gabare à un point de mouillage proche des grandes créatures, sans risque toutefois d'échouage. Chaque gardien avait pris un repas chaud quoique frugal.

On avait établi les plans pour la journée du lendemain. Soigneurs, dragons et gabare resteraient sur place les deux jours suivants pendant que Carson descendrait le fleuve durant un jour entier puis le remonterait en cherchant des survivants ou leurs cadavres. Davvie voulait l'accompagner, mais le chasseur avait refusé. « Je ne peux pas prendre de passager, mon garçon ; j'ai besoin de place pour ramener ceux que je pourrais trouver. »

Kase avait proposé de le suivre avec un autre canoë, mais, avec les pagaies improvisées dont les gardiens disposaient, Carson avait répondu qu'il ne ferait que le ralentir. « Profitez de mon absence pour tâcher de fabriquer de nouvelles rames. Davvie et moi avons quelques têtes de flèche et de harpon en surplus ; Jess avait une bonne réserve de matériel de chasse dans son coffre, à bord du *Mataf*, mais n'y touchez pas pour le moment ; j'ai encore espoir de le ramener vivant. Il connaît bien le fleuve, et il faudrait plus qu'une grosse vague pour lui faire la peau, à mon avis. »

Tout avait été décidé, et les gardiens commençaient à s'installer pour la nuit, quand les dragons étaient venus entourer la gabare et que Baliper avait présenté sa monstrueuse exigence.

Mercor prit la parole. « Vous êtes libres de dévorer ou de ne pas dévorer ce que vous voulez, et nous aussi. Nous, nous mangeons nos morts, et c'est le droit de Baliper de se nourrir du corps de son gardien ;

il faut lui remettre Houarkenn avant qu'il ne pourrisse davantage. » Il tourna la tête pour regarder sa gardienne. « Ne suis-je pas clair ? Pourquoi cette attente ?

— Mercor, miroir du soleil et de la lune, ce que tu demandes est contraire à nos coutumes. » Sylve paraissait calme, mais sa voix tremblait un peu. Thymara songea qu'elle ne devait pas souvent s'opposer à son dragon.

La grande créature dorée posa ses yeux tourbillonnants sur elle. « Je ne demande pas. Pour atteindre le cadavre de Houarkenn, Baliper risque de devoir endommager votre bateau, ce qui pourrait vous effrayer. Donc, pour vous aider, nous proposons que vous basculiez le corps par-dessus bord.

— On devra le faire bientôt, de toute façon, intervint Leftrin à mi-voix. On ne peut l'enterrer nulle part ; il finira dans le fleuve quoi qu'il arrive, et, dès qu'il aura touché l'eau, les dragons se jetteront sur lui. Ils sont comme ça, mes amis. »

Thymara songea que, s'il cherchait à les consoler, il s'y prenait bizarrement. Aucun d'entre eux ne pouvait regarder Houarkenn enveloppé d'un drap sans s'imaginer à sa place.

Sintara s'empara de l'image dans l'esprit de Thymara et le retourna prestement contre elle. « Si tu mourais demain, que préférerais-tu ? Finir dans le fleuve grignotée par les poissons, ou dévorée par moi, avec l'assurance que tes souvenirs vivront en moi ?

— Comme je serais morte, ça me serait parfaitement indifférent », répliqua la jeune fille d'un ton brusque. Elle sentait que la dragonne se servait d'elle contre les autres gardiennes, et cela la mettait mal à l'aise.

« Précisément, fit Sintara d'un ton suave. Houarkenn est mort, et tout lui est donc indifférent. Pas à Baliper ; donnez-le à Baliper. »

Harrikine prit soudain la parole. « Moi, je n'aurais pas envie de tomber dans le fleuve et de m'enfoncer dans la vase ; j'aimerais mieux me donner à Ranculos. Je veux que tout le monde le sache : s'il m'arrive malheur, remettez mon corps à mon dragon.

— Pareil pour moi », dit Kase, et, comme on pouvait s'y attendre, Boxteur lui fit écho : « Pareil.

— Pour moi aussi, enchaîna Sylve. J'appartiens à Mercor, vivante ou morte.

— Évidemment », fit Jerd, et Graffe ajouta : « Pour moi aussi. »

Les acquiescements firent le tour des soigneurs assemblés ; quand ils parvinrent à elle, Thymara se mordit la lèvre et garda le silence. Sintara se dressa hors de l'eau sur ses pattes arrière pour la regarder de tout son haut. « Eh bien, quoi ? » lança-t-elle à la jeune fille.

Thymara leva les yeux vers elle. « J'appartiens à moi-même, dit-elle doucement. Pour recevoir, il faut donner, Sintara.

— Je t'ai sauvé la vie en t'arrachant au fleuve ! » Le coup de trompe outré de la reine déchira le ciel assombri.

« Et moi je te sers depuis le premier jour, rétorqua Thymara. Mais je sens que notre lien n'est pas complètement établi, et je vais donc garder mes pensées pour moi jusqu'à ce qu'il faille prendre une décision ; et alors je m'en remettrai aux autres gardiens.

— Humaine insolente ! Crois-tu que… »

Mercor intervint : « Une autre fois. Rendez à Baliper ce qui lui appartient.

— Ça n'aurait pas dérangé Houarkenn », déclara Lecter d'un ton résolu. Il se redressa, quittant le bastingage sur lequel il s'appuyait. « Je m'en occupe.

— Je vais t'aider, murmura Tatou.

— Les gardiens ont décidé, annonça Leftrin comme s'ils attendaient sa permission. Souarge va vous montrer comment vous servir d'une planche pour faire glisser le corps par-dessus bord. Si vous souhaitez une prière, je peux la dire.

— Oui, il faut une prière, répondit Lecter ; c'est ce qu'aurait voulu la mère de Houarkenn. »

Ainsi fut fait, et Thymara, pendant la cérémonie, s'étonna de l'étrange petite communauté qu'ils formaient. *J'en suis sans en être*, songea-t-elle en écoutant Leftrin réciter les mots simples puis en regardant la dépouille de Houarkenn franchir la lisse. Elle eût voulu se détourner du spectacle qui devait s'ensuivre, mais ne le put : il fallait qu'elle le vît, qu'elle se rendît compte de la façon dont les vies des gardiens et des dragons s'étaient si bien entremêlées qu'une requête aussi extrême et macabre pût paraître raisonnable, voire inévitable.

Baliper attendait. Le corps glissa de son linceul et, comme il pénétrait dans l'eau, le dragon courba le cou et s'en empara. Il le souleva, tête et jambes pendant de part et d'autre de sa gueule, et l'emporta ; Thymara nota que ses congénères ne le suivaient pas, mais se détournaient pour regagner, mi marchant, mi nageant, les hauts-fonds du bord du fleuve. Baliper disparut dans la pénombre de l'amont avec le cadavre de son gardien. Il ne s'agissait donc pas de la simple consommation d'un paquet de viande refusé par les humains ; c'était un acte qui avait un sens, non seulement pour le dragon de Houarkenn mais pour tous, et auquel ils attachaient tant d'importance que, lors du rejet initial de la demande de Baliper, tous les gardiens s'étaient assemblés pour affirmer qu'ils n'acceptaient pas ce refus.

Par leur attitude, ils évoquaient leurs dragons à Thymara : ils quittèrent le bastingage et se dispersèrent promptement ; nul ne pleurait, mais certains en avaient sans doute envie. Devant Houarkenn mort, elle avait senti toute la réalité de l'absence de Kanaï ; il avait disparu, et, si jamais elle le revoyait, ce serait sous l'aspect de Houarkenn, couvert d'ecchymoses, gonflé et sans vie.

Les gardiens se réunirent en petits groupes, Jerd avec Graffe, naturellement, Sylve avec Harrikine et Lecter ; Boxteur et Kase, les deux cousins, ne se quittaient pas, comme d'habitude, et Nortel les suivait. Thymara se tenait à l'écart, comme souvent, seule à s'être refusée à son dragon, seule à ne pas savoir apparemment quelles règles le groupe avait rejetées et lesquelles il observait encore. Son dos la faisait abominablement souffrir, l'eau acide l'avait brûlée de la tête aux pieds, elle était couverte de piqûres d'insectes, et le sentiment de solitude qui la submergeait de l'intérieur menaçait de la détruire physiquement. La compagnie d'Alise lui manquait, mais, à présent qu'ils avaient regagné la gabare et que la jeune femme avait retrouvé le capitaine, elle n'aurait sans doute plus envie de passer du temps avec Thymara.

Kanaï aussi lui manquait, avec une acuité qui la laissa pantoise.

« Ça va ? »

Elle se retourna, surprise de trouver Tatou près d'elle. « Je crois. C'était bizarre, et dur, non ?

— Dans un sens, c'était la solution la plus simple. Lecter avait passé pas mal de temps avec Houarkenn : ils faisaient équipe le plus souvent en canoë ; du coup, je veux bien croire qu'il savait ce que Houarkenn aurait voulu.

— Sûrement », répondit Thymara à mi-voix.

Ils demeurèrent un moment silencieux à contempler le fleuve. Les dragons s'étaient dispersés, mais la jeune fille sentait en elle, comme un feu dégageant du froid, la colère de Sintara contre elle. Elle s'en moquait ; sa peau la brûlait, la blessure dans son dos la faisait souffrir, et elle n'avait sa place nulle part.

« Je ne peux même pas rentrer chez moi. »

Tatou ne lui demanda pas ce qu'elle voulait dire. « Pas plus qu'aucun d'entre nous ; personne n'était vraiment chez lui à Trehaug. La gabare, cette nuit, c'est ce qui se rapproche le plus pour nous d'un foyer, et j'y inclus Alise, le capitaine Leftrin et son équipage.

— Mais, même ici, je n'ai pas ma place.

— Tu l'aurais si tu voulais, Thymara ; c'est toi qui te tiens à distance. » Il déplaça la main et la posa, non sur celle de la jeune fille, mais contre elle sur le bastingage.

Elle réprima son premier réflexe, qui était de s'écarter. Pourquoi s'éloigner de Tatou ? Et pourquoi s'en abstenir ? Comme elle ne trouvait de réponse à aucune de ces questions, elle en posa une autre au jeune homme : « Sais-tu ce que Graffe m'a dit sur toi ? »

Un bref sourire lui tira le coin de la bouche. « Non, mais ça ne doit pas être flatteur. Et j'espère que tu as songé que tu me connaissais beaucoup mieux qu'il ne me connaîtra jamais. »

Ainsi, ce n'était donc pas un complot entre mâles pour obliger la dernière femelle libre à faire un choix. Son opinion de ses confrères gardiens remonta légèrement. D'une voix unie et sans émotion particulière, comme si elle faisait une réflexion sur la douceur du soir, elle dit : « Il est venu pendant mon tour de garde cette nuit et m'a demandé si je t'avais choisi ; il a expliqué que, dans ce cas, je devais l'annoncer clairement, ou au moins lui en faire part pour qu'il puisse obliger les autres à accepter ma décision. Autrement, ça risquait de déclencher des rivalités, selon lui, et certains pouvaient même te défier ou se battre avec toi.

— Graffe est un crétin pompeux qui se croit permis de parler au nom de tout le monde », répondit Tatou après un long silence. Comme Thymara s'apprêtait à ranger son entretien avec Graffe dans la catégorie des aberrations, il ajouta : « Mais ça me plairait que tu dises à tous que tu m'as choisi. Il a raison, ça simplifierait la situation.

— Quelle situation ? »

Il lui adressa un regard en coin. Ils savaient tous deux qu'ils s'avançaient en terrain mouvant. « Ma foi, d'abord, ça me fournirait une réponse que j'aimerais connaître ; ensuite, ça… »

Elle l'interrompit. « Tu ne m'as jamais posé la question. » Elle avait parlé précipitamment, et s'aperçut avec horreur qu'elle venait de les envoyer encore plus loin dans le marécage.

Elle avait envie de s'enfuir, de laisser derrière elle ces idioties que cet imbécile de Graffe avait déclenchées avec son sermon stupide. Tatou parut s'en rendre compte et posa sa main calleuse par-dessus celle de Thymara. Elle sentit la douceur de sa paume sur le dos écailleux de sa propre main ; la chaleur de ce contact la submergea et bloqua un instant son souffle. En un éclair, elle revit Jerd et Graffe bougeant, mêlés l'un à l'autre. Non. Elle repoussa cette image et songea que, sous la main de Tatou, la sienne était sans doute froide, écailleuse et lisse comme la peau d'un poisson. Sans regarder cette main qu'il avait capturée, il prit une inspiration et la relâcha brusquement. « Ce n'est pas une question, du moins pas une question précise. C'est seulement que… eh bien, j'aimerais avoir ce qu'ont Jerd et Graffe. »

Elle aussi.

Non ! Bien sûr que non ! Elle réfuta cette pensée.

« Ce qu'ont Jerd et Graffe ? Le fait de coucher ensemble, tu veux dire ? » Elle ne put effacer toute inflexion accusatrice de sa voix.

« Non – enfin, si ; mais ils sont aussi sûrs l'un de l'autre. C'est ça que je veux. » Il détourna les yeux et reprit avec douceur, comme si Thymara était une fleur fragile : « Je sais que Kanaï n'a pas disparu depuis longtemps, mais…

— Comment peut-on sérieusement croire que lui et moi étions autre chose que des amis ? » s'exclama-t-elle, outrée. Elle retira sa main de l'emprise de celle de Tatou et s'en servit pour écarter une mèche de cheveux de son visage.

Le jeune homme parut surpris. « Mais vous étiez tout le temps fourrés ensemble depuis le départ de Cassaric ; toujours à partager le même canoë, à dormir ensemble…

— C'est lui qui s'installait près de moi ; et personne ne se proposait pour prendre le même canoë que moi. Je l'aimais bien, quand il ne m'énervait pas, qu'il ne m'agaçait pas et qu'il ne tenait pas des propos décousus. » Cette diatribe contre Kanaï lui parut soudain déloyale. Elle se tut et avoua dans un murmure : « Je l'aimais beaucoup ; mais je ne me suis jamais vue amoureuse de lui, et je ne pense pas qu'il m'ait jamais considérée de cette façon non plus. J'en suis même certaine. C'était seulement un ami étrange qui voyait toujours le bon côté des choses et qui était toujours de bonne humeur. Il cherchait toujours ma compagnie ; je n'avais rien à faire pour être son amie.

— C'est vrai », acquiesça Tatou à mi-voix. Ils observèrent un silence recueilli pendant un moment, et Thymara se sentit plus proche de Tatou qu'elle ne l'était depuis longtemps. Enfin, elle dit : « Et l'autre raison ?

— Pardon ?

— Tu commençais une phrase quand je t'ai interrompu. Quelle était l'autre raison pour laquelle, selon toi, il valait mieux que j'annonce que j'étais… que j'étais avec toi ? » Elle chercha un meilleur euphémisme, n'en trouva pas et renonça. Elle regarda Tatou dans les yeux.

« Ça calmerait les esprits ; ça mettrait fin aux spéculations. Il y a de la grogne, enfin chez les autres ; Nortel a laissé échapper quelques phrases…

— Comme quoi, par exemple ? » demanda-t-elle d'un ton brusque.

Il répondit sur le même ton : « Que je ne fais pas partie du groupe, et que tu dois aller avec quelqu'un de ton espèce, quelqu'un qui peut te comprendre vraiment.

— On dirait que Graffe a recommencé à touiller dans la marmite.

— Sans doute ; il dit des tas de trucs comme ça, le soir autour du feu, en général quand les filles sont allées se coucher. Il parle de ce qui se passera quand on atteindra Kelsingra ; à l'entendre, on y construira notre propre cité – enfin, ce ne sera pas une cité, au début, évidemment, mais on s'installera, on y bâtira nos maisons. D'autres finiront par se joindre à nous, mais ce sera nous, les gardiens, qui seront les fondateurs, et c'est nous qui édicterons les règles. Quand il tient ce genre de discours, il développe ses arguments avec une telle logique qu'on se dit que c'est inévitable ; et, en général, ça se passe comme il l'a dit. Quand on a découvert que Jerd attendait un gosse, il a dit qu'il faudrait un responsable, même si on ne sait pas de qui est l'enfant ; il a ajouté qu'il ferait un exemple, et il l'a fait. Plus tard, il a expliqué que Sylve est trop jeune pour prendre des décisions pour elle-même, et il a choisi Harrikine pour elle, parce qu'il est plus âgé qu'elle et qu'il se dominera mieux qu'elle ; il lui a dit de commencer comme son protecteur, et finalement Sylve l'a choisi.

— Sylve vous l'a annoncé ? » Thymara était abasourdie.

« Euh… non, pas aussi clairement, mais c'est évident pour tout le monde. Et Graffe a dit que, même si personne ne comprenait pourquoi tu avais jeté ton dévolu sur Kanaï, c'était comme ça, et nul ne devait s'y opposer. Au début, ça m'a agacé : je n'arrivais pas à croire que tu l'avais vraiment choisi ; mais, comme je… euh, j'étais avec Jerd à ce moment-là, je pouvais difficilement… » Il laissa sa voix mourir, prit une grande inspiration et fit une nouvelle tentative. « Et tout le monde a respecté son avis ; personne n'a cherché à s'interposer entre vous. Mais Kanaï n'est plus là ; j'espère qu'il va revenir mais, sinon, je veux que tu saches que je, euh… j'attends et j'espère. »

Elle décida de mettre le holà sans délai. « Tatou, je t'aime bien ; je t'aime beaucoup. On est amis depuis longtemps, et, si quelqu'un peut me comprendre, c'est bien toi. Mais je ne te “choisis” pas, ni toi ni personne, ni maintenant, ni jamais, peut-être.

— Mais… Jamais ? Pourquoi ? »

L’exaspération la prit. « Parce que. Voilà pourquoi. Parce que c’est à moi de décider, pas à Graffe, ni à toi, ni à personne d’autre. Je refuse qu’on m’ordonne de “choisir” comme s’il y avait une date au-delà de laquelle ce choix m’échapperait. Je veux que vous sachiez, Graffe, toi et les autres, que ne pas choisir l’un de vous fait partie de mes choix possibles.

— Thymara ! s’exclama-t-il, choqué.

— Non, fit-elle d’un ton catégorique, lui interdisant de continuer. Non, et ça n’ira pas plus loin. Tu peux le dire à Graffe, ou bien il peut venir me parler, et je le lui dirai moi-même.

— Thymara, ce n’est pas ce… »

Un bruit lointain l’interrompit. La jeune fille crut reconnaître le son d’une trompe ; elle avait appris que Carson devait se mettre en quête de survivants, mais elle ignorait s’il était déjà parti ou s’il devait se mettre en route dans la matinée. Le son se reproduisit et elle s’aperçut qu’il s’agissait non d’une trompe mais de l’appel d’un dragon.

Des hauts-fonds envasés, Mercor puis Dente répondirent ; Kalo enchaîna d’un rugissement, et Sestican lui fit écho.

« Qui est-ce ? » lança Tatou dans l’obscurité.

L’espoir fit bondir le cœur de Thymara ; elle tendit l’oreille pour capter la réponse du dragon, au loin, puis elle secoua la tête d’un air déçu. « Ce n’est pas Gringalette ; elle a la voix plus aiguë. »

Arbuc poussa soudain un coup de trompe, clair et long. Vert-argenté, il quitta les hauts-fonds pour s'enfoncer dans le fleuve. Le clair de lune tomba sur lui, et il parut scintiller de joie. Il se mit à nager dans le courant en direction du dragon invisible. Quand il donna de nouveau de la voix, ses pensées l'accompagnèrent haut et fort. « Alum ! Alum, je viens te chercher ! »

Tatou et Thymara se penchaient par-dessus la lisse, se dévissant le cou et s'efforçant de percer l'obscurité du regard. Les autres gardiens se joignirent à eux, et elle entendit le capitaine Leftrin lancer : « Qui est-ce ? Quelqu'un l'a vu ?

— C'est l'argenté ! cria une voix à la proue. C'est le petit dragon argenté ! Et Alum est avec lui ! Ils sont vivants tous les deux !

— L'argenté ! Tu es vivant ! » On ne pouvait se méprendre sur la joie qui éclatait dans le cri de Sylve. Le dragon tourna la tête vers elle, et, l'espace d'un instant, il eut une expression presque intelligente.

« Quel bonheur ! » s'exclama Tatou, et Thymara acquiesça de la tête. Elle assista aux retrouvailles avec une jalousie brûlante. Alum s'efforça de prendre son dragon dans les bras, mais Arbuc était devenu trop grand ; alors le jeune homme quitta le dos du petit argenté pour la large échine d'Arbuc puis s'allongea sur lui comme si, en pressant son cœur sur celui de la grande créature, il pouvait ne faire plus qu'un avec elle.

Qu'est-ce qui n'allait pas chez Thymara ? Pourquoi n'avait-elle pas ce genre de lien avec Sintara ? Ni avec quiconque ? Elle regarda discrètement Tatou, qui, penché sur le bastingage, souriait à pleines dents. Pourquoi n'annonçait-elle pas qu'elle l'avait choisi ? Pourquoi ne pouvait-elle pas foncer, à la manière de Jerd ? Celle-ci avait manifestement essayé plusieurs garçons ; à présent, Graffe la proclamait sienne, et elle n'en paraissait pas mécontente. Serait-ce si dur de l'imiter ? De prendre ce qui s'offrait à elle sans s'engager à rien ?

L'argenté, très satisfait de lui-même à l'évidence, transformait l'eau du fleuve en écume à grands coups de queue, puis, déployant les ailes, il « s'envola » pour une série de ricochets qui l'amenèrent jusqu'à ses congénères dans les hauts-fonds. Les gardiens s'attroupèrent à l'arrière de la gabare, riant, criant, le doigt tendu ; Thymara se rapprocha d'eux lentement.

Sans prévenir, Tatou lui reprit la main et l'obligea à se tourner vers lui. « Ne sois pas si triste ; Kanaï et Gringalette sont peut-être encore vivants. On ne va pas baisser les bras si vite. »

Elle leva les yeux vers lui. Il n'était pas beaucoup plus grand qu'elle, mais l'expédition l'avait changé : il avait pris du muscle, les épaules et la poitrine renforcées par le maniement de la pagaie, pour un résultat très différent de la musculature d'un cueilleur habitué à grimper dans les arbres. L'ensemble plaisait assez à Thymara. Elle parcourut son visage des yeux ; le petit cheval tatoué, héritage d'une enfance en esclavage, ne se remarquait plus, dans la pénombre, que comme une tache plus sombre sur sa peau hâlée. Le motif en toile d'araignée avait quasiment disparu. D'aussi près, elle sentait aussi son odeur, et elle non plus n'avait rien de désagréable ; elle croisa le regard de Tatou et constata qu'il avait les yeux très sombres ; son odeur changea soudain, et elle s'aperçut qu'elle se mordillait la lèvre en étudiant ses traits. Elle le vit prendre une inspiration pour se décider enfin.

Elle intervint sans lui laisser le temps de le faire à sa place. Elle se pencha en avant en tournant légèrement la tête de côté, et posa ses lèvres sur celles de Tatou. Était-ce ainsi qu'on s'y prenait ? Elle n'avait jamais embrassé personne sur la bouche, et l'inquiétude et la gêne s'empoignaient en elle. Les bras de Tatou se refermèrent brusquement sur elle pour l'attirer contre lui, et il déplaça ses lèvres sur les siennes. *Il sait comment on fait*, et la colère s'empara brièvement d'elle lorsqu'elle songea à la façon dont il avait appris. Mais elle n'était pas Jerd, et, qu'elle embrassât convenablement ou non, il s'apercevrait bien vite qu'elle avait sa manière propre de faire les choses. Thymara bougea lentement la tête, faisant glisser ses lèvres sur celles de Tatou. *Écailles contre peau douce*, se dit-elle, puis elle se perdit un instant dans la sensation. Il remonta ses mains le long de son dos, et, lorsqu'il toucha la zone sensible entre ses omoplates, elle tressaillit de douleur.

« Qu'y a-t-il ? » demanda-t-il, surpris.

L'embarras la submergea. « Rien. Je me suis entaillée dans le fleuve, et ça fait mal.

— Ah ! Pardon. Ça a l'air drôlement enflé.

— C'est sensible.

— Je ferai attention. »

Il se pencha pour l'embrasser à nouveau, et elle le laissa faire. Puis elle entendit quelqu'un poser une question plus loin sur le pont, et quelqu'un d'autre répondre. Ils n'étaient pas vraiment seuls.

Elle écarta ses lèvres de celles de Tatou et courba la tête ; il l'attira contre lui et lui baisa goulûment le sommet du crâne. Elle sentit la tiédeur de son haleine, et un frisson la parcourut ; il rit tout bas. « C'est ma réponse ? demanda-t-il d'une voix grave qu'elle ne lui connaissait pas.

— À quelle question ? fit-elle avec une perplexité non feinte.

— C'est moi que tu choisis ? »

Elle faillit lui mentir, mais s'y refusa. « Je choisis d'être libre, Tatou, de ne pas être obligée de choisir, ni maintenant, ni jamais si je n'en ai pas envie.

— Mais alors, qu'est-ce que ça signifie ? » Il ne l'avait pas lâchée, mais son étreinte s'était raidie.

« Ça signifie que j'avais envie de t'embrasser.

— Et c'est tout ? » Il s'écarta légèrement d'elle, et elle releva la tête.

— Pour l'instant, oui, c'est tout. »

Elle le regardait dans les yeux. Par un jeu de la lumière, des étoiles dansèrent au fond de ses iris noirs. Il hocha lentement la tête.

« Pour l'instant, ça suffira. »

Vingt-deuxième jour de la Lune de la Prière

Sixième année de l'Alliance Indépendante des Marchands

De Detozi, Gardienne des Oiseaux, Trehaug, à Erek, Gardien des Oiseaux, Terrilville

Dans un cylindre à message spécifique de sa famille et cacheté de son sceau, une missive confidentielle du Marchand Sworkine au Marchand Kellerbie.

Erek,

Je suis à la fois attristée d'apprendre que votre père est souffrant et soulagée de savoir que vous ne vous trouviez pas sur le fleuve quand le monde est devenu fou. Je souhaite vous assurer que ma famille vous hébergerait volontiers si vous aviez l'occasion de nous faire une visite. Si les autres gardiens des oiseaux pouvaient prendre en charge pendant quelque temps vos nichoirs et vos responsabilités, peut-être pourriez-vous accompagner Reyall quand il retournera passer ses congés chez vous, si ce déplacement a bien lieu. J'aurais grand plaisir à vous rencontrer en personne après toutes ces années d'échange de correspondance.

Detozi

9

Découvertes

Sédric…

« Non, va-t'en ; laisse-moi dormir. »

Sédric…

« J'ai envie de dormir. »

Sédric !

« Quoi ? » Il mit toute son exaspération dans ce seul mot, et cela lui fit mal ; il porta la main à sa joue puis palpa délicatement tout le côté de son visage. C'était douloureux. De toutes les ecchymoses qu'il devait à Jess, celle-ci était la plus sensible, et un de ses yeux demeurait à demi fermé.

« J'ai faim. » La dragonne s'exprimait d'une voix à la fois grondante et gargouillante, et le sens de sa réponse parvint à l'homme sous la forme d'une pensée. Il n'avait pas le temps de s'occuper de sa propre souffrance ; la grande créature repoussa ses sensations pour les remplacer par les siennes : elle avait faim.

« Je n'ai plus chasseur à te mettre sous la dent. »

? ? ? ?

« Peu importe. Je me lève ; je vais voir ce que je peux faire pour toi. »

Il s'efforçait toujours d'oublier les événements de la veille et leur dénouement sanglant.

La deuxième fois que Relpda avait fait surface, elle tenait dans sa gueule la partie inférieure du corps de Jess ; elle avait laissé Sédric admirer le spectacle du torse tranché du chasseur avant de jeter les restes de la dépouille en l'air, de les rattraper de façon à les aligner avec sa gorge puis de les avaler avec force mouvements de déglutition.

Sédric s'était détourné, saisi de haut-le-cœur. Enfin, entendant un bruit d'éclaboussures et sentant le radeau osciller, il avait su qu'il pouvait regarder à nouveau. La dragonne avait disparu sous l'eau. Il avait pris une inspiration tremblante et s'était plié en deux ; il s'était alors retrouvé devant la mare d'eau et de sang mêlés qui clapotait au fond du canoë. Horrifié, il avait quitté l'embarcation en catastrophe pour se jucher sur le tronc voisin, en tâchant de réfléchir à ce qu'il devait faire.

Le chasseur était mort, tué par la dragonne et lui ; s'ils l'avaient épargné, il eût sans doute tout fait pour se débarrasser d'eux. Mais le geste qu'ils avaient commis était si monstrueux, si en dehors de son expérience qu'il avait peine à le concevoir. Il n'avait jamais pensé tuer un homme, ni même se battre ni blesser un adversaire ; quelle raison eût-il eu de le faire ? S'il était resté à la place qui était la sienne, à

Terrilville, à travailler comme assistant de Hest, rien ne lui fût arrivé.

S'il était resté avec Hest, rien ne lui fût arrivé.

Il s'était soudain aperçu que c'était une idée à double tranchant.

La dragonne avait émergé de l'eau à grand bruit. *Mieux*, avait-elle dit. *Moins faim*.

« Tant mieux pour toi. »

Ce n'était qu'une formule creuse dans la bouche de Sédric, mais Relpda l'avait submergé d'une vague de chaleur, et cette affection avait temporairement effacé toute douleur de son corps. Elle avait enchaîné par une demande : *Besoin d'aide pour remonter sur le bois.*

« J'arrive. » Il avait réussi à lui fournir un meilleur point d'appui qui lui permettait de se reposer.

Un peu avant la tombée de la nuit, assez remis, il avait mangé les fruits que Jess avait apportés. Il avait les lèvres fendues et le visage douloureux, mais il avait repoussé la souffrance le temps de son repas. Les fruits lui avaient fourni à manger et à boire, et il s'était étonné de se sentir aussi bien après s'être sustenté. Il avait ensuite fait l'inventaire du matériel à bord du canoë, et s'était réjoui de découvrir une couverture de laine, quoique humide et imprégnée d'une forte odeur de chien mouillé ; il l'avait étendue pour la faire sécher le plus possible avant la nuit.

Il s'était efforcé de procéder logiquement, allant jusqu'à ramasser la ligne et la foëne que Jess avait laissé tomber quand il avait jugé plus important de tuer Sédric que la dragonne. Relpda l'observait depuis son point d'appui précaire ; quand il avait pris le harpon, il l'avait senti frissonner de répulsion et avait perçu son aversion pour l'arme.

« Avec ça, je parviendrai peut-être à nous procurer de quoi manger », avait-il dit sans vraiment y croire.

Oui, peut-être. Mais j'ai mal. Tu vois ?

Et il avait dû examiner sa blessure. Elle saignait encore un peu, mais le passage sous l'eau de la dragonne paraissait l'avoir partiellement cautérisée. « Il faut que ça reste au sec le plus possible, avait-il conseillé. Interdiction de plonger dans le fleuve. »

Sédric fâché ?

Elle avait l'air inquiet, et le ton de sa question avait poussé l'homme à s'y arrêter. « Non, avait-il répondu sans mentir ; pas fâché. On ne fait qu'obéir à la nécessité du moment ; nous avons dû le tuer, sans quoi c'est lui qui nous aurait tués, et tu l'as dévoré parce que… ma foi, parce que les dragons sont ainsi. Tu avais faim. Non, je ne suis pas fâché. »

Sédric Tue. Sédric protège. Sédric donne à manger à Relpda.

« Sans doute, dit-il après un instant de réflexion horrifiée. Sans doute. »

Sédric mon gardien. Tu changeras.

« Je suis déjà en train de changer », reconnut-il.

Oui. Changer.

Cette idée ne le remplissait pas d'un bonheur sans mélange.

Cette nuit-là, la couverture humide l'avait un peu protégé des insectes omniprésents, mais il n'avait pas pu échapper aux piqûres de ses pensées. Qu'allait-il faire ? Il possédait un canoë qu'il ne savait pas diriger, une dragonne légèrement blessée, et un petit assortiment d'outils qu'il ne savait pas utiliser. Il ignorait si les autres avaient survécu, et s'il devait les chercher en amont ou en aval du fleuve. Mais, quelque direction qu'il choisît, il avait la certitude que la dragonne le suivrait.

Suivre, dit-elle. *Suivre Sédric. Relpda et Sédric ensemble.*

Il commençait à se faire à cette idée quand elle l'ébranla par une nouvelle déclaration. *Plus facile de penser, plus facile de parler avec toi ici.* Et, au cas où il n'eût pas compris, elle lui avait envoyé une bouffée de chaleur par le biais du lien qu'ils partageaient.

Il avait eu du mal à s'endormir, et, à présent réveillé, il ne trouvait pas ses problèmes beaucoup plus solubles. À l'évidence, la dragonne attendait de lui qu'il la nourrît. Il frotta ses yeux gonflés avec précaution et rejeta de côté sa couverture odorante ; il se mit lentement sur son séant puis sortit maladroitement du canoë. Ses courbatures raidissaient ses mouvements, et voir tout danser autour de lui à chacun de ses gestes le rendait littéralement malade. Il avait faim et soif, tout un côté de son visage était enflé, ses vêtements collaient à sa peau irritée, il avait les cheveux plaqués au crâne par l'humidité… Il cessa brusquement d'égrener ses malheurs ; il ne réussissait qu'à se rendre encore plus misérable.

Réparer.

Encore une fois, une chaleur l'envahit ; cette fois, quand elle passa, ses douleurs avaient diminué.

« Es-tu en train de me guérir ? » demanda-t-il, ébahi.

Non. Moins penser à ce qui te fait mal.

Comme un anesthésiant, songea-t-il. Ce n'était pas aussi rassurant qu'une véritable guérison, mais souffrir moins, cela restait bon à prendre. Et lui, que devait-il faire ?

Trouver à manger pour moi.

Les pensées de Relpda étaient plus claires et plus précises – moins séparées des siennes, Sédric le craignait ; il repoussa cette idée : il n'avait pas le temps de s'en préoccuper. Pour le moment, il devait trouver le moyen de subvenir aux besoins de la dragonne, ne fût-ce que pour atténuer la faim qui lui tordait l'estomac et dont elle le faisait aimablement profiter. Mais comment ?

Il ne trouva pas de réponse satisfaisante. Le temps était doux, le fleuve plus calme et l'eau moins blanche ; il avait les armes d'un chasseur, à défaut des compétences, il avait un canoë – et il avait une dragonne.

Il n'avait plus qu'à décider quoi faire de tout cela.

Mais sa seule décision fut de s'écarter du canoë pour aller se soulager dans le fleuve. Quand il eut fini, il dit : « Alors, Relpda, qu'allons-nous faire ? »

Trouver à manger.

« Excellente idée – sauf que je ne sais pas comment m'y prendre. »

Va chasser. Et elle lui donna une petite poussée mentale qui le mit mal à l'aise.

Devait-il discuter avec elle ? Non, cela ne servirait à rien : elle avait raison ; ils avaient faim tous les deux, et il fallait que l'un d'eux trouvât de quoi se nourrir ; or, ce n'était évidemment pas Relpda qui allait s'en charger. Il se rappela qu'il avait vu Jess arriver de la forêt avec des fruits ; s'il les avait récoltés dans les arbres, il y avait des chances pour qu'il en restât. Quelque part, dans les frondaisons. Tout en haut.

Viande, poisson ! protesta Relpda, et elle se déplaça, gênée, sur le tronc qui la soutenait hors de l'eau ; l'autre extrémité se dégagea soudain des débris entremêlés et s'enfonça dans le fleuve. *Glisse !* lança-t-elle dans un coup de trompe tout en projetant sa pensée dans l'esprit de Sédric. Éperdue, elle tendit les pattes et saisit un autre tronc entre ses griffes ; la prise tint bon, et, attirant l'arbre à elle, elle parvint à se hisser en partie sur les deux troncs réunis.

« Bravo ! Tu es très astucieuse ! » lui dit-il en guise de compliment.

En retour, il reçut une vague de chaleur qui apaisa encore ses douleurs. Mais elle s'accompagnait d'un message : *Fatiguée. Très fatiguée. Froid aussi.*

« Je sais, Relpda ; je sais. » Ce n'étaient pas seulement des mots destinés à la réconforter : il savait exactement la mesure de son épuisement et de la diminuation de ses forces ; ses pattes de devant crispées sur les billes de bois lui faisaient mal, elle sentait ses griffes amollies par l'eau et sensibles, et ses pattes postérieures et sa queue se fatiguaient à battre sans cesse. Tout à coup, elle ouvrit les ailes et les agita dans l'espoir de se hausser davantage sur les troncs ; elles se révélèrent plus puissantes que ne s'y attendait Sédric, et il perçut le mouvement d'air qu'elles déclenchèrent, tandis que le poitrail de la dragonne émergeait presque entier de l'eau. Malgré tout, elle n'arriva à rien, sinon à rompre le radeau de bois et de débris, dont un matelas d'herbes entremêlées se détacha pour s'en aller dans le courant. Voilà qui n'annonçait rien de bon.

« Relpda, écoute-moi, Relpda. Il faut glisser d'autres troncs sous ton poitrail pour que tu puisses te reposer ; une fois que tu seras en sécurité, je pourrai aller te chercher à manger. »

Reposer. Dans ce seul mot, on sentait une lassitude sans fond.

Elle avait dormi tard, et pourtant, quand elle sortit sur le pont, elle constata que certains gardiens n'étaient pas encore réveillés. Alise se demanda ce qui les écrasait ainsi, de la fatigue ou du chagrin. Parmi ceux qui ne dormaient plus, il y avait Thymara et Jerd, toutes deux assises à la proue, les jambes dans le vide, en train de bavarder. La jeune femme s'étonna un peu de les trouver ensemble ; elle ne les croyait pas amies, et, après ce que Thymara lui avait dit sur Jerd, les probabilités étaient minces qu'elles le devinssent un jour. De quoi parlaient-elles ? Et comment l'accueilleraient-elles si elle se joignait à elles ? Elle avait des amies à Terrilville, mais ces relations ne lui tenaient pas autant à cœur qu'à certaines femmes. Il y avait en elle une réserve qu'on prenait parfois pour de la froideur, et elle n'avait jamais pu confier à ses amies les détails les plus intimes de son mariage, alors que beaucoup tenaient à partager les leurs avec elle.

Mais, aujourd'hui, elle avait envie de connaître l'opinion d'une autre femme. Depuis sa découverte du médaillon la veille, un tourbillon régnait dans son esprit et ses émotions. Pourquoi Hest eût-il commandé un tel présent, pourquoi le donner à Sédric, et pourquoi Sédric ne le lui avait-il pas remis ? Elle ne pouvait pas se confier à Leftrin ; si quelqu'un devait porter le poids d'une culpabilité dans cette affaire, c'était elle et personne d'autre. Ces questions, seul Sédric pouvait y répondre, or il avait disparu. Elle s'interdit de se laisser aller à cette douleur. Pas tout de suite ; elle refusait de le pleurer : il restait de l'espoir.

Elle parcourut le bateau à la recherche de Belline. Elle finit par la trouver dans le rouf, assise sur la couchette de Skelli, le visage grave ; elle tenait entre ses mains celles de Skelli. Des larmes avaient sillonné le visage de la très jeune fille. Les yeux de Belline se tournèrent brièvement vers Alise, et un infime changement de son expression signifia à la jeune femme qu'elle devait s'en aller discrètement sans avertir Skelli de sa présence. Alise acquiesça de la tête, ressortit sans bruit et reprit son parcours.

Thymara avait retroussé son pantalon jusqu'aux genoux, et les écailles brillaient au soleil sur ses jambes. Elle avait les épaules voûtées alors que Jerd était assise bien droit, le ventre en avant. Alise leur envia leur liberté ; nul ne leur reprochait de montrer leurs jambes ni même de risquer de tomber à l'eau.

Chacun sur le bateau partait du principe qu'elles savaient ce qu'elles faisaient et n'avaient nul besoin de conseils. Elles lui évoquaient Althéa Trell et son attitude assurée à bord du *Parangon*, et elle songea qu'Althéa était Marchande de Terrilville de souche, tout comme elle ; par conséquent, elle ne pouvait guère reprocher à ses origines les limites qui pesaient sur elle. Elle comprit peu à peu qu'elle les avait faites siennes et les avait emportées avec elle ; elle seule observait ces règles restrictives.

Ses pensées se tournèrent vers Leftrin, teintées d'envie et de colère mêlées. Elle sentait en lui de la tendresse et de la passion, dont Hest l'avait toujours privée, et il éveillait chez elle des sentiments semblables. Pourquoi ne pouvait-elle pas se donner simplement à lui comme elle en mourait de désir ? Il avait manifestement envie d'elle, et elle de lui.

Une part insoumise de son esprit lui répétait qu'ils étaient loin sur le fleuve et qu'elle ne devait pas s'inquiéter de ce qui pourrait lui arriver après son retour, car elle risquait de ne jamais revoir Terrilville. Or, qu'elle dût périr lors de cette folle équipée ou qu'elle la vécût jusqu'au bout, ne devait-elle pas la vivre entièrement, en profiter entièrement, au lieu de se restreindre ? Froidement, elle songea que Sédric n'était plus là pour la regarder de ses yeux tristes et accusateurs ; sa conscience avait disparu : elle pouvait se conduire comme bon lui semblait.

« La journée est plus belle grâce à votre présence sur le pont. »

Une bouffée de plaisir l'envahit en entendant sa voix, et, se retournant, elle vit Leftrin s'approcher ; il avait deux chopes de thé à la main. Comme elle prenait la lourde chope tachée de sa main calleuse et couverte d'écailles, elle songea qu'un mois plus tôt à peine elle se fût raidie, gênée, à son contact ; elle se fût aussi demandé si la chope était propre et eût froncé le nez devant le thé réchauffé. Aujourd'hui, elle savait qu'on avait seulement passé un peu d'eau dans la chope, ou qu'on l'avait nettoyée d'un coup de chiffon, et elle s'en moquait. Quant au thé, ma foi… Elle trinqua avec Leftrin. « Le meilleur thé à des lieues à la ronde !

— C'est vrai, répondit-il. Et la meilleure compagnie du monde entier, à mon avis. »

Elle rit tout bas et observa ses propres mains ; les taches de rousseur apparaissaient sombres sur sa peau brûlée par l'eau acide ; elle préféra ne pas penser à l'aspect de son visage ni à l'état de ses cheveux ; elle s'était aperçue dans le petit miroir de sa cabine obscure après s'être coiffée et s'être fait un chignon, et elle avait baissé les bras. « Comment pouvez-vous m'adresser des compliments aussi excessifs sans vous sentir ridicule ?

— Vous êtes sans doute l'auditoire parfait pour ces compliments ; et je me fiche peut-être de me sentir ridicule, parce que je sais que c'est la vérité.

— Oh, Leftrin ! » Elle se tourna vers le fleuve et posa sa chope sur le bastingage. « Qu'allons-nous faire ? » Elle n'avait pas prévu cette question ; elle était venue aussi naturellement que la vapeur qui montait de son thé.

Il fit semblant de se méprendre sur le sens de sa phrase. « Eh bien, Carson est parti avant l'aube, et nous allons rester ici une journée de plus, ce qui permettra aux dragons de se reposer un peu et de s'empiffrer encore ; en amont, ils ont trouvé un retour de courant plein de poissons tués par l'acide. On va les laisser manger et se reposer pendant que Carson poursuit ses recherches ; il va descendre le fleuve un jour entier ; s'il trouve des survivants, il les guidera jusqu'à nous, sinon il abandonnera et reviendra. Il a emporté la trompe, et elle s'entend de très loin. J'ai capté trois coups longs il n'y a pas longtemps.

— Je n'ai rien entendu.

— Ce n'était pas très fort, et j'ai l'habitude de tendre l'oreille pour percevoir ce genre de sons. » Cette déclaration sonnait étrangement pour Alise ; elle soupçonna un secret mais ne voulut pas insister.

« Croyez-vous qu'il découvrira d'autres rescapés ?

— C'est impossible à prédire ; mais on a retrouvé presque tous nos survivants au même endroit, par conséquent, j'ai l'impression que ce que le fleuve a emporté d'un site, il l'a déposé ailleurs sans rien séparer. »

Il se tut, mais elle poursuivit le raisonnement. « Donc, vous pensez que s'il y avait d'autres survivants, ils seraient avec nous. »

Il acquiesça à contrecœur. « Sans doute. Mais on a quand même retrouvé la dragonne seule dans son coin.

— Et aussi le corps de Houarkenn.

— Et aussi le corps. Pour moi, ça veut dire que tout ce qui était dans notre zone à l'arrivée de la vague a été transporté ici. »

Elle garda le silence un moment puis demanda : « Et Gringalette et Kanaï ? La dragonne cuivrée ?

— Morts et au fond du fleuve, il y a des chances, ou enfouis sous des débris. Un cadavre de dragon de cette taille ne devrait pas être difficile à repérer.

— Et Sédric ? »

Le silence de Leftrin dura plus longtemps encore. Enfin, il répondit : « Pour parler sans détour, Alise, les gardiens s'en sont sortis parce qu'ils sont coriaces ; leur peau résiste à l'acide, et, s'ils parviennent jusqu'à un arbre, ils savent y grimper. Ils sont faits pour cette existence ; pas Sédric. Il n'avait pas une once de muscle sur les os, et, à force de rester alité, malade ou non, il n'a dû que s'affaiblir encore. J'essaye de l'imaginer en train de nager au milieu de la crue en furie, et je n'y arrive pas. J'ai peur qu'il ne soit mort. Ce n'est pas votre faute ; ce n'est pas la mienne non plus, je crois. C'est arrivé, c'est tout. »

Parlait-il de faute parce qu'il pensait secrètement qu'Alise était responsable de ce malheur ? « Je vous l'ai amené, Leftrin. Il ne correspondait pas à votre idée d'un homme solide, je le sais ; mais, à sa manière, il était fort, capable, et très compétent. C'était le bras droit de Hest, et je ne saurai jamais pourquoi mon mari avait décidé de l'envoyer m'accompagner. » Elle se tut, bégayant ; peut-être Hest estimait-il qu'il fallait la surveiller et en avait-il chargé Sédric ?

« Je ne dis pas que ce n'était pas quelqu'un de bien, seulement qu'il ne savait sûrement pas bien nager, répondit Leftrin avec douceur. Et il ne faut pas perdre espoir ; nous avons un homme solide qui le cherche, et je pense que Carson tient autant que vous à le trouver.

— Je lui en sais gré. Je ne sais comment le remercier de sa persévérance. »

Leftrin toussota. « Ma foi, à mon avis, il espère que Sédric s'en chargera ; ils sont du même genre, tous les deux.

— Du même genre ? Mais on ne peut pas imaginer deux hommes plus différents ! »

Il lui lança un regard perplexe puis haussa les épaules. « Ils se ressemblent assez dans les domaines qui les intéressent, je pense. Mais passons ; disons simplement que Carson n'abandonnera pas facilement. »

« Mais pourquoi l'as-tu fait, alors ? Si tu ne te croyais pas, euh… amoureuse de lui ? »

Jerd haussa les épaules. « Je pense que, dès notre départ de Trehaug, j'avais décidé de vivre ma vie comme je l'entendais, et c'était comme une promesse que je voulais tenir. Et puis (elle eut un sourire forcé) c'était le premier. Il y avait quelque chose de flatteur à éveiller l'envie de quelqu'un avec la peau aussi lisse, tu dois me comprendre ; on m'avait répété toute ma vie que personne ne devait me toucher, que personne ne voudrait me toucher parce que j'étais un monstre. Et voilà qu'un garçon sans écailles, avec des manières douces, avait l'air de s'en moquer… J'ai eu tout à coup un sentiment de liberté. Et j'ai décidé d'être libre.

— Ah ! » Thymara avala sa salive et s'efforça de formuler convenablement sa question suivante. C'était elle qui avait cherché la compagnie de Jerd, et, à sa grande surprise, l'autre n'avait pas rejeté ses tentatives d'approche. Elles n'avaient pas parlé de l'épisode où Thymara avait surpris Jerd et Graffe dans les bras l'un de l'autre, et, avec un peu de chance, aucune ne l'aborderait ; peut-être le sujet gênait-il Jerd autant que Thymara. Elle réfléchit une dernière fois à sa question ; avait-elle vraiment envie de savoir ?

« Donc, c'est lui qui t'a approchée, et non le contraire ? »

L'autre lui jeta un regard en coin et eut une moue dédaigneuse. « Je l'ai suivi dans la forêt ; c'est ça que tu veux savoir ? Ou bien qui a touché l'autre en premier ? Parce que je ne suis pas sûre de m'en souvenir… » Elle se redressa, posa la main sur son petit ventre et demanda : « Qu'est-ce que ça peut te faire, de toute façon ? »

Thymara eut soudain la conviction que Jerd se rappelait parfaitement ce qui s'était passé, et elle se rendit compte qu'elle venait de lui fournir une arme que l'autre pourrait utiliser contre elle quand bon lui semblerait. Elle mentit. « Je ne sais pas ; je me posais la question, c'est tout.

— Si tu as envie de lui, tu peux le prendre, dit Jerd, magnanime. Moi, j'ai Graffe, et je n'avais pas envie de garder Tatou pour toujours. Tu n'as pas à craindre que je te le vole. »

Donc, elle s'en jugeait capable ; l'était-elle ? « Et tu ne voulais pas non plus Kanaï pour toujours ? Ni aucun des autres ? »

Si elle croyait percer les défenses de Jerd, elle se trompait : l'autre éclata de rire. « Kanaï ? Non ! Mais il était adorable, tellement gamin et si beau à la fois, c'est vrai ! Mais une fois m'a suffi : il avait un rire exaspérant, parfaitement ridicule. Oh, je regrette quand même sa disparition ; vous étiez proches, je sais, et tu ne devais pas trouver ses bêtises agaçantes du tout. Ça doit être très dur de l'avoir perdu. »

La garce ! Thymara voulut interdire à sa gorge de se nouer, à ses larmes de monter à ses yeux, mais n'y parvint pas. Elle n'avait pas été amoureuse de Kanaï : il était trop bizarre ; mais c'était Kanaï, et c'était son ami, et son absence laissait un trou dans sa vie.

« C'est dur, trop dur. » Sans excuse ni explication, Thymara se retourna et sauta de la lisse sur le pont ; elle perçut alors une brève vibration de sympathie de la part de Mataf, et, tout en s'éloignant, elle laissa sa main caresser le bastingage en assurant la vivenef de sa considération. Elle vit Hennesie, le second, lui adresser un regard étrange, et elle ôta aussitôt sa main du bois ; lentement, sans sourire, il hocha la tête sur son passage. Elle avait franchi une limite à l'instant, et elle s'en rendait compte ; elle ne faisait pas partie de l'équipage de Mataf et n'avait aucun droit de communiquer ainsi avec lui, même si c'était lui qui avait initié l'échange.

Ces réflexions suscitèrent une comparaison malvenue avec ce que Jerd avait dit de Tatou, et elle fit un effort pour se rappeler ses propos. Quelle importance si c'était le jeune homme qui avait pris l'initiative avec Jerd ? Leur relation n'était-elle pas terminée ?

« Reste comme tu es ; repose-toi et ne bouge pas. Je vais tâcher de te trouver de quoi manger. »

D'accord.

Sédric regarda de nouveau la dragonne sur son lit de troncs et s'étonna : comment avaient-ils réussi à rassembler ces billes de bois, à visualiser puis à créer ce radeau, et enfin à sortir Relpda de l'eau ? Alors qu'il cherchait des arbres flottants qu'il pût déplacer, il avait découvert plusieurs gros poissons morts, dans le fleuve, et un cadavre qui était peut-être celui d'un singe. Il avait dû surmonter son dégoût avant de pouvoir toucher ces corps trop mous. *Pas frais*, s'était plainte la dragonne, mais cela ne l'avait pas empêchée de tout dévorer ; quant à Sédric, malgré l'acidité de l'eau, il s'était lavé les mains jusqu'à ce que la puanteur disparût.

« *Nous travaillons bien ensemble*, dit-elle à la fois à ses oreilles et à son esprit.

— C'est vrai », répondit-il en tâchant de ne pas se demander si c'était ou non une bonne chose.

Il lui avait fallu toute la matinée et la moitié de l'après-midi pour parvenir à ses fins. Se rendant compte que, s'il réussissait à bloquer plusieurs troncs contre les arbres, il arriverait peut-être à les fixer là et à fabriquer ainsi un radeau à la taille de la dragonne, il avait commencé par une première bille de bois déjà solidement coincée entre plusieurs gros fûts et maintenue en place par le courant ; il avait déplacé les broussailles, les petites branches et autres débris compactés entre le premier tronc et un autre. Cela avait été un travail épuisant, qui l'avait laissé trempé de la tête aux pieds, et ses vêtements humides irritaient encore sa peau brûlée par l'eau du fleuve ; longtemps avant d'en avoir fini, il avait les mains douloureuses et ankylosées, le dos raide, et ses efforts lui faisaient tourner la tête. Pendant qu'il s'éreintait ainsi, Relpda, impatiente, meuglait sa détresse et sa peur, qui, peu à peu, s'étaient muées en irritation et en colère.

Aide-moi ! Glisse. Aide-moi. Pas travaille avec bois. AIDE-MOI !

« J'essaie. Je te construis quelque chose pour que tu puisses monter dessus. »

Sous l'effet de la fureur, elle battit violemment des ailes et de la queue, et Sédric faillit tomber à l'eau. « Aider maintenant ! Construire plus tard !

— Relpda, je dois construire d'abord et t'aider ensuite. »

NON ! Le coup de trompe éperdu déchira le ciel, et la puissance de sa pensée fit chanceler Sédric.

« Ne fais pas ça ! s'écria-t-il. Si je tombe dans le fleuve et que je me noie, tu resteras seule, sans personne pour t'aider. »

Si tu tombes, je te dévore ! Alors plus construire arbres. Bien que silencieux, le message mental n'en avait pas moins de force.

« Relpda ! » L'espace d'un instant, il oscilla entre l'indignation et la terreur devant la menace, puis le courant glacé de peur qui sous-tendait les mots de la dragonne s'insinua dans son cœur. Elle ne comprenait pas, et elle croyait qu'il refusait de l'entendre. « Écoute, Relpda ; si j'arrive à placer assez de troncs côte à côte et à les maintenir en place, je... »

Aider Relpda MAINTENANT !

Elle projeta sur lui sa pensée, et il faillit perdre conscience ; il répondit, furieux : « Mais regarde donc ce que j'essaie de faire ! » Et il imposa durement à sa petite cervelle de lézard obstiné l'image d'un radeau d'arbres et de branches, avec elle-même reposant dessus, couchée en rond, en sécurité.

Avec un reniflement de rage, elle frappa l'eau de ses ailes, éclaboussant Sédric. Puis elle s'exclama : *Ah ! Je comprends. Oui, c'est logique ; je vais t'aider.*

Sa syntaxe soudain fluide laissa l'homme pantois. « Comment ? »

Je vais t'aider à mettre les troncs en place et à dégager les broussailles qui les empêchent de se rapprocher.

Elle était dans sa tête et se servait de sa vue, de ses pensées et de ses mots. Cette brusque intimité le fit se raidir, et la peau de la dragonne frissonna en réaction. Il voulut s'écarter d'elle, mais en vain ; il essaya de nouveau, et elle sépara à contrecœur ses pensées des siennes.

Relpda aider ?

« Oui, Relpda aider », répondit-il quand il se sentit en mesure de parler par ses propres mots.

Et elle l'avait aidé. Malgré sa fatigue, la douleur de ses pattes griffues, elle avait écarté les débris et poussé les troncs là où il le lui indiquait. À leur premier essai, le radeau s'était défait aussitôt qu'assemblé, et elle avait poussé un coup de trompe strident de protestation et de désespoir, mais, quand il l'avait rappelée pour reprendre la tâche, elle était venue ; elle l'avait écouté attentivement tandis qu'il lui indiquait qu'elle devait enfoncer des troncs sous l'eau pour les glisser sous le radeau déjà existant ; quand il lui avait dit qu'elle devait rester dans l'eau pendant qu'il fixait les arbres les uns aux autres avec leur pitoyable bout de corde, elle avait obéi. Cela fait, elle avait grimpé tant bien que mal sur le lit de troncs flottants et elle s'était reposée ; elle avait commencé à se réchauffer, et Sédric s'était alors rendu compte à quel point l'épuisement de la dragonne l'avait affecté. Il avait cru s'évanouir de soulagement.

Dormir, maintenant.

« Oui, dors ; c'est ce dont tu as le plus besoin pour le moment. »

Pour sa part, il mourait de faim et de soif. Que c'était lamentable d'en être réduit à rêver, non de vin ni d'un repas fin, mais d'un simple verre d'eau ! Sa situation n'avait en rien changé depuis des heures, sinon que le jour baissait ; bientôt la nuit tomberait, et il se retrouverait encore une fois pelotonné sous une couverture puante dans une embarcation exiguë. Jetant un coup d'œil au ciel, il songea qu'il devait au moins tenter de découvrir où Jess avait trouvé ses fruits.

Viande. Elle avait suivi ses pensées, à demi assoupie, et l'idée des fruits ne lui plaisait pas. *Trouver viande.* Et elle effleura Sédric de l'acuité de sa faim. Il fut accablé : il venait de lui donner à manger !

Pas assez.

« Je trouverai peut-être de la viande. » Puis, s'efforçant d'accepter l'aspect désespéré de la situation, il se contraignit à se reprendre : « Je tâcherai d'en trouver. »

Il retourna au canoë et examina l'assortiment d'instruments destinés à tuer des animaux qui y reposait ; la hachette baignait toujours dans l'eau sanglante. Avec un haut-le-cœur, il la prit et la posa sur le banc pour la faire sécher ; il avait à présent sur les mains le sang de Jess dilué d'eau limoneuse. S'agenouillant, il les enfonça à travers le matelas de débris flottants pour les laver dans le fleuve ; à sa grande surprise, il ne ressentit pas la sensation de brûlure à laquelle il s'attendait. Commençait-il à s'y habituer ? Un regard au courant lui montra que non seulement l'eau avait beaucoup perdu de sa blancheur et donc de son acidité, mais que le niveau était nettement plus bas. La marque laissée par la crue sur les arbres était largement au-dessus de sa tête maintenant.

Non sans mal, il se dirigea vers la barrière d'arbres qui bordait le fleuve en sautant de tronc en tronc ; parfois, ils s'enfonçaient plus qu'il ne s'y attendait, et l'un d'eux roula sous ses pieds, manquant de peu le précipiter à l'eau. Mais il finit par atteindre la lisière de la forêt et leva les yeux. Il avait vu Jess descendre d'un de ces fûts, mais ils lui paraissaient soudain plus lisses qu'auparavant ; quel âge avait-il la dernière fois qu'il avait escaladé un arbre ? Sans doute pas plus de dix ans, et il s'agissait d'un honnête pommier aux branches chargées de fruits. Au souvenir de ces pommes, il avala sa salive pour atténuer sa faim. Bon, il n'avait pas le choix ; il devait grimper.

Le long meuglement lointain de la trompe le prit au dépourvu. Il se tourna d'un bloc dans la direction d'où venait le son tandis que Relpda levait la tête et lançait elle-même un coup de trompe en réponse. Sédric parcourut les alentours d'un regard éperdu et scruta jusqu'au sommet des arbres ; Relpda, elle, avait les yeux fixés sur l'amont du fleuve. Elle haussa de nouveau le cou et poussa encore un coup de trompe.

Par petits bonds et brèves courses sur la pointe des pieds, il se risqua jusqu'à la limite du radeau de débris pour observer le fleuve. La lumière qui se reflétait sur la surface de l'eau l'éblouit, et, l'espace d'un instant, il ne vit plus rien. Puis, comme en réponse à son rêve le plus cher, il distingua la silhouette d'un canoë et d'un homme à la pagaie ; et ils se dirigeaient vers lui. Il leva les deux mains et les agita au-dessus de sa tête. « Hé ! Par ici, par ici ! » cria-t-il, et, en réponse, l'homme lui fit un signe d'un bras.

Avec une lenteur désespérante, l'embarcation et son occupant grandirent peu à peu. Le visage de Sédric était sillonné de larmes, et toutes n'étaient pas dues à l'effort qu'il faisait pour affronter l'éclat du soleil sur l'eau. Carson le reconnut avant qu'il n'eût lui-même identifié le chasseur. « SÉDRIC ! » cria-t-il d'une voix joyeuse et tonitruante qui résonna sur le fleuve, et il redoubla d'efforts. Pourtant, il parut se passer une éternité avant que Sédric pût s'agenouiller pour saisir la ligne que Carson lui jetait ; il tira le canoë au plus près des troncs puis ne sut plus quoi faire. Un sourire stupide aux lèvres, il tremblait de soulagement.

« Sâ merci, vous êtes vivants ! Et la dragonne aussi ? C'est un double miracle ! Et elle est hors de l'eau ! Comment avez-vous réussi ça ? Mais regardez-vous ! Le fleuve vous en a mis une sévère. Attendez, passez-moi la corde, je vais m'occuper d'amarrer le canoë. Qu'est-ce qu'il vous faut en premier ? À manger ? À boire ? Je croyais vous trouver à moitié mort – si encore je vous trouvais ! »

Sédric tremblait de tous ses membres pendant que Carson parlait. En quelques secondes, le canoë fut fixé à l'île flottante de débris, puis, sans même demander à Sédric s'il avait soif, le chasseur lui tendit son outre d'eau. Le Terrilvillien but avidement, s'interrompit pour dire d'une voix balbutiante : « Sâ soit loué, merci ! » et se remit à boire. Carson le regardait avec un sourire qui découvrait ses dents blanches au milieu de sa barbe ; il avait l'air fatigué mais également si triomphant qu'il en avait le visage illuminé.

Comme Sédric lui rendait l'outre, il lui fourra un biscuit de mer dans les mains, et l'autre se sentit pris de vertige en sentant l'odeur de la nourriture. Peut-être vacilla-t-il, car le chasseur le saisit par le coude. « Asseyez-vous ; asseyez-vous et mangez lentement. Tout va bien, maintenant. Vous avez passé un mauvais moment, mais tout va bien. Pour toi aussi ! »

poursuivit-il à l'attention de Relpda qui protestait parce que Sédric se restaurait et pas elle. Le Terrilvillien, malgré la reconnaissance qu'il éprouvait pour le chasseur, avait trop faim pour pouvoir se concentrer sur ce que disait Carson ou les plaintes de la dragonne. Il cassa un morceau de pain dur et le mâcha lentement ; sa mâchoire lui faisait mal, il n'arrivait pas à mastiquer du côté meurtri de sa bouche, et déglutir était douloureux, mais sentir son estomac se remplir en valait la peine. Il rompit encore un bout du biscuit et le mangea doucement.

Carson le laissa pour aller parler à la dragonne ; quand il revint, il secouait la tête d'un air admiratif. « Sacré boulot que vous avez fait, tous les deux ; tout se désagrégera sans doute si elle bouge trop, mais les autres dragons n'ont nulle part où se mettre hors de l'eau. »

Ces mots pénétrèrent peu à peu la conscience de Sédric, et il se souvint soudain qu'il n'y avait pas dans le monde que l'eau et la nourriture. La bouche pleine et douloureuse, il dit : « Qui a survécu ?

— Ma foi, il y a plus de survivants que de disparus. Il nous a fallu un jour ou deux, mais on a retrouvé quasiment tout le monde, et, maintenant que vous êtes là, vous et la cuivrée, il ne manque plus que Kanaï, son dragon et Jess. On a découvert le pauvre Houarkenn mort, et Ranculos a été rudement bousculé, mais, en dehors de quelques bobos, les autres vont bien. Et vous ? Vous avez l'air plus amoché que les autres. »

Sédric porta la main à sa joue, mal à l'aise. « Un peu. »

Carson rit tout bas. « D'ici, j'ai l'impression que c'est plus qu'un peu. Bref… Donc, il n'y a que la dragonne et vous ici ? Personne d'autre ?

— Il n'y a que nous », répondit Sédric sur la défensive. Comment Carson réagirait-il s'il savait que Relpda et lui avaient tué l'autre chasseur ? Il avait souvent vu les deux hommes ensemble sur la gabare, et ils faisaient fréquemment équipe pour aller chasser ; ce n'était pas le moment de prendre son sauveur à rebrousse-poil. S'il ne disait rien de l'affaire, nul n'en saurait jamais rien.

Sauf si Relpda parlait.

Un tremblement de terreur le parcourut, et la dragonne y réagit. *Danger ? Dévorer chasseur ?*

« Non, Relpda, non ; pas de danger. Le chasseur va nous trouver de quoi manger, mais pas tout de suite. » Après s'être ainsi débrouillé pour corriger le sens de l'intervention de la dragonne, il murmura à Carson : « Elle a l'esprit un peu plus confus depuis le passage de la vague.

— Comme nous tous, à mon avis. Mais elle n'a pas tort : elle doit mourir de faim. Elle n'a jamais été bien grosse, et on dirait qu'elle a encore maigri ces derniers jours. Relpda ? Je sais que les dragons préfèrent la viande fraîche, mais j'ai repéré un cadavre d'élan qui flottait pas loin d'ici. Tu veux que je te montre ?

— Apporter à Relpda. Relpda fatiguée.

— Carson fatigué aussi, grommela le chasseur, mais sur un ton bon enfant. Je vais fixer une corde à cette carcasse puante et la ramener. Vous voulez que je vous laisse l'outre ?

— Ne partez pas ! » Sédric avait prononcé ces mots par réflexe : Carson venait à peine d'arriver pour les sauver !

Avec un grand sourire, l'autre posa doucement la main sur son épaule. « Ne vous inquiétez pas, je vais revenir. Je ne me suis pas donné le mal de vous retrouver pour vous abandonner. » Il regardait Sédric dans les yeux, et il paraissait parler du fond du cœur. Sédric ne sut que répondre.

« Merci », dit-il enfin par un effort de volonté. Il se détourna du regard grave de l'homme. « Vous devez me prendre pour un lâche, ou pour un idiot incompétent.

— Ni l'un ni l'autre, je vous assure. Je n'en ai pas pour longtemps. Je vous laisse l'outre ; c'est tout ce qu'on a comme eau pour le moment, alors ne buvez pas trop.

— Nous n'en avons pas d'autre ? Mais pourquoi m'avoir laissé boire autant ? » Sédric était consterné.

« Parce que vous en aviez besoin. Maintenant, je vais aller chercher cette carcasse d'élan pour Relpda, et puis je reviens. Il fera peut-être encore assez jour pour que j'aille cueillir des fruits pour nous dans les arbres.

— Jess… » Sédric se tut ; il avait failli lui dire que Jess avait trouvé des fruits dans les environs. Idiot, idiot, idiot ! Ne parle pas de l'autre chasseur !

« Comment ?

— J'espère que vous serez prudent.

— Oh, toujours ! Je reviens tout à l'heure. »

Le fleuve était redescendu. Il restait du poisson mort en quantité, un peu avarié mais nourrissant. Elle n'était pas morte – enfin, pas encore.

Sintara déplaça son poids d'une patte sur l'autre. Elle avait les pieds mal en point à cause de leur constante immersion ; l'eau avait perdu de son acidité, mais elle avait l'impression d'avoir les griffes amollies, comme si elles se désagrégeaient. Et jamais la dragonne n'avait eu le moral plus bas.

Elle, Sintara, reine qui eût dû régner sur la mer, le ciel et la terre, avait été emportée par la vague et culbutée comme un lapin attaqué par un faucon. Pataugeant, suffoquant, elle s'était agrippée à un tronc flottant comme un rat au bord de la noyade. « Aucun dragon n'a subi ce que nous avons subi, dit-elle. Aucun n'est jamais tombé aussi bas.

— Survivre n'a rien de déshonorant », rétorqua Mercor. Comme toujours, il s'exprimait d'un ton calme, presque placide, « Considère ce qui nous est arrivé comme une expérience, dure, mais une expérience tout de même, Sintara. Quand tu mourras et qu'on te dévorera, ou quand tes petits sortiront de l'œuf, ils porteront le souvenir de cet épisode. Les épreuves que nous vivons ne sont jamais perdues ; quelqu'un en retiendra la leçon, quelqu'un en tirera le bénéfice.

— Quelqu'un est fatigué de t'entendre philosopher », grommela Ranculos, le mâle rouge. Il toussa, et Sintara sentit l'odeur du sang ; elle se rapprocha de lui. De tous, c'était lui le plus gravement blessé ; il avait reçu un coup violent dans les côtes alors que la crue l'emportait, et la dragonne percevait sa douleur à chacune de ses respirations. Pour la plupart de leurs congénères, leur peau écailleuse les avait protégés ; Sestican s'était froissé une aile, qui lui faisait mal quand il tentait de la déployer ; Veras se plaignait d'une sensation de brûlure à la gorge à cause de l'eau acide qu'elle avait avalée ; quant aux bobos dont tous souffraient peu ou prou, ils ne valaient guère qu'on en parlât. C'étaient des dragons : ils guériraient.

Le niveau du fleuve avait baissé à mesure que le jour passait, et ses berges commençaient à réapparaître ; des buissons festonnés de lianes arrachées se dressaient sur un long banc de boue limoneuse, et Sintara éprouvait un grand soulagement à pouvoir se tenir debout sur un sol à peu près ferme, à ne plus avoir le ventre dans l'eau, même si marcher dans la fange collante se révélait presque aussi épuisant que nager.

« Eh bien, que veux-tu que je te dise, Ranculos ? Qu'après un si long voyage, après tant d'épreuves, nous devrions baisser les bras et nous laisser mourir ? » Mercor, pataugeant dans la boue, se dirigea vers le dragon rouge et la reine. Se tenir si près les uns des autres n'entrait pas dans le comportement normal de leur espèce, Sintara le savait ; mais ce n'étaient pas des dragons normaux : les années passées dans la promiscuité du terrain exigu qu'ils occupaient près de Cassaric les avaient changés, et, dans de telles situations où régnaient la fatigue et l'incertitude face à l'avenir, ils avaient tendance à se rassembler. Elle se fût sentie rassurée de s'allonger pour dormir près de

Ranculos, mais elle n'en avait pas envie : la boue était trop profonde. Cette nuit, elle somnolerait debout et rêverait de déserts et de sable sec et brûlant.

« Non ; pas ici, en tout cas », répondit Ranculos d'un ton las.

Grand et bleu, Sestican s'approcha d'eux dans la boue qui coulait en ruisseaux de sa peau azur. « Alors, c'est entendu : demain, nous reprenons notre chemin.

— Rien n'est entendu », rétorqua Mercor d'une voix douce. Le dragon d'or ouvrit les ailes et les agita légèrement, faisant pleuvoir des gouttes d'eau et de fange autour de lui ; ses motifs en ocelles étaient sillonnés de vase. Sintara ne l'avait jamais vu aussi sale depuis leur départ de Cassaric.

« Curieux, fit Sestican, acerbe, j'avais cru comprendre que nous avions décidé de ne pas baisser les bras et de ne pas nous laisser mourir. Il me semble donc que l'autre terme de l'alternative serait de poursuivre notre route vers Kelsingra.

— Kelsingra », répéta Dente comme si c'était un gros mot. La petite dragonne verte hérissa les pointes de sa crinière immature ; si elle s'était développée normalement, elle fût apparue menaçante ; en l'occurrence, elle évoquait à Sintara une fleur vert et or au bout d'une tige maigrichonne.

« Pour ma part, je ne vois pas l'intérêt d'attendre les gardiens ; nous n'avons pas besoin d'eux. » Kalo approchait à pas lents en étirant ses ailes bleues et noires puis en les agitant pour les débarrasser de la boue qui les couvrait ; elles étaient plus grandes que celles de Mercor ; cherchait-il à leur rappeler qu'il était le plus imposant et le plus puissant des mâles ?

« Tu m'éclabousses de vase ; arrête ! » Sintara souleva les volants qui couraient le long de son cou, certaine d'offrir un spectacle au moins aussi intimidant que lui.

« Tu en as déjà tellement sur toi que je ne sais pas comment tu t'en rendrais compte », répliqua le grand dragon, mais il replia tout de même ses ailes.

Sintara n'était pas d'humeur à le laisser faire la paix aussi facilement. « Quant à ton gardien, tu n'en as peut-être pas besoin, mais moi j'ai besoin des miens. Demain, je leur ordonnerai de me nettoyer ; je suis peut-être obligée de patauger dans la boue, mais il n'y a pas de raison pour que j'en sois couverte.

— Le mien est négligent, paresseux, suffisant, et en colère contre tout le monde. » Un tourbillon de contrariété et d'abattement apparut dans les yeux de Kalo.

« Il croit peut-être toujours qu'il réglerait ses problèmes s'il tuait un dragon pour le vendre au détail comme chez le boucher ? » lança gaiement Sestican.

Kalo mordit à l'hameçon. Il avait beau se plaindre sans cesse des carences de Graffe en tant que gardien, il ne supportait pas qu'un autre le critiquât ; même après que Graffe avait tenu ses propos obscènes, il avait continué à rabrouer durement tous ceux qui osaient dire du mal de lui. De même, il ouvrit grand les mâchoires et adressa un feulement à Sestican.

Il eut l'air aussi surpris que les autres quand une brume bleuâtre de venin jaillit de sa gueule et flotta un instant dans l'air. Sintara baissa les paupières et se détourna. « À quoi joues-tu ? » demanda Dente, furieuse, et la petite dragonne verte s'écarta brusquement du nuage toxique en faisant sauter de la boue sur tout le monde. Aussitôt, Sestican ouvrit largement la gueule et inspira profondément.

« Assez ! fit Mercor. Cessez, tous les deux ! »

Il n'avait pas plus le droit de donner des ordres qu'aucun d'entre eux. *Mais ça ne l'a jamais empêché de le faire*, songea Sintara. Et, presque toujours, les autres obéissaient. Il avait un maintien qui imposait le respect, voire la loyauté. Il se dirigea vers Kalo ; le grand dragon bleu-noir ne recula pas et leva même les ailes à demi comme s'il s'apprêtait à défier Mercor ; mais le dragon d'or n'avait nulle intention de chercher le combat, et il regarda intensément le grand mâle de ses yeux noirs qui tourbillonnaient comme s'ils aspiraient l'obscurité.

« Et maintenant, recommence », dit Mercor, mais non comme un mâle en provoquant un autre ; non, il observait Kalo comme s'il n'en croyait pas ses yeux – et il n'était pas le seul : les autres, percevant la tension dans la voix de Mercor, s'approchaient à leur tour.

« Mais pas face au vent par rapport à nous ! s'exclama Sestican.

— Et mets-y du cœur », ajouta Mercor.

Kalo replia lentement les ailes puis se détourna des autres dragons pour se placer au vent. Sintara songea que, s'il voulait feindre de ne pas obéir à Mercor, il n'y parvenait pas ; mais elle garda cette réflexion pour elle, car elle souhaitait elle aussi voir s'il pouvait vraiment cracher du venin. Ils eussent tous dû en être capables dès leur naissance, mais aucun n'avait réussi à maîtriser de façon fiable ni efficace cette arme fondamentale de l'arsenal des dragons. Kalo y arrivait-il à présent ? Les côtes du grand dragon se soulevèrent quand il inspira, et, cette fois, elle le vit activer les glandes à venin situées dans sa gorge ; les muscles puissants de son cou se crispèrent, il rejeta la tête en arrière puis la ramena brusquement en avant, la gueule grande ouverte ; il rugit, et avec le son jaillit une brume bleuâtre de toxines qui s'éloigna au-dessus de l'eau. Sintara ne fut pas la seule à laisser échapper un grondement de stupéfaction ; le brouillard toxique se dispersa sur le fleuve, et elle entendit le léger sifflement de l'acide au contact de l'eau.

Avant que quiconque eût le temps de réagir, Dente se précipita dans le fleuve, s'ébroua de la tête à la queue, ouvrit largement les ailes et ramena la tête en arrière. Quand elle cracha son venin avec un coup de trompe semblable au cri d'une femme, elle expulsa un nuage plus réduit mais plus dense ; elle recommença plusieurs fois jusqu'à ce qu'à la quatrième fois il n'y eût plus trace de poison. Néanmoins, elle se retourna vers ses congénères et annonça : « Ne vous y trompez pas : vous êtes peut-être tous plus grands que moi, mais je suis aussi dangereuse que vous. Respectez-moi !

— Il serait plus avisé de garder tes toxines pour chasser plutôt que d'en faire la montre, répondit Mercor avec un doux reproche dans la voix. Tu ne sais pas combien de temps il te faudra pour reconstituer tes réserves ; si une proie passait devant toi à l'instant, elle t'échapperait. »

La petite dragonne verte pivota d'un bloc vers lui, et les frondes superposées de sa crinière immature se dressèrent autour de son cou. Elle les fit frissonner dans un mouvement qui évoquait plus un serpent qu'un dragon. « Garde tes sermons pour toi, doré ! Et ne parle pas de chasse. Je n'ai pas besoin de tes conseils. Maintenant que je dispose de mon venin, je ne suis même pas sûre d'avoir encore besoin de ta compagnie.

— Ni de ton gardien ? demanda Ranculos avec une légère curiosité.

— Ça reste à voir, répliqua-t-elle sèchement. Tatou me nettoie et me panse, et j'aime entendre ses louanges. Je le garderai peut-être. Mais ce n'est pas pour autant que je dois demeurer avec vous ou avec ces gardiens loqueteux, ni côtoyer des soigneurs si dépourvus de respect qu'ils envisagent d'abattre un dragon comme on abat une vache. » Elle battit des ailes, soulevant un mouvement d'air et projetant de la boue de toutes parts. « J'ai mon venin, et bientôt je pourrai voler ; je n'aurai alors plus besoin de personne.

— Gringalette disait aussi qu'elle volerait, murmura Sestican.

— Gringalette ! Ce n'est même pas son vrai nom ; elle n'avait même pas été capable de se rappeler son vrai nom. Gringalette ! C'est un nom pour un chien ou pour un cheval particulièrement demeuré, pas pour un dragon !

— Ne dis pas de mal d'elle, répondit Mercor ; nous risquons tous de connaître la même fin qu'elle.

— Elle n'a pas connu de fin : elle n'avait jamais connu de début, répliqua Dente. Une moitié de dragon, c'est comme pas de dragon du tout. »

Intérieurement, Sintara était d'accord avec elle : ses congénères les moins développés intellectuellement suscitaient chez elle une angoisse qu'elle ne s'expliquait pas. La proximité d'une créature à forme de dragon mais dont les pensées n'étaient pas celles d'un dragon la perturbait. Une nuit, elle avait entendu des gardiens échanger des histoires de « fantômes », et elle se demandait si ce qu'elle ressentait s'apparentait à ce phénomène d'un être qui est là sans être là, d'une présence connue, mais sans substance.

Et c'est précisément ce qu'elle voyait dans le dragon argenté qui n'avait pas de nom et qui s'avançait dans le fleuve en pataugeant laborieusement. Sa queue avait guéri depuis longtemps, mais il la tenait toujours raide comme si la peau était trop tendue. Il avait acquis du muscle à force de voyager, et, depuis que ses gardiens lui avaient administré du vermifuge, il avait repris du poids, mais ses pattes arrière restaient courtaudes ; néanmoins, les ailes qu'il déployait avaient une envergure quasi normale, et tous les dragons le regardèrent en silence les lever délicatement, les agiter à plusieurs reprises à l'imitation de Dente, puis rejeter la tête en arrière ; quand il la ramena brusquement en avant, les mâchoires ouvertes, Sintara vit que ses crocs étaient deux fois plus grands que ceux de Dente et disposés sur deux rangées ; et le nuage de toxines qui jaillit en même temps que son rugissement guttural était épais et violacé, composé de grosses gouttelettes qui tombèrent dans le fleuve en sifflant. Sintara se détourna de l'odeur âcre du puissant venin.

« La moitié de dragon, dit l'argenté, peut réduire tous à pas de dragon du tout. » Il parcourut ses congénères d'un regard furieux pour s'assurer qu'ils saisissaient bien la menace. « Un nom ? Je PRENDS un nom ! Mon nom Crache ! Mon nom ce que je fais. Dente, dis mon nom. »

La petite dragonne verte se détourna promptement de lui et tenta de s'éloigner avec dignité, mais les dragons ne sont pas conçus pour nager, et c'est précipitamment et avec maladresse qu'elle se mit hors de sa portée. Crache éclata de rire, et, quand Dente tourna la tête vers lui pour feuler, il laissa flotter vers elle un petit nuage de venin ; la brise qui soufflait sur le fleuve le dispersa avant qu'il pût faire aucun mal à sa cible, mais Mercor réagit néanmoins.

« Crache, ne gaspille pas ton venin ; un de nos chasseurs a disparu, et nos gardiens ont perdu plusieurs de leurs canoës ainsi que la quasi-totalité de leurs armes ; ils ne pourront plus rapporter autant de gibier que naguère, et nous devons tous nous efforcer de chasser nos propres proies. Garde ton venin pour ça.

— Peut-être je mange Dente », fit Crache, acerbe ; mais il fit demi-tour, regagna les hauts-fonds, prit pied sur la berge boueuse, et, avec un mépris superbe pour l'hygiène, se jeta à terre pour dormir. Sintara l'envia soudain : quel bonheur ce serait de se coucher pour se reposer enfin ! À son réveil, Thymara et Alise pourraient la nettoyer ; elle était déjà sale, et un peu de boue en plus ne ferait guère de différence – et il était temps qu'elles manifestent un peu de gratitude pour leur sauvetage.

Sa décision prise, elle se rendit sur le plus haut point du banc émergé et se coucha ; la boue se déforma sous sa masse, froide tout d'abord, mais se réchauffant peu à peu comme l'eût fait un lit d'herbe épaisse. Elle posa la tête sur ses pattes antérieures pour éviter de mettre les narines dans la vase, et ferma les yeux. Quel plaisir de s'allonger !

Elle entendait les autres dragons qui suivaient son exemple. Ranculos retrouva sa place habituelle près d'elle et se coucha en ménageant son flanc gauche. Sestican s'installa de l'autre côté.

Les dragons s'endormirent.

Table

Photocomposition Nord Compo
59650 Villeneuve-d'Ascq

Achevé d'imprimer par GGP Media GmbH, Pößneck
en Janvier 2012
pour le compte de France Loisirs,
Paris

N° d'éditeur : 66771
Dépôt légal : Février 2012
Imprimé en Allemagne